O LIVRO DA PSICOLOGIA

O LIVRO DA PSICOLOGIA

GLOBOLIVROS

GLOBOLIVROS

DK LONDRES

EDITOR DE PROJETO DE ARTE
Amy Orsborne

EDITORES SENIORES
Sam Atkinson, Sarah Tomley

EDITORES
Cecile Landau, Scarlett O'Hara

GERENTE DE ARTE
Karen Self

GERENTES EDITORIAIS
Esther Ripley, Camilla Hallinan

DIRETOR DE ARTE
Philip Ormerod

DIRETOR EDITORIAL ASSOCIADO
Liz Wheeler

DIRETOR EDITORIAL
Jonathan Metcalf

ILUSTRAÇÕES
James Graham

PESQUISA DE IMAGENS
Myriam Megharbi

EDITOR DE PRODUÇÃO
Tony Phipps

CONTROLADOR DE PRODUÇÃO
Angela Graef

EDITORA GLOBO

EDITORA RESPONSÁVEL
Camila Werner

EDITORES ASSISTENTES
Sarah Czapski Simoni
Lucas de Sena Lima

ASSISTENTE EDITORIAL
Milena Martins

TRADUÇÃO
Clara M. Hermeto e Ana Luisa Martins

PREPARAÇÃO DE TEXTO
Fabiana Medina

REVISÃO TÉCNICA
Marcelo Francisco de Mello

REVISÃO DE TEXTO
Mônica Hamada e Huendel Viana

EDITORAÇÃO ELETRÔNICA
Duligraf Produção Gráfica Ltda.

Editora Globo S.A.
Rua Marquês de Pombal, 25 – 20.230-240
Rio de Janeiro – RJ – Brasil
www.globolivros.com.br

Texto fixado conforme as regras do novo Acordo Ortográfico da Língua Portuguesa (Decreto Legislativo nº 54, de 1995)

Todos os direitos reservados. Nenhuma parte desta edição pode ser utilizada ou reproduzida — por qualquer meio ou forma, seja mecânico ou eletrônico, fotocópia, gravação etc. —, nem apropriada ou estocada em sistema de banco de dados sem a expressa autorização da editora.

Título original: *The Psychology Book*

2ª edição, 2016 - 23ª reimpressão, 2025
Impressão e acabamento: Santa Marta

Copyright © 2012 by Dorling Kindersley Limited
Uma empresa Penguin Random House

Copyright da tradução © 2012
by Editora Globo

CIP-BRASIL. CATALOGAÇÃO NA PUBLICAÇÃO
SINDICATO NACIONAL DOS EDITORES DE LIVROS, RJ

L762
2. ed.

O livro da psicologia / [tradução Clara M. Hermeto, Ana Luisa Martins]. - 2. ed. - São Paulo : Globo Livros, 2016.
il.

Tradução de: The psychology book
ISBN 978-85-250-6249-9

1. Psicologia. I. Hermeto, Clara M. II. Martins, Ana Luisa. III. Título.

16-31589   CDD: 150
               CDU: 159.9

COLABORADORES

CATHERINE COLLIN

Psicóloga clínica, a consultora Catherine Collin é professora associada da Universidade de Plymouth (catedrática de terapias psicológicas). Suas áreas de interesse são os cuidados primários em saúde mental e a terapia cognitivo-comportamental.

NIGEL BENSON

Catedrático de filosofia e psicologia, Nigel Benson publicou vários livros bem-sucedidos de psicologia, incluindo *Psychology for beginners* e *Introducing psychiatry*.

JOANNAH GINSBURG

Psicóloga clínica e jornalista, Joannah Ginsburg atua em centros de tratamento comunitários em Nova York, Boston, Filadélfia e Dallas. Contribui regularmente com periódicos de psicologia. É coautora de *This book has issues: adventures in popular psychology*.

VOULA GRAND

Como psicóloga organizacional, Voula Grand presta consultoria na área de liderança e desempenho empresarial em corporações no mundo todo. Seu primeiro romance, *Honor's shadow* (2011), versa sobre a psicologia dos segredos, da traição e da vingança. Atualmente, escreve sua sequência: *Honor's ghost*.

MERRIN LAZYAN

A escritora, editora e soprano Merrin Lazyan cursou psicologia em Harvard e escreveu vários livros de ficção e não ficção que abordam uma variedade de assuntos.

MARCUS WEEKS

Escritor e músico, Marcus Weeks estudou filosofia e lecionou antes de se dedicar integralmente a escrever suas obras. Tem contribuído em vários livros, de assuntos que vão de artes a ciências.

SUMÁRIO

10 INTRODUÇÃO

RAÍZES FILOSÓFICAS
A GÊNESE DA PSICOLOGIA

- **18** Os quatro temperamentos da personalidade
  Galeno
- **20** Há uma alma racional nessa máquina
  René Descartes
- **22** *Dormez!* Abade Faria
- **24** Conceitos tornam-se forças quando resistem um ao outro
  Johann Friedrich Herbart
- **26** Ser quem realmente somos Søren Kierkegaard
- **28** A personalidade é constituída por natureza e criação
  Francis Galton
- **30** As leis da histeria são universais
  Jean-Martin Charcot
- **31** Uma estranha destruição das conexões psíquicas internas
  Emil Kraepelin
- **32** A vida mental começa com o início da vida
  Wilhelm Wundt
- **38** Sabemos o significado de "consciência", contanto que ninguém nos peça para defini-lo
  William James
- **46** A adolescência é um novo nascimento
  G. Stanley Hall
- **48** Esquecemos dois terços do que aprendemos nas últimas 24 horas
  Hermann Ebbinghaus
- **50** A inteligência individual não tem uma quantidade fixada Alfred Binet
- **54** O inconsciente vê os homens por detrás das cortinas
  Pierre Janet

BEHAVIORISMO
RESPONDENDO AO AMBIENTE

- **60** A visão de uma comida apetitosa faz um homem faminto salivar Ivan Pavlov
- **62** Ações não compensatórias são suprimidas
  Edward Thorndike
- **66** Qualquer pessoa, independentemente de sua natureza, pode ser treinada para ser qualquer coisa
  John B. Watson
- **72** O grande labirinto criado por Deus: o mundo em que vivemos Edward Tolman
- **74** Se o rato faz uma visita ao saco de grãos, podemos ter certeza de que voltará
  Edwin Guthrie
- **75** Nada é mais natural do que o "amor" do gato pelo rato
  Zing-Yang Kuo
- **76** Aprender simplesmente não é possível Karl Lashley
- **77** O *imprinting* jamais é esquecido! Konrad Lorenz
- **78** O comportamento é moldado por reforços positivos e negativos B. F. Skinner
- **86** Pare de imaginar e relaxe
  Joseph Wolpe

PSICOTERAPIA
O INCONSCIENTE DETERMINA O COMPORTAMENTO

92 O inconsciente é a verdadeira realidade psíquica
Sigmund Freud

100 O neurótico carrega consigo um sentimento constante de inferioridade
Alfred Adler

102 O inconsciente coletivo é formado por arquétipos
Carl Jung

108 O conflito entre as pulsões de vida e de morte permanece por toda a existência
Melanie Klein

110 A tirania dos "deveres" Karen Horney

111 O superego só se manifesta quando enfrenta o ego com animosidade Anna Freud

112 A verdade só pode ser tolerada se descoberta por conta própria Fritz Perls

118 Nada é mais inadequado do que adotar uma criança e amá-la Donald Winnicott

122 O inconsciente é o discurso do Outro
Jacques Lacan

124 A principal tarefa do homem é promover o seu próprio nascimento
Erich Fromm

130 A vida plena é um processo, não um estado de ser Carl Rogers

138 Todo homem deve ser o que pode ser
Abraham Maslow

140 O sofrimento deixa de ser sofrimento quando ganha sentido
Viktor Frankl

141 Ninguém se torna completamente humano sem sentir dor
Rollo May

142 Convicções racionais produzem consequências emocionais saudáveis
Albert Ellis

146 A família é a "fábrica" onde as pessoas são feitas Virginia Satir

148 Ligue-se, sintonize-se e caia fora
Timothy Leary

149 Ver demais pode levar à cegueira Paul Watzlawick

150 A loucura nem sempre é caos, pode ser também transformação
R. D. Laing

152 Nossa história não determina o nosso destino
Boris Cyrulnik

154 Só pessoas boas ficam deprimidas Dorothy Rowe

155 Pais estão sujeitos à lei do silêncio
Guy Corneau

PSICOLOGIA COGNITIVA
O CÉREBRO PERSPICAZ

160 O instinto é um padrão dinâmico
Wolfgang Köhler

162 Interromper uma tarefa aumenta bastante as chances de nos lembrarmos dela
Bluma Zeigarnik

163 Quando o bebê ouve passos, uma assembleia é estimulada Donald Hebb

164 Saber é um processo, e não um produto
Jerome Bruner

166 Um homem de convicções resiste a mudanças
Leon Festinger

168 O número mágico sete, mais ou menos dois
George Armitage Miller

174 Há mais na superfície do que nosso olhar alcança
Aaron Beck

178 Podemos ouvir apenas uma voz de cada vez
Donald Broadbent

186 O tempo dá uma volta completa
Endel Tulving

192 A percepção é uma alucinação controlada externamente
Roger N. Shepard

193 Estamos sempre à espera de conexões causais
Daniel Kahneman

194 Eventos e emoções são armazenados juntos na memória
Gordon H. Bower

196 Emoções são um trem desgovernado   Paul Ekman

198 Extasiar-se é entrar em uma realidade alternativa
Mihály Csíkszentmihályi

200 Pessoas felizes são muito sociáveis
Martin Seligman

202 Algo em que acreditamos piamente não é necessariamente verdade
Elizabeth Loftus

208 Os sete pecados da memória   Daniel Schacter

210 Não somos apenas os nossos pensamentos
Jon Kabat-Zinn

211 Tememos que a biologia menospreze o que temos de mais sagrado
Steven Pinker

212 Rituais de comportamento compulsivo são tentativas de controlar pensamentos inoportunos   Paul Salkovskis

PSICOLOGIA SOCIAL
ESTAR NO MUNDO COM OS OUTROS

218 Só compreendemos um sistema quando tentamos transformá-lo   Kurt Lewin

224 Quão forte é o impulso à conformidade social?
Solomon Asch

228 A vida é uma representação dramática
Erving Goffman

230 Quanto mais se vê, mais se gosta   Robert Zajonc

236 Quem gosta de mulheres competentes?
Janet Taylor Spence

237 Memórias fotográficas são provocadas por eventos de alto teor emocional
Roger Brown

238 O objetivo não é desenvolver o conhecimento, mas estar a par das novidades
Serge Moscovici

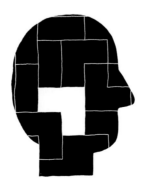

240 Somos, por natureza, seres sociais
William Glasser

242 Acreditamos que as pessoas recebem o que merecem
Melvin Lerner

244 Pessoas que fazem loucuras não são necessariamente loucas
Elliot Aronson

246 As pessoas agem conforme as ordens que recebem
Stanley Milgram

254 O que acontece quando colocamos pessoas boas em lugares ruins?
Philip Zimbardo

256 Traumas devem ser analisados sob a perspectiva da relação entre indivíduo e sociedade
Ignacio Martín-Baró

PSICOLOGIA DO DESENVOLVIMENTO
DA CRIANÇA AO ADULTO

262 O objetivo da educação é criar homens e mulheres capazes de fazer coisas novas Jean Piaget

270 Construímos nossa identidade pela relação com os outros
Lev Vygotsky

271 A criança não precisa estar ligada a um pai em particular Bruno Bettelheim

272 Tudo se desenvolve a partir de um plano básico
Erik Erikson

274 Os vínculos emocionais da primeira infância são parte essencial da natureza humana
John Bowlby

278 O conforto do contato é muito importante
Harry Harlow

279 Preparamos as crianças para uma vida cujo rumo desconhecemos
Françoise Dolto

280 Mães sensíveis criam vínculos seguros
Mary Ainsworth

282 Quem ensina as crianças a odiar e temer alguém de outra raça?
Kenneth Clark

284 Meninas tiram notas melhores que meninos
Eleanor E. Maccoby

286 A maior parte do comportamento humano é aprendida por imitação
Albert Bandura

292 A moral se desenvolve em seis estágios
Lawrence Kohlberg

294 O órgão da linguagem se desenvolve como qualquer outro órgão do corpo
Noam Chomsky

298 O autismo é uma versão extrema do cérebro masculino
Simon Baron-Cohen

PSICOLOGIA DA DIFERENÇA
PERSONALIDADE E INTELIGÊNCIA

304 Diga quantos usos você pode imaginar para um palito de dentes
J. P. Guilford

306 Faltavam traços de personalidade a Robinson Crusoé antes de conhecer Sexta-Feira?
Gordon Allport

314 A inteligência geral é constituída pelas inteligências fluida e cristalizada Raymond Cattell

316 Há uma ligação entre insanidade e genialidade
Hans J. Eysenck

322 O desempenho é resultado de três grandes motivações
David C. McClelland

324 A emoção é um processo inconsciente
Nico Frijda

326 O comportamento seria totalmente caótico se não se considerassem dados do ambiente
Walter Mischel

328 Não conseguimos distinguir os sãos dos loucos nos hospitais psiquiátricos
David Rosenhan

330 As três faces de Eva
Thigpen & Cleckley

332 OUTROS PSICÓLOGOS

340 GLOSSÁRIO

344 ÍNDICE

351 AGRADECIMENTOS

INTRODUÇÃO

 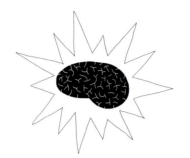 

Entre todos os campos da ciência, a psicologia talvez seja o mais misterioso para o público leigo e o mais suscetível a mal-entendidos. Embora seu jargão e seus conceitos estejam impregnados na cultura cotidiana, a maioria das pessoas tem apenas uma vaga ideia do que se trata e do que realmente fazem os psicólogos. Para alguns, a psicologia evoca imagens de sujeitos em jalecos brancos, trabalhando numa instituição para doentes mentais ou fazendo experiências com ratinhos de laboratório. Outros talvez imaginem um psicanalista com algum sotaque da Europa Central analisando um paciente deitado num divã ou, se levarmos a sério os roteiros de cinema, planejando algum tipo de controle mental.

Embora sejam estereótipos exagerados, existe neles alguma verdade. Talvez o responsável por essa confusão sobre o que a psicologia abrange seja o grande espectro de assuntos sobre os quais ela se debruça (e a surpreendente quantidade de termos iniciados pelo prefixo "psi"); os próprios psicólogos não conseguem chegar a um acordo sobre a melhor definição para a palavra. "Psicologia" vem do grego antigo, união de *psyche*, isto é, "alma" ou "mente", com *logia*, "estudo" ou "relato", o que resume a ampla abrangência da área; hoje, porém, a palavra refere-se com mais precisão à "ciência da mente e do comportamento".

A nova ciência

Psicologia também pode ser compreendida como uma ponte entre filosofia e fisiologia. Enquanto a fisiologia descreve e explica a conformação física do cérebro e do sistema nervoso, a psicologia examina os processos mentais que nele acontecem e como se manifestam no nosso pensamento, discurso e comportamento. Enquanto a filosofia se preocupa com raciocínios e ideias, à psicologia interessa como eles nos ocorrem e o que nos dizem sobre o funcionamento da mente.

Todas as ciências evoluíram a partir da filosofia, aplicando-se métodos científicos a questões filosóficas, mas a natureza intangível de coisas como

A psicologia tem um longo passado, mas, apesar disso, uma história recente.
Hermann Ebbinghaus

consciência, percepção e memória tornou mais lento o processo de transição da psicologia de especulação filosófica para a prática científica. Em algumas universidades, sobretudo nos Estados Unidos, departamentos de psicologia nasceram como divisões do departamento de filosofia, enquanto em outras instituições, especialmente nas alemãs, faziam parte das faculdades de ciência. Foi apenas no fim do século XIX que a psicologia se consolidou como uma disciplina científica independente.

A fundação do primeiro laboratório mundial de psicologia experimental, em 1879, por Wilhelm Wundt, na Universidade de Leipzig, marca o reconhecimento da psicologia como uma disciplina científica, desbravando novos territórios em áreas de pesquisa inexploradas anteriormente. Ao longo do século XX, a psicologia floresceu; seus principais ramos, bem como suas correntes, evoluíram. Como ocorre com todas as ciências, a história da psicologia é construída por teorias e descobertas de gerações sucessivas, e muitas teorias antigas permanecem relevantes para profissionais contemporâneos. Algumas áreas de pesquisa têm sido objeto de estudo da psicologia desde os seus primórdios e sofreram as mais diversas interpretações por parte das diferentes escolas de pensamento; ao passo que outras foram ora ignoradas,

INTRODUÇÃO

ora favorecidas e, mesmo assim, influenciaram de modo significativo os pensamentos que as sucederam, chegando mesmo, em algumas ocasiões, a abrir caminho para a exploração de conceitos totalmente originais.

A maneira mais simples de iniciar a abordagem do vasto espectro da psicologia é conhecer suas principais correntes de forma mais ou menos cronológica, como faremos neste livro: começando por suas raízes no pensamento filosófico, passando pelo behaviorismo, pela psicoterapia e pelo estudo da psicologia cognitiva, social e do desenvolvimento, e chegando por fim à psicologia da diferença.

Duas abordagens

Desde seus primeiros passos, a psicologia foi vista de forma diferente por pessoas diferentes. Nos Estados Unidos, teve raízes na filosofia, portanto a abordagem era especulativa e teórica e envolvia conceitos como consciência e o "eu". Na Europa, a base foi científica, logo, a ênfase foi na observação de processos mentais, tais como a percepção sensorial e a memória, em condições laboratoriais controladas. No entanto, mesmo a pesquisa dos profissionais mais alinhados ao pensamento científico era limitada pela natureza introspectiva de seus métodos: Hermann Ebbinghaus e outros pioneiros tornaram-se objeto de suas próprias investigações, restringindo, dessa maneira, a variedade de tópicos para aqueles que podiam ser observados neles mesmos. Embora esses psicólogos tenham utilizado métodos científicos e construído os alicerces da nova ciência, muitos de seus colegas da geração seguinte consideraram seus processos subjetivos demais e buscaram uma metodologia mais objetiva.

Na década de 1890, o fisiologista russo Ivan Pavlov conduziu uma série de experimentos com resultados decisivos para o desenvolvimento da psicologia tanto na Europa quanto nos Estados Unidos. Pavlov provou que animais podiam ser condicionados a reagir a um estímulo, ideia que evoluiu para um movimento chamado behaviorismo. Os behavioristas acreditavam ser impossível estudar processos mentais com objetividade, mas não viam muita dificuldade em medir o comportamento, isto é, a manifestação desses processos. Começaram a fazer experiências que podiam ser realizadas em condições controladas, primeiro com animais — para compreender aspectos gerais da psicologia humana — e depois com seres humanos. Os estudos dos behavioristas concentravam-se quase que exclusivamente no modo como o comportamento é moldado pela interação com o ambiente; essa teoria de "estímulo e resposta" popularizou-se com o trabalho de John Watson. Novas teorias de aprendizagem começaram a pipocar na Europa e nos Estados Unidos, atraindo a atenção do público leigo.

Entretanto, enquanto o behaviorismo nascia nos Estados Unidos, em Viena um jovem neurologista começava a desenvolver uma teoria da mente que alteraria por completo o curso do pensamento contemporâneo e imporia uma abordagem muito diferente. Baseada na observação e no histórico de pacientes, em vez de experiências em laboratório, a teoria psicanalítica de Sigmund Freud marcou o retorno ao estudo da experiência subjetiva.

Freud estava interessado em memórias, desenvolvimento na »

O primeiro fato que nos interessa, como psicólogos, é que o pensamento entre em cena.
William James

INTRODUÇÃO

infância e relações interpessoais, e destacava a influência do inconsciente para determinar o comportamento. Recebidas na época com choque, suas ideias foram rápida e largamente adotadas, e o conceito de "cura pela fala" continua presente em várias formas atuais de psicoterapia.

Novos campos de estudo

Em meados do século XX, tanto o behaviorismo quanto a psicanálise caíram em desuso, com o retorno do estudo científico dos processos da mente. Isso marcou o início da psicologia cognitiva, um movimento com raízes na abordagem holística dos psicólogos adeptos da Gestalt, os quais se interessavam pelo estudo da percepção. O trabalho desses psicólogos emergiu nos Estados Unidos nos anos subsequentes à Segunda Guerra Mundial; no final da década de 1950, a psicologia cognitiva tornara-se a corrente predominante. O rápido crescimento das áreas de comunicação e ciência da computação proporcionava aos psicólogos analogias úteis; o modelo de processamento de informações serviu à construção de teorias em áreas como atenção, percepção, motivação, memória e esquecimento, linguagem e aquisição de linguagem, resolução de problemas e tomada de decisões.

Até mesmo a psicoterapia, que a partir da "cura pela fala" original ramificara-se em diversas formas, foi influenciada pela abordagem cognitiva. As terapias cognitiva e cognitivo-comportamental surgiram como alternativas à psicanálise e levaram a movimentos como a psicologia humanista, com ênfase nas qualidades singulares da vida humana. Esses terapeutas mudaram seu foco de atenção: em vez de curar pessoas doentes, preocupavam-se em orientar pessoas saudáveis a terem vidas mais repletas de significado.

Apesar de, em sua fase inicial, a psicologia ter se concentrado mais na mente e no comportamento dos indivíduos, ela começou a se interessar cada vez mais em observar a forma como interagimos com o ambiente e com outras pessoas; surgiu daí a psicologia social. Tanto quanto a abordagem cognitiva, o novo campo deveu muito aos pesquisadores da Gestalt, em especial Kurt Lewin, que fugira da Alemanha nazista para os Estados Unidos durante a década de 1930. A psicologia social ganhou fôlego na segunda metade do século XX, ao revelar fatos curiosos sobre nossas atitudes e nossos preconceitos, nossa tendência a obedecer e se adequar e nossas justificativas para ter comportamentos agressivos ou altruístas; todos eles fatos de crescente relevância no mundo moderno, organizado em espaços urbanos e contando com sistemas de comunicação cada vez mais eficazes.

Sentia-se a influência permanente de Freud sobretudo no campo da psicologia do desenvolvimento. Inicialmente preocupados apenas com o desenvolvimento da criança, os estudos da área expandiram-se e incluíram as mudanças ao longo da vida, da infância à velhice. Pesquisadores mapearam métodos de aprendizagem social, cultural e moral, e os processos pelos quais formamos laços com os outros. A contribuição da psicologia do desenvolvimento para áreas de educação e capacitação tem sido significativa e, de maneira menos óbvia, influenciou também os pensamentos sobre a relação entre o

Se o século XIX foi a era da cadeira do editor, o nosso é o século do divã do psiquiatra.
Marshall McLuhan

INTRODUÇÃO 13

 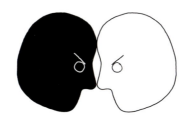 

desenvolvimento infantil e as atitudes em relação à raça e ao gênero.

Quase todas as correntes da psicologia abordaram a questão da singularidade humana, mas no final do século XX essa área de estudo foi reconhecida como uma disciplina independente, com o nome de psicologia da diferença. Ao mesmo tempo que tentam identificar e medir traços de personalidade e os múltiplos fatores que compõem a inteligência, os psicólogos dessa crescente especialidade lançam um olhar sobre as definições e as medidas de normalidade e anormalidade e questionam até que ponto nossas diferenças individuais são produto do ambiente ou resultado de heranças genéticas.

Uma ciência influente
As numerosas linhas da psicologia em vigor abarcam todo o espectro da vida mental e do comportamento humano e animal. O alcance da psicologia expandiu-se e sobrepôs-se a muitas outras disciplinas, entre elas a medicina, a fisiologia, a neurociência, a ciência da computação, a educação, a sociologia, a antropologia e até mesmo a política, a economia e o direito. Talvez se tenha tornado a mais abrangente das ciências.

A psicologia continua a influenciar e ser influenciada por outras ciências, especialmente nas áreas de neurociência e genética. Em particular, continua atual o debate originado pelas ideias de Francis Galton, na década de 1870, sobre a questão da natureza *versus* criação; recentemente, a psicologia evolutiva tem contribuído para o debate ao encarar traços psicológicos como fenômenos inatos e biológicos, sujeitos às leis da genética e de seleção natural.

A psicologia é uma matéria muito abrangente cujas descobertas interessam a todos nós. Sob qualquer um de seus prismas, serve de base a muitas decisões de governos, empresas, indústrias, publicidade e mídias de massa. Ela nos afeta como grupo e como indivíduo, contribuindo na mesma medida para o debate público sobre o funcionamento e as possibilidades de organização

O objetivo da psicologia é nos fornecer uma ideia completamente diferente sobre as coisas que conhecemos melhor.
Paul Valéry

das sociedades quanto para o diagnóstico e tratamento de distúrbios mentais.

As ideias e teorias dos psicólogos integraram-se de tal forma à cultura popular contemporânea que muitas descobertas sobre processos mentais e comportamentais são consideradas "senso comum". Ainda que várias teorias da psicologia confirmem nossas suposições instintivas, muitas as contrariam; não tem sido raro psicólogos chocarem e escandalizarem o público com descobertas que abalam crenças convencionais há muito estabelecidas.

Em sua breve história, a psicologia nos presenteou com ideias que alteraram o nosso modo de pensar, além de nos ajudar a compreender melhor nós mesmos, os outros e o mundo em que vivemos. Questionou hábitos profundamente arraigados, trouxe à tona verdades inconvenientes, proporcionou-nos *insights* surpreendentes e soluções para questões complexas. Sua popularidade crescente como curso universitário é sinal não apenas de sua relevância no mundo moderno, mas também do prazer e do estímulo que se pode obter ao explorar a riqueza e a diversidade de uma área que observa o misterioso mundo da mente humana. ∎

RAÍZES FILOSÓ

A GÊNESE DA PSICOLOGIA

FICAS

INTRODUÇÃO

René Descartes publica *As paixões da alma*, afirmando que **corpo e alma são entidades distintas**.

O abade Faria investiga a **hipnose** em seu livro *Da causa do sono lúcido*.

Charles Darwin publica *A origem das espécies*, propondo que todas as nossas características são hereditárias.

As pesquisas de Francis Galton sugerem que **natureza é mais importante do que criação**, no livro *O gênio hereditário*.

1649   **1819**   **1859**   **1869**

1816   **1849**   **1861**   **1874**

Johann Friedrich Herbart descreve uma mente dinâmica com **um consciente e um inconsciente** em *Compêndio de psicologia*.

O livro de Søren Kierkegaard, *O desespero humano (Doença até a morte)*, marca o início do **existencialismo**.

O neurocirurgião **Pierre Paul Broca** descobre que os lados esquerdo e direito do cérebro desempenham funções distintas.

Carl Wernicke apresenta evidências de que danos sofridos por áreas específicas do cérebro causam a perda de habilidades específicas.

Muitos temas examinados pela psicologia moderna já eram objeto de debate da filosofia bem antes do desenvolvimento daquilo que hoje entendemos por ciência. Os primeiros filósofos da Grécia antiga já procuravam respostas sobre o mundo que nos rodeia, sobre nosso modo de pensar e de agir. Desde então, não cessou o debate sobre questões como consciência e ser, mente e corpo, conhecimento e percepção, como estruturar a sociedade e viver bem.

Os diversos campos da ciência evoluíram da filosofia e, a partir do século XVI, tomaram impulso até culminar na "revolução científica" que ocorreu na Era da Razão, ou Iluminismo, no século XVIII. Embora os avanços do conhecimento científico já tivessem respostas para muitas perguntas sobre este mundo, ainda não eram capazes de explicar o funcionamento da mente. A ciência e a tecnologia, no entanto, já providenciavam modelos para que começássemos a formular as questões certas e a testar teorias com base na coleta de dados relevantes.

Separando o corpo da mente

O filósofo e matemático René Descartes, uma das principais figuras da revolução científica do século XVII, traçou uma distinção entre corpo e mente que se tornaria essencial para o desenvolvimento da psicologia. Descartes afirmava que todos os seres humanos tinham uma existência dual — um corpo que funciona como uma máquina e uma mente pensante e imaterial, ou alma. Pensadores da psicologia que o sucederam, entre eles Johann Friedrich Herbart, ampliaram a analogia com a máquina para incluir também o cérebro e passaram a descrever os processos mentais como um cérebro-máquina trabalhando.

A questão do grau de separação entre corpo e mente tornou-se tema de debate. Cientistas perguntaram-se até que ponto a mente é formada por fatores físicos e o quanto é moldada pelo ambiente. O debate "natureza *versus* criação", turbinado pela teoria evolucionista do naturalista britânico Charles Darwin e adotado por Francis Galton, pôs em foco conceitos como livre-arbítrio, personalidade, desenvolvimento e aprendizagem. Eram áreas que ainda não haviam sido estudadas a contento pela filosofia e estavam então prontas para serem examinadas pelo método científico. Enquanto isso, com a descoberta da hipnose, a natureza misteriosa da mente popularizava-se, levando

RAÍZES FILOSÓFICAS 17

Jean-Martin Charcot produz suas *Lições sobre as doenças do sistema nervoso.*

Emil Kraepelin publica o seu *Compêndio de psiquiatria.*

G. Stanley Hall publica a primeira edição do *American Journal of Psychology.*

William James, o "pai da psicologia", publica *Os princípios da psicologia.*

1877   **1883**   **1887**   **1890**

1879   **1885**   **1889**   **1895**

Wilhelm Wundt funda o **primeiro laboratório** de psicologia experimental em Leipzig, Alemanha.

Hermann Ebbinghaus descreve seus experimentos aprendendo sílabas sem sentido no livro *Memória.*

Pierre Janet sugere que a **histeria** envolve dissociação e divisão de personalidade.

Alfred Binet abre o primeiro laboratório de **psicodiagnóstico**.

---

cientistas sérios a considerar que a vida mental poderia conter mais elementos do que o pensamento consciente. Esses cientistas começaram a analisar a natureza do "inconsciente" e sua influência sobre nosso raciocínio e comportamento.

O nascimento da psicologia

É sobre esse pano de fundo que nasceu a psicologia como ciência moderna. Em 1879, Wilhelm Wundt fundou o primeiro laboratório de psicologia experimental na Universidade de Leipzig, na Alemanha; ao mesmo tempo, começaram a surgir departamentos de psicologia em outras universidades da Europa e dos Estados Unidos. Tal como o pensamento filosófico herdara certas características regionais, a psicologia desenvolveu-se de maneiras distintas em cada localidade: na Alemanha, psicólogos como Wundt, Hermann Ebbinghaus e Emil Kraepelin adotaram uma abordagem estritamente científica para o assunto; enquanto, nos Estados Unidos, William James e seus discípulos de Harvard tomaram um caminho mais teórico e filosófico. Em paralelo com essas escolas, havia uma importante corrente de pensamento crescendo em Paris com base nos trabalhos do neurologista Jean-Martin Charcot, que fizera uso da hipnose em pacientes histéricas. O fato atraiu psicólogos como Pierre Janet, cujas ideias a respeito do inconsciente anteciparam a teoria psicanalítica freudiana.

As últimas duas décadas do século XIX presenciaram o rápido crescimento da nova ciência da psicologia e o estabelecimento de uma metodologia científica para o estudo da mente muito semelhante à praticada pela fisiologia e disciplinas correlatas para estudar o corpo. Pela primeira vez, um método científico era aplicado a questões como percepção, consciência, memória, aprendizagem e inteligência, e suas práticas de observação e experimentação produziram um novo acervo de teorias.

Embora essas ideias tenham nascido muitas vezes do estudo introspectivo da mente por parte do pesquisador, ou de relatos extremamente subjetivos por parte das pessoas estudadas, firmaram-se as bases para que a geração seguinte de psicólogos pudesse, na virada do século, desenvolver um estudo realmente objetivo da mente e do comportamento e aplicar suas novas teorias no tratamento de distúrbios mentais. ■

OS QUATRO TEMPERAMENTOS DA PERSONALIDADE
GALENO (c.129–c.201 d.C.)

CONTEXTO

ABORDAGEM
Humorismo

ANTES
c.400 a.C. O médico grego Hipócrates afirma que características dos quatro elementos têm correspondência nos fluidos corporais.

c.325 a.C. O filósofo grego Aristóteles elenca quatro fontes da felicidade: sensual (*hedone*), material (*propraietari*), ética (*ethikos*) e lógica (*dialogike*).

DEPOIS
1543 O anatomista Andreas Vesalius publica, na Itália, *De humani corporis fabrica*. O livro aponta falhas de Galeno, e Vesalius é acusado de heresia.

1879 Wilhelm Wundt afirma que os temperamentos se desenvolvem em diferentes proporções sobre dois eixos: "mutabilidade" e "emocionalidade".

1947 Em *Dimensões da personalidade*, Hans Eysenck sugere que a personalidade está baseada em duas dimensões.

Todas as coisas são combinações de quatro elementos básicos: terra, ar, fogo e água.

↓

As características desses elementos podem ser encontradas em quatro humores (fluidos) correspondentes, os quais afetam as funções corporais.

↓

Esses humores também afetam nossas emoções e nosso comportamento — nossos **"temperamentos"**.

↓

Problemas de temperamento são causados por um desequilíbrio dos nossos humores...

↓

... portanto, **restaurando o equilíbrio** dos humores, o médico pode curar nossos problemas emocionais e comportamentais.

O filósofo e médico romano Cláudio Galeno estabeleceu um conceito de tipos de personalidade com base na teoria do humorismo, dos antigos gregos, a qual procurava explicar o funcionamento do corpo humano.

As raízes do humorismo remontam a Empédocles (c.495-435 a.C.). O filósofo grego propôs que as características dos quatro elementos básicos — terra (fria e seca), ar (quente e úmido), fogo (quente e seco) e água (fria e úmida) — poderiam explicar a existência de todas as substâncias. Hipócrates (460-370 a.C.), o "pai da medicina", desenvolveu um modelo médico baseado nesses elementos básicos e atribuiu suas características a quatro fluidos do corpo. Tais fluidos eram chamados de "humores" (do latim *umor*, fluido corporal).

Duzentos anos mais tarde, Galeno expandiu a teoria do humorismo para uma teoria da personalidade; para ele, havia uma relação direta entre os níveis dos humores no corpo e as inclinações emocionais e comportamentais — ou "temperamentos".

Os quatro temperamentos de Galeno — sanguíneo, fleumático, colérico e melancólico — estão relacionados ao equilíbrio dos humores no corpo.

RAÍZES FILOSÓFICAS

Veja também: René Descartes 20–21 ▪ Gordon Allport 306–13 ▪ Hans J. Eysenck 316–21 ▪ Walter Mischel 326–27

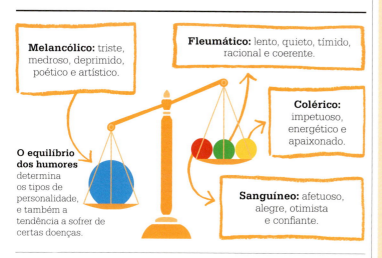

Melancólico: triste, medroso, deprimido, poético e artístico.

Fleumático: lento, quieto, tímido, racional e coerente.

Colérico: impetuoso, energético e apaixonado.

Sanguíneo: afetuoso, alegre, otimista e confiante.

O equilíbrio dos humores determina os tipos de personalidade, e também a tendência a sofrer de certas doenças.

Galeno

Cláudio Galeno, mais conhecido como "Galeno de Pérgamo", (atual Bérgamo, na Turquia), foi médico, cirurgião e filósofo romano. Seu pai, Élio Nicon, era um arquiteto grego abastado que proporcionou ao filho uma boa educação e oportunidades de viajar. Galeno estabeleceu-se em Roma, onde foi o principal médico de imperadores como Marco Aurélio. Aprendeu a cuidar de traumatismos tratando gladiadores profissionais e escreveu mais de quinhentos livros sobre medicina. Acreditava que as melhores maneiras de aprender eram por meio de dissecações de animais e do estudo da anatomia. No entanto, embora tenha descoberto a função de diversos órgãos internos, Galeno cometia erros por assumir que os corpos dos animais (tais como macacos e porcos) eram idênticos aos humanos. Há controvérsia sobre a data exata da sua morte, mas sabe-se que viveu no mínimo setenta anos.

Principais trabalhos

c.190 d.C. *Os temperamentos*
c.190 d.C. *As faculdades naturais*
c.190 d.C. *Três tratados sobre ciência natural*

Se algum dos humores se desenvolve demais, o tipo correspondente de personalidade passa a dominar. Uma pessoa sanguínea tem muito sangue (*sanguis* em latim) e é afetuosa, alegre, otimista e confiante, mas também pode ser egoísta. Alguém fleumático, isto é, que sofre de excesso de fleuma (*phlegmatikós* em grego), é quieto, gentil, tranquilo, racional e coerente, mas também pode ser lento e tímido. A personalidade colérica (do grego *kholé*, ou seja, bile) é irritadiça e sofre de excesso de bile amarela. Por fim, o melancólico (do grego *melas kholé*), que sofre de um excesso de bile negra, é reconhecido por suas inclinações poéticas e artísticas, frequentemente acompanhadas por tristeza e medo.

Desequilíbrio nos humores

Segundo Galeno, algumas pessoas nascem predispostas a determinados temperamentos. No entanto, uma vez que os problemas temperamentais são causados pela falta de equilíbrio entre os humores, essas pessoas poderiam ser curadas com dietas e exercícios. Em casos extremos, a cura poderia incluir purgações e sangrias. Por exemplo, uma pessoa que agisse de modo egoísta seria demasiado sanguínea e teria muito sangue; isso poderia ser remediado reduzindo-se a ingestão de carne ou realizando-se pequenos cortes nas veias para a liberação de sangue.

As doutrinas de Galeno dominaram a medicina até o Renascimento, quando foram ofuscadas pelo advento de novas pesquisas. Em 1543, Andreas Vesalius (1514-1564), que exercia a medicina na Itália, encontrou mais de duzentos erros nas descrições anatômicas de Galeno; mas, apesar de suas teorias médicas terem sido desacreditadas, Galeno ainda influenciou psicólogos do século XX. Em 1947, Hans Eysenck concluiu que o temperamento tinha bases biológicas e observou que os dois traços de personalidade identificados por ele — neuroticismo e extroversão — ecoavam os antigos temperamentos.

Embora o humorismo não faça mais parte da psicologia, a teoria de Galeno de que muitas doenças físicas e mentais estão conectadas serve de base para várias terapias modernas. ▪

HÁ UMA ALMA RACIONAL NESSA MÁQUINA
RENÉ DESCARTES (1596–1650)

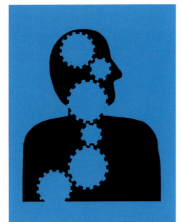

CONTEXTO

ABORDAGEM
Dualismo mente/corpo

ANTES
Século IV a.C. O filósofo grego Platão afirma que o corpo pertence ao mundo material, mas a alma (ou mente) pertence ao mundo imortal das ideias.

Século IV a.C. O filósofo grego Aristóteles diz que alma e corpo são inseparáveis: a alma na verdade pertence ao corpo.

DEPOIS
1710 Em *Tratados sobre os princípios do conhecimento humano*, o filósofo anglo-irlandês George Berkeley afirma que o corpo é apenas a percepção da mente.

1904 Em *Existe consciência?*, William James defende que a consciência não é uma entidade separada, mas uma função de experiências particulares.

- A mente e o corpo são **separados**.
- A mente (ou "alma") é **imaterial**, mas está localizada na glândula pineal do **cérebro**.
- O corpo é uma **máquina mecânica e material**.
- A mente pode controlar o corpo físico, estimulando os **"espíritos animais"** a fluir pelo sistema nervoso.

A ideia de que mente e corpo são entidades distintas e separadas remonta a Platão e aos antigos gregos, mas foi o filósofo René Descartes, do século XVII, o primeiro a descrever em detalhes a relação entre corpo e alma. Em 1633, Descartes escreveu seu primeiro trabalho filosófico, *De Homine* (*Do Homem*), no qual apresenta o dualismo entre mente e corpo: a mente imaterial, ou "alma", afirma ele, faz o seu trabalho de pensar, instalada na glândula pineal do cérebro, enquanto o corpo é uma máquina operada por "espíritos animais", ou fluidos, que percorrem o sistema nervoso, provocando os movimentos. Essa ideia havia sido popularizada por Galeno no século II, que a vinculou à sua teoria dos humores; mas Descartes foi o primeiro a descrevê-la em detalhes e a enfatizar a separação entre corpo e mente. Em carta ao filósofo francês Marin

RAÍZES FILOSÓFICAS 21

Veja também: Galeno 18–19 ▪ William James 38–45 ▪ Sigmund Freud 92–99

Mersenne, Descartes explicou que a glândula pineal é a "sede do pensamento" e, portanto, deveria ser a morada da alma, uma vez que não se pode separá-los. Isso era importante, dizia ele, porque do contrário a alma não estaria conectada a nenhuma parte sólida do corpo, mas apenas aos espíritos psíquicos.

Descartes imaginava mente e corpo interagindo por meio da percepção dos espíritos animais que supostamente fluíam pelo corpo. A mente, ou alma, residente na glândula pineal, no fundo do cérebro, era por vezes capaz de perceber o movimento dos espíritos, fato que provocava uma sensação de consciência. Dessa forma, o corpo podia afetar a mente. A mente podia afetar o corpo da mesma maneira, estimulando um fluxo maior de espíritos animais para uma região específica do corpo, assim, provocando uma ação.

> Há uma grande diferença entre mente e corpo.
> **René Descartes**

Uma analogia para a mente

Inspirado nos jardins simétricos de Versailles, com seus sistemas hidráulicos levando água para os jardins e suas fontes elaboradas, Descartes dizia que os espíritos do corpo comandavam os nervos e músculos como a força da água e, "dessa forma, provocavam movimento em todas as partes". Como as fontes eram controladas por um encarregado, Descartes fez uma analogia com a mente: "há uma alma racional nessa máquina; sua sede é o cérebro, que atua como o encarregado da fonte que precisa permanecer no reservatório, com todos os canos da máquina a postos, quando quer estimular, interromper ou alterar o fluxo da água nos canos".

Embora filósofos continuem a discutir se cérebro e mente são entidades diferentes, a maioria dos psicólogos equipara a mente às funções do cérebro. No entanto, em termos práticos, é complexa a distinção entre saúde mental e corporal: as duas estão extremamente ligadas, considerando-se que o estresse mental pode causar dores físicas e o desequilíbrio químico afetar o cérebro. ■

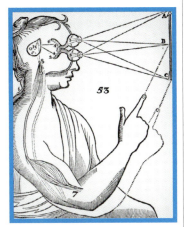

Descartes fez uma ilustração da glândula pineal, um órgão único do cérebro localizado em posição ideal para unir em uma única impressão aquilo que se vê e ouve por dois olhos e dois ouvidos.

René Descartes

René Descartes nasceu na França, na cidade de La Haye, em Touraine (atualmente Descartes). Contraiu tuberculose da mãe, que morreu alguns dias após o parto, tornando-se um homem frágil pelo resto da vida. Foi educado desde os oito anos de idade no colégio jesuíta La Flèche, em Anjou, onde deu início ao hábito de passar as manhãs na cama devido à saúde delicada, fazendo "meditação sistemática" — sobre filosofia, ciência e matemática. De 1612 a 1628, meditou, viajou e escreveu. Em 1649, foi convidado a dar aulas para a rainha Cristina da Suécia, mas as demandas reais de sua presença às primeiras horas da manhã, combinadas ao clima rigoroso, fizeram a sua saúde piorar; levando-o à morte em 11 de fevereiro de 1650. Oficialmente, a causa da morte foi pneumonia, mas alguns historiadores acreditam que ele tenha sido envenenado, para impedir a conversão da protestante rainha Cristina ao catolicismo.

Principais trabalhos

1637 *Discurso do método*
1662 *Do Homem* (escrito em 1633)
1647 *A descrição do corpo humano*
1649 *As paixões da alma*

DORMEZ!
ABADE FARIA (1756–1819)

CONTEXTO

ABORDAGEM
Hipnose

ANTES
1027 O filósofo e médico persa Avicena (Ibn Sina) escreve sobre estados de transe em *O livro da cura*.

1779 O médico alemão Franz Mesmer publica *Memória sobre a descoberta do magnetismo animal*.

DEPOIS
1843 O cirurgião escocês James Braid cunha o termo "neuro-hipnotismo" no livro *Neuripnologia*.

Anos 1880 O psicólogo francês Emile Coué descobre o efeito placebo e publica o livro *Domínio de si mesmo pela autossugestão consciente*.

Anos 1880 Sigmund Freud investiga a hipnose e seu aparente poder de controlar sintomas inconscientes.

O método de promover a cura por indução de estados de transe não é novidade. Muitas culturas antigas, entre elas a egípcia e a grega, não eram estranhas à prática de levar doentes a "templos de sono" para que fossem curados enquanto dormiam, sugestionados por sacerdotes especializados e treinados para isso. Em 1027, o médico persa Avicena documentou as características do estado de transe, mas seu uso como terapia curativa foi praticamente abandonado até ser reintroduzido pelo médico alemão Franz Mesmer, no século XVIII. O tratamento de Mesmer envolvia a manipulação do magnetismo natural, ou "animal", do corpo pelo uso de ímãs e sugestão. Após serem "mesmerizadas" ou "magnetizadas", algumas pessoas sofriam convulsões e depois afirmavam que se sentiam melhor.

RAÍZES FILOSÓFICAS

Veja também: Jean-Martin Charcot 30 ▪ Sigmund Freud 92–99 ▪ Carl Jung 102–07 ▪ Milton Erickson 336

Alguns anos mais tarde, o Abade Faria, um monge luso-goês, estudou o trabalho de Mesmer e concluiu que era "totalmente absurdo" pensar que ímãs eram parte vital do processo. A verdade era ainda mais extraordinária: o poder de entrar em estado de transe ou "sono lúcido" era do indivíduo em questão. Nenhuma força especial era necessária, porque o fenômeno dependia apenas do poder de sugestão.

Sono lúcido

Faria definia seu papel como o de um "concentrador", que ajudava o paciente a atingir o estado mental necessário. Em *Da causa do sono lúcido*, ele descreve seu método: "Após selecionar pacientes com a atitude certa, peço que relaxem na cadeira, fechem os olhos, concentrem a atenção e pensem no sono. Enquanto eles esperam em silêncio por mais instruções, eu digo, num tom gentil ou autoritário: *'Dormez!'* [Durmam!] e eles caem no sono lúcido".

Com base no sono lúcido de Faria, o cirurgião escocês James Braid cunhou o termo "hipnose", em 1843, a partir do grego *hypnos*, isto é, "sono", acrescido de *osis*, ou "condição". Braid concluiu que a hipnose não é um tipo de sono, mas, sim, um estado de concentração do indivíduo numa única ideia, o que resulta numa maior propensão a ser sugestionado. Após sua morte, o interesse em hipnose foi definhando até o neurologista francês Jean-Martin Charcot começar a usar o hipnotismo sistematicamente no tratamento de histeria traumática. O fato chamou a atenção de Josef Breuer e Sigmund Freud, que depois questionariam as motivações do indivíduo hipnotizado e descobririam o poder do inconsciente. ■

> Nada vem do magnetizador; tudo vem do sujeito e acontece em sua imaginação.
> **Abade Faria**

Franz Mesmer induzia o transe por meio de ímãs, na maioria das vezes aplicados ao estômago. Os ímãs supostamente levavam o magnetismo "animal" do corpo a retornar para um estado harmonioso.

Abade Faria

Nascido no território português de Goa, José Custódio de Faria era filho de uma rica herdeira, mas seus pais se separaram quando ele tinha quinze anos. Com contatos na corte portuguesa, o Abade Faria e o pai se estabeleceram em Portugal, onde ambos foram educados para ser padre. Em determinada ocasião, o jovem padre recebeu um convite da rainha para pregar em sua capela particular. Durante o sermão, entrou em pânico, mas o pai cochichou em seu ouvido: "São apenas vegetais — corte os vegetais!". Faria imediatamente perdeu o medo e discursou com toda a fluência; mais tarde começou a se perguntar como uma simples frase pudera alterar com tanta rapidez seu estado mental. Mudou-se para a França, onde desempenhou papel importante na Revolução Francesa e refinou suas técnicas de autossugestão, enquanto esteve preso. Faria tornou-se professor de filosofia, mas suas demonstrações teatrais do sono lúcido destruíram sua reputação. Ao morrer vítima de um derrame em 1819, foi enterrado em vala comum no cemitério de Montmartre, em Paris.

Principal trabalho

1819 *Da causa do sono lúcido*

CONCEITOS TORNAM-SE FORÇAS QUANDO RESISTEM UM AO OUTRO
JOHANN FRIEDRICH HERBART (1776–1841)

CONTEXTO

ABORDAGEM
Estruturalismo

ANTES
1704 O filósofo alemão Gottfried Leibniz analisa as *petites perceptions* (percepções sem consciência) em *Novos ensaios sobre o entendimento humano*.

1869 O filósofo alemão Eduard von Hartmann publica o célebre *Filosofia do inconsciente*.

DEPOIS
1895 Sigmund Freud e Josef Breuer publicam *Estudos sobre a histeria*, introduzindo a psicanálise e suas teorias sobre o inconsciente.

1912 Carl Jung escreve *Psicologia do inconsciente*, propondo que todos os indivíduos têm um inconsciente coletivo definido culturalmente.

Johann Herbart foi um filósofo alemão que se dedicou à investigação do funcionamento da mente — em especial, como ela administra ideias e conceitos. Se cada um de nós tem um número extraordinário de ideias durante a vida, por que não ficamos cada vez mais confusos? Para Herbart, a mente precisava usar algum sistema para diferenciar e guardar ideias. Ele também se perguntava por que, embora as ideias continuem existindo indefinidamente (Herbart as considerava indestrutíveis), algumas existiam fora do alcance da percepção consciente. O filósofo alemão Gottfried Leibniz, do século XVIII, foi o primeiro a explorar a existência de ideias fora do alcance da

RAÍZES FILOSÓFICAS

Veja também: Wilhelm Wundt 32–37 ▪ Sigmund Freud 92–99 ▪ Carl Jung 102–07 ▪ Anna Freud 111 ▪ Leon Festinger 166–67

Pensamentos e sentimentos contêm energia, de acordo com Herbart, e atuam uns sobre os outros como ímãs, para atrair ou repelir ideias similares ou antagônicas.

Duas ideias que **não se contradizem** unem-se e podem coexistir na consciência.

Duas ideias que não podem conviver confortavelmente **se repelem**...

... e uma delas pode ser **expelida para fora da consciência**.

Johann Friedrich Herbart

Johann Herbart nasceu em Oldenburgo, Alemanha. Foi educado em casa pela mãe até os doze anos de idade, quando passou a frequentar a escola local. Ingressou depois no curso de filosofia da Universidade de Jena. Trabalhou por três anos como professor particular, até concluir o doutorado na Universidade de Göttingen, onde lecionou filosofia. Em 1806, Napoleão derrotou a Prússia, e, em 1809, Herbart foi convidado a dirigir a cadeira de filosofia anteriormente ocupada por Immanuel Kant, em Königsberg, cidade onde estavam exilados o rei prussiano e sua corte. Enquanto circulava nesse meio aristocrático, Herbart conheceu e casou-se com Mary Drake, uma inglesa que tinha metade de sua idade. Em 1833, entrou em atrito com o governo prussiano e retornou à Universidade de Göttingen, onde atuou como professor de filosofia até morrer, vítima de um derrame, aos 65 anos.

Principais trabalhos

1808 *Filosofia prática geral*
1816 *Compêndio de psicologia*
1824 *Psicologia como ciência*

---

consciência, batizando-as de *petites* (pequenas) percepções. Para exemplificar seu pensamento, chamou a atenção para o fato de frequentemente nos lembrarmos de ter visto algo — como um detalhe de alguma cena — embora não tivéssemos consciência disso naquele momento. Isso significa que percebemos coisas e as armazenamos na memória, mesmo sem ter consciência de que o fazemos.

Ideias dinâmicas

De acordo com Herbart, as ideias formam-se pela combinação das informações provenientes dos sentidos. O termo que usou para ideias — *Vorsfellung* — engloba pensamentos, imagens mentais e inclusive estados emocionais. Esses elementos compõem todo o conteúdo da mente, e Herbart não os via como elementos estáticos, mas, sim, dinâmicos, capazes de se transformar e interagir entre si. Ideias, dizia ele, podem atrair e associar-se a outras ideias e sentimentos, ou repeli-los, como ímãs. Ideias similares, como cores e tons, atraem-se e misturam-se, dando origem a uma terceira ideia mais complexa.

Contudo, duas ideias não similares podem continuar a existir sem associação. Isso faz com que enfraqueçam com o tempo, até serem finalmente relegadas ao "limiar da consciência". Se duas ideias se contradizem de maneira direta, "ocorre uma resistência", e "conceitos tornam-se forças quando resistem um ao outro". Essas forças se repelem com tamanha energia que uma delas acaba sendo expulsa para fora da consciência, para um lugar que Herbart chama de um "estado de tendência" e que hoje conhecemos como "inconsciente".

Herbart via o inconsciente como um depósito para ideias fracas ou subjugadas. Ao propor uma consciência de duas partes, dividida por uma fronteira bem demarcada, Herbart buscava encontrar uma solução estrutural para o mecanismo de administração de ideias numa mente saudável. Mas Sigmund Freud enxergaria um sistema muito mais complexo e revelador do que esse. Freud associaria os conceitos de Herbart às suas próprias teorias sobre os impulsos inconscientes e construiria os alicerces da abordagem terapêutica mais importante do século XX: a psicanálise. ∎

SER QUEM REALMENTE SOMOS
SØREN KIERKEGAARD (1813–1855)

CONTEXTO

ABORDAGEM
Existencialismo

ANTES
Século V a.C. Sócrates afirma que a chave para a felicidade é descobrir o "verdadeiro eu".

DEPOIS
1879 Wilhelm Wundt faz da autoanálise uma abordagem à pesquisa psicológica.

1913 John B. Watson desencoraja a prática de autoanálise na psicologia e afirma que "a introspecção não é parte essencial do método".

1951 Carl Rogers publica *Terapia centrada no cliente* e, em 1961, *Tornar-se pessoa*.

1960 O livro *O "eu" dividido*, de R. D. Laing, redefine o termo "loucura" e propõe a análise existencial de conflitos internos como terapia.

1996 Rollo May baseia seu livro *O significado da ansiedade* na obra *O conceito da ansiedade*, de Kierkegaard.

A questão fundamental "quem sou eu?" vem sendo estudada desde a Grécia Antiga. Sócrates (470-399 a.C.) acreditava que a função central da filosofia era tornar o indivíduo mais feliz por meio da autoanálise e do autoconhecimento e proferiu a famosa frase: "uma vida irrefletida não vale a pena ser vivida". *O desespero humano*, publicado por Søren Kierkegaard em 1849, oferece a autoanálise como uma ferramenta para entender o problema do "desespero", que ele considerava derivar não da depressão, mas da alienação do "eu".

Desejo ser **outro que não eu**; ser um "eu" diferente.

↓

Tento, portanto, me tornar **alguém diferente**.

↓   ↓

Fracasso e **me desprezo** por não conseguir.   Tenho êxito e **abandono o meu verdadeiro "eu"**.

↓   ↓

Seja como for, me **desespero** devido ao meu verdadeiro "eu".

↓

Para fugir do desespero, preciso **aceitar** o meu verdadeiro "eu".

↓

Ser quem se é realmente é na verdade o contrário de desespero.

RAÍZES FILOSÓFICAS 27

Veja também: Wilhelm Wundt 32–37 ▪ William James 38–45 ▪ Carl Rogers 130–37 ▪ Rollo May 141 ▪ R. D. Laing 150–51

Kierkegaard classificou diversos graus de desespero. O mais baixo, e mais frequente, é resultado da ignorância: o indivíduo tem uma ideia equivocada sobre o que o "eu" significa e não tem a menor consciência da existência ou da natureza do seu "eu" potencial. Essa ignorância é quase uma bênção e tão inconsequente que Kierkegaard não estava certo se deveria ser classificada como desespero. O verdadeiro desespero ocorre, dizia ele, quando se tem mais consciência de si; os graus mais profundos de desespero derivam de uma aguda consciência do "eu" aliada a uma profunda aversão

A ambição desmedida por poder de Napoleão, representado nessa pintura como um estudante, levou-o a perder de vista o seu verdadeiro "eu" e a consciência das limitações humanas e a se entregar ao desespero.

por esse "eu". Quando algo dá errado, por exemplo quando um indivíduo fracassa numa prova de doutorado, ele aparentemente se desespera porque perdeu algo. Mas numa análise mais atenta, segundo Kierkegaard, torna-se óbvio que o homem não está desesperado por causa do fato (fracassar na prova), mas por causa de si mesmo. O "eu" que não conseguiu alcançar seu objetivo torna-se intolerável. O indivíduo desejava tornar-se um "eu" diferente (um doutor), mas agora está preso a um "eu" fracassado em desespero.

Abandonando o verdadeiro "eu"
Kierkegaard tomou como exemplo um homem que queria tornar-se imperador e demonstrou que, por ironia, mesmo que ele conseguisse alcançar seu objetivo, teria na verdade abandonado o seu antigo "eu". Tanto em seu desejo quanto em sua conquista, ele queria

"livrar-se" de si mesmo. Essa negação do "eu" é dolorosa: é avassalador o desespero de um homem que quer se afastar de si, que "não possui a si mesmo; que não é ele mesmo".

Não obstante, Kierkegaard propunha uma solução. Concluiu que um homem poderia sentir a paz e a harmonia internas se tivesse coragem de ser seu verdadeiro "eu", em vez de querer ser outro. "Querer ser quem se é realmente é na verdade o oposto de desespero", declarou. Kierkegaard acreditava que o desespero desaparece quando paramos de negar quem realmente somos e aceitamos a nossa verdadeira natureza.

A ênfase de Kierkegaard na responsabilidade do indivíduo e na necessidade de que esse encontre a sua verdadeira essência e seu propósito de vida é considerada por muitos como o primeiro passo da filosofia existencialista. As ideias de Kierkegaard conduzem diretamente à terapia existencial de R. D. Laing e influenciaram as terapias humanistas praticadas por psicólogos clínicos como Carl Rogers. ■

Søren Kierkegaard

Søren Kierkegaard nasceu em uma próspera família dinamarquesa e foi educado como luterano ortodoxo. Estudou teologia e filosofia na Universidade de Copenhague. Ao tomar posse de uma grande herança, decidiu dedicar a vida à filosofia — decisão que acabou deixando-o insatisfeito. "O que eu realmente preciso fazer", disse, "é esclarecer o que vou fazer, não o que preciso saber." Em 1840, tornou-se noivo de Regine Olsen, mas rompeu o noivado, afirmando não ser talhado para o casamento. Seu estado geral de melancolia teve efeito profundo em sua vida. Figura solitária, suas principais atividades de recreação eram caminhar para conversar com estranhos e fazer longos passeios solitários de charrete no campo.

Kierkegaard sofreu um colapso na rua em 2 de outubro de 1855 e morreu em 11 de novembro, no hospital Friedrich, em Copenhague.

Principais trabalhos

1843 *Temor e tremor*
1843 *Ou isso, ou aquilo: um fragmento da vida*
1844 *O conceito de angústia*
1849 *O desespero humano*

A PERSONALIDADE É CONSTITUÍDA POR NATUREZA E CRIAÇÃO
FRANCIS GALTON (1822–1911)

CONTEXTO

ABORDAGEM
Biopsicologia

ANTES
1690 O filósofo britânico John Locke diz que a mente de toda a criança é uma *tabula rasa*, ou uma folha em branco, e, portanto, somos todos iguais ao nascer.

1859 O biólogo Charles Darwin afirma que todo desenvolvimento humano é fruto de adaptação ao ambiente.

1890 William James anuncia que as pessoas têm tendências individuais herdadas geneticamente, ou "instintos".

DEPOIS
1925 O behaviorista John B. Watson assevera que "não se herda capacidade, talento, temperamento ou constituição mental".

Anos 1940 A Alemanha nazista tenta criar uma "raça ariana superior" por meio da eugenia.

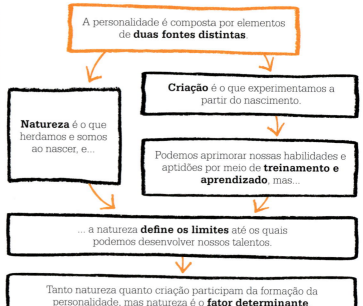

A personalidade é composta por elementos de **duas fontes distintas**.

Natureza é o que herdamos e somos ao nascer, e...

Criação é o que experimentamos a partir do nascimento.

Podemos aprimorar nossas habilidades e aptidões por meio de **treinamento e aprendizado**, mas...

... a natureza **define os limites** até os quais podemos desenvolver nossos talentos.

Tanto natureza quanto criação participam da formação da personalidade, mas natureza é o **fator determinante**.

Francis Galton tinha muitos parentes talentosos, entre eles o biólogo evolucionista Charles Darwin. Não é espantoso, portanto, que Galton tenha se interessado em descobrir até que ponto as habilidades são herdadas ou aprendidas. Galton foi o primeiro a ver "natureza" e "criação" como entidades distintas, cujos efeitos podiam ser medidos e comparados, e a afirmar que as duas eram as únicas responsáveis pela formação da personalidade. Em 1869, Galton usou a sua própria árvore genealógica, bem como a de "juízes, estadistas, militares, cientistas, escritores... adivinhos,

RAÍZES FILOSÓFICAS

Veja também: G. Stanley Hall 46–47 ▪ John B. Watson 66–71 ▪ Zing-Yang Kuo 75 ▪ Eleanor E. Maccoby 284–85 ▪ Raymond Cattell 314–15

> As características grudam nas famílias.
> **Francis Galton**

remadores e lutadores", para pesquisar traços hereditários para seu livro *O gênio hereditário*. Como esperava, encontrou mais indivíduos talentosos em determinadas famílias do que na população em geral. No entanto, ele não tinha como atribuir isso somente à natureza, uma vez que muitos benefícios decorriam da criação em lares privilegiados. O próprio Galton cresceu em família abastada com acesso a condições excepcionais de educação.

Um equilíbrio necessário

Galton realizou vários outros estudos, entre eles a primeira pesquisa feita em larga escala, um questionário aplicado aos membros da Royal Society [Academia de Ciências de Londres], com perguntas sobre seus interesses e filiações. Publicou os resultados na revista *English Men of Science*, afirmando que, quando natureza e criação são obrigadas a competir, a natureza sempre vence. Aspectos externos podem influir, segundo ele, mas nada consegue "apagar as marcas profundas da personalidade individual". Contudo, Galton insistiu que tanto natureza quanto criação desempenham papel essencial na formação da personalidade, e que até os mais dotados pela natureza podem ser "atrofiados por uma criação deficiente". A inteligência é herdada, afirmou, mas precisa ser cultivada por meio da educação.

Em 1875, Galton iniciou um estudo com 159 pares de gêmeos. Descobriu que eles não respeitavam a curva "normal" de semelhança entre irmãos, na qual eles são moderadamente semelhantes, mas que eram sempre extremamente semelhantes ou muito diferentes. O que mais o impressionou foi que o grau de semelhança não mudava com a idade. Sua hipótese era de que uma criação compartilhada reduziria as diferenças entre gêmeos conforme fossem crescendo, mas isso não acontecia. A criação parecia não ter a menor influência.

O debate "natureza–criação" prossegue até os dias de hoje. Alguns aceitaram as teorias de Galton, inclusive a sua ideia — atualmente conhecida como eugenia — de que as pessoas podem ser "procriadas" como cavalos, de modo a promover determinadas características. Outros preferiram crer que todo bebê é uma tábula rasa, ou "folha em branco", e que todos nascem iguais. A maioria dos psicólogos contemporâneos reconhece que tanto natureza quanto criação são cruciais para o desenvolvimento humano e interagem de forma complexa. ■

Em seu estudo com gêmeos, Galton procurava semelhanças de tipos diversos, entre elas altura, peso, cor de cabelo e dos olhos e temperamento. A escrita manual era o único aspecto nos quais os gêmeos sempre divergiam.

Francis Galton

Sir Francis Galton foi um pensador eclético que escreveu prolificamente sobre diversos assuntos, entre eles antropologia, criminologia (classificação das impressões digitais), geografia, meteorologia, biologia e psicologia. Nasceu em Birmingham, Inglaterra, no seio de uma rica família *quaker*, e foi uma criança prodígio que aprendeu a ler aos dois anos de idade. Estudou medicina em Londres e Birmingham, depois matemática em Cambridge, mas interrompeu os estudos devido a um ataque de nervos, agravado pela morte do pai, em 1844.

Galton voltou-se para viagens e para o desenvolvimento de invenções. Seu casamento com Louisa Jane Butler, em 1853, perdurou por 43 anos, mas não lhe rendeu filhos. Galton dedicou sua vida a catalogar características físicas e psicológicas, elaborar testes mentais e escrever. Em reconhecimento a suas conquistas, recebeu muitos prêmios e honrarias, entre eles diversos diplomas honorários e um título de cavaleiro real.

Principais trabalhos

1869 *O gênio hereditário*
1874 *English men of science: their nature and nurture*
1875 *The history of twins*

AS LEIS DA HISTERIA SÃO UNIVERSAIS
JEAN-MARTIN CHARCOT (1825–1893)

CONTEXTO

ABORDAGEM
Ciência neurológica

ANTES
1900 a.C. O Papiro de Kahun, de origem egípcia, relata casos de mulheres com distúrbios comportamentais causados por "úteros móveis".

c.400 a.C. O médico grego Hipócrates cunha o termo "histeria" para designar algumas doenças femininas descritas em seu livro *On the diseases of women*.

1662 O médico inglês Thomas Willis realiza autópsias em mulheres "histéricas" e não encontra indícios de patologias uterinas.

DEPOIS
1883 Alfred Binet passa a trabalhar com Charcot no Hospital Salpêtrière, em Paris, e mais tarde escreve sobre o método hipnótico de Charcot para tratar histeria.

1895 Sigmund Freud, que tinha sido aluno de Charcot, publica *Estudos sobre a histeria*.

Conhecido como o fundador da neurologia moderna, o médico francês Jean-Marie Charcot queria compreender a relação entre psicologia e fisiologia. Durante as décadas de 1860 e 1870, estudou a "histeria", termo então utilizado para descrever comportamentos emocionais extremos nas mulheres, os quais se pensava serem decorrentes de problemas no útero (*hystera*, em grego). Os sintomas eram choro ou riso excessivos, contorções e movimentos corporais descontrolados, desmaios, paralisia, convulsões e cegueira ou surdez temporárias.

Pela observação de milhares de casos no hospital parisiense Salpêtrière, Charcot definiu "as leis da histeria", acreditando ter compreendido a doença por completo. Afirmava que a histeria era uma condição herdada que durava a vida toda e cujos sintomas eram provocados por situações de choque. Em 1882, declarou: "No surto [histérico]... tudo se desenrola de acordo com regras, que são sempre as mesmas; válidas para todos os países, todas as épocas, todas as raças e, em resumo, universais". Charcot sugeria que a semelhança entre histeria e doenças físicas justificaria uma busca por causas biológicas, mas seus contemporâneos não aceitaram suas ideias. Alguns inclusive acreditavam que as pacientes histéricas de Charcot agiam induzidas pelas sugestões do médico. Contudo, Sigmund Freud, um dos alunos de Charcot, estava convencido de que a histeria era uma enfermidade física, e interessou-se por ela. Seria a primeira doença descrita por ele em sua teoria psicanalítica. ■

Charcot fazia palestras sobre histeria no Hospital Salpêtrière, em Paris. Acreditava que a doença seguia fases claramente ordenadas e estruturadas, e que podia ser curada por hipnotismo.

Veja também: Alfred Binet 50–53 ▪ Pierre Janet 54–55 ▪ Sigmund Freud 92–99

RAÍZES FILOSÓFICAS 31

UMA ESTRANHA DESTRUIÇÃO DAS CONEXÕES PSÍQUICAS INTERNAS
EMIL KRAEPELIN (1856–1926)

CONTEXTO

ABORDAGEM
Psiquiatria médica

ANTES
c.50 a.C. O poeta e filósofo romano Lucrécio usa o termo "demência" para designar "estar fora da própria mente".

1874 Wilhelm Wundt, tutor de Kraepelin, publica *Fundamentos da psicologia fisiológica*.

DEPOIS
1908 O psiquiatra Eugen Bleuler cunha o termo "esquizofrenia", do grego *skhizein* (dividir) e *phren* (mente).

1948 A Organização Mundial da Saúde (OMS) inclui as classificações de doenças mentais sugeridas por Kraepelin na Classificação Internacional de Doenças (CID).

Anos 1950 Clorpromazina, a primeira droga antipsicótica, é usada no tratamento da esquizofrenia.

O médico alemão Emil Kraepelin, visto por muitos como o fundador da medicina psiquiátrica moderna, acreditava que a maioria das doenças mentais tinha origens biológicas. Em seu livro *Compêndio de psiquiatria*, publicado em 1883, Kraepelin apresentou uma classificação detalhada de doenças mentais que incluía a *dementia praecox*, ou "demência precoce", distinguindo-a de demências senis, tais como o mal de Alzheimer.

Esquizofrenia
Em 1893, Kraepelin descreveu a demência precoce, hoje conhecida por esquizofrenia, como "uma série de estados clínicos cujo denominador comum é uma destruição peculiar das conexões internas da personalidade psíquica". Kraepelin notou que a doença, marcada por confusões mentais e comportamento antissocial, costumava manifestar-se no final da adolescência ou no início da vida adulta. Mais tarde, dividiu-a em quatro subcategorias. A primeira, demência "simples", caracteriza-se por um lento declínio e recolhimento. A segunda, paranoia, manifesta-se sob a forma de medo e delírios persecutórios; os pacientes queixam-se de estarem sendo "seguidos" ou de estarem "falando sobre eles". A terceira, a hebefrenia, é caracterizada por um discurso incoerente e, com frequência, por reações emocionais e comportamentais inapropriadas, como rir alto em situações tristes. A quarta categoria, catatonia, é marcada por uma extrema limitação de movimentos e expressões, constantemente expressa sob a forma de rigidez corporal — tal como passar horas na mesma posição — ou de atividades em excesso — tal como se balançar para frente e para trás repetidamente.

As classificações de Kraepelin ainda são a base para o diagnóstico da esquizofrenia. Além disso, investigações *post mortem* comprovaram a existência de anormalidades estruturais e bioquímicas, assim como de problemas funcionais, nos cérebros de pacientes que sofriam de esquizofrenia. A crença de Kraepelin nas origens estritamente biológicas de grande número de doenças mentais teve impacto duradouro no campo da psiquiatria, e muitos distúrbios mentais continuam sendo tratados com medicação nos dias atuais. ∎

Veja também: Wilhelm Wundt 32–37 ▪ Sigmund Freud 92–99 ▪ Carl Jung 102–07 ▪ R. D. Laing 150–51

A VIDA MENTAL COMEÇA COM O INÍCIO DA VIDA

WILHELM WUNDT (1832–1920)

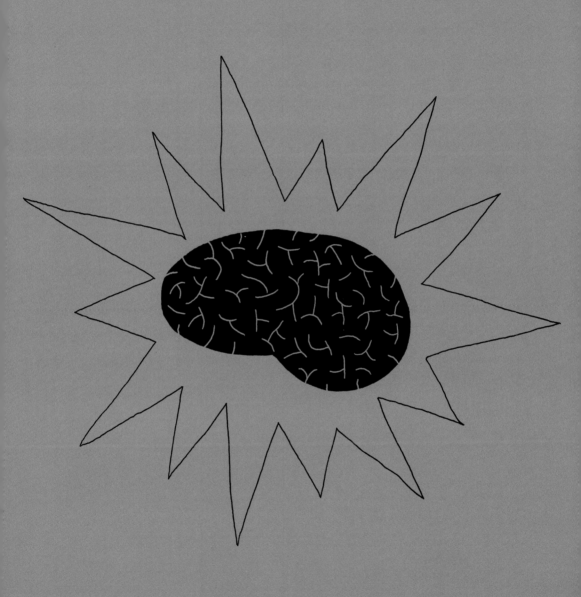

WILHELM WUNDT

CONTEXTO

ABORDAGEM
Psicologia experimental

ANTES
Século V Os antigos filósofos gregos Aristóteles e Platão dizem que os animais têm uma consciência inferior, distinta da humana.

Anos 1630 René Descartes afirma que os animais são autômatos desprovidos de sentimento.

1859 O biólogo britânico Charles Darwin liga os seres humanos a ancestrais animais.

DEPOIS
1949 Konrad Lorenz altera a visão que temos dos animais, demonstrando suas semelhanças com os seres humanos, em *O anel do rei Salomão*.

2001 O zoólogo Donald Griffin argumenta, em seu livro *Animal minds*, que os animais possuem noção de futuro, memórias complexas e talvez até mesmo uma consciência.

Consciência é uma **"experiência interna"**.

Todo ser vivo tem essa experiência interna.

Certamente todo ser vivo **sempre teve** essa experiência interna.

A vida mental começa com o início da vida.

Portanto, toda psicologia deve se iniciar pela **auto-observação**...

... **e pelo registro de experiências** projetadas com o intuito de expor reações voluntárias.

Isso produz **dados quantitativos** sobre a consciência.

Psicologia é o **estudo científico** da vida mental.

A noção de que os animais não humanos possuem mente e são capazes de algum tipo de pensamento remonta aos filósofos da antiga Grécia. Aristóteles supunha que existissem três tipos de mente: vegetal, animal e humana. A mente das plantas estaria preocupada apenas com nutrição e crescimento. A mente animal, além de desempenhar essas funções, também seria capaz de experimentar sensações como dor, prazer e desejo, além de provocar movimento. A mente humana poderia fazer tudo isso e raciocinar. Aristóteles afirmou que somente os humanos teriam consciência de si e seriam capazes de níveis mais altos de cognição. Se a similaridade entre humanos e animais constituiu uma questão crítica para os filósofos, para os psicólogos foi mais ainda. No século XV, o filósofo francês René Descartes afirmou que os animais não passavam de máquinas complexas movidas por reflexo. Se Descartes estava certo, observar os animais não traria nenhuma revelação sobre o nosso comportamento. Duzentos anos depois, entretanto, quando Charles Darwin afirmou que os homens estão ligados geneticamente a outros animais e que a consciência está presente em todas as criaturas, desde as pertencentes à mais baixa escala evolucionária até nós, tornou-se claro que experimentos com animais poderiam ser bastante reveladores. Essa foi a posição assumida pelo médico, filósofo e psicólogo alemão Wilhelm Wundt, que descreveu uma linha contínua da vida, abrangendo desde o menor animal até o homem. Na obra *Fundamentos da psicologia fisiológica*, Wundt defendeu que a consciência é uma propriedade universal de todos os seres vivos, e foi assim desde o início do processo evolucionário.

Para Wundt, a própria definição de vida envolve algum tipo de atividade mental. "A partir da observação,

RAÍZES FILOSÓFICAS 35

Veja também: René Descartes 20–21 ▪ William James 38–45 ▪ Edward Thorndike 62–65 ▪ John B. Watson 66–71 ▪ B. F. Skinner 78–85

> Rudimentos de funções mentais diferenciadas podem ser encontrados até mesmo entre os protozoários.
> **Wilhelm Wundt**

Até organismos unicelulares possuem alguma forma de consciência, segundo Wundt. Para ele, a capacidade de digerir alimentos da ameba indicava uma continuidade de processos mentais.

portanto, devemos considerar altamente provável a hipótese de que os primórdios da vida mental remontam ao início da vida em geral. A questão da origem do desenvolvimento mental, por conseguinte, resolve-se da mesma forma que a questão da origem da vida", declarou ele. Wundt levou o debate adiante, afirmando que mesmo os organismos mais simples, como os protozoários, têm algum tipo de mente. Esta última afirmação surpreende ainda nos dias atuais, quando muito pouca gente pensaria na possibilidade de um animal unicelular possuir qualquer vestígio de capacidade mental, mas causou muito mais impacto quando foi enunciada pela primeira vez, há cem anos.

Wundt, que gostava de testar suas teorias, é chamado com frequência de "o pai da psicologia experimental" por ter criado o primeiro laboratório formal de psicologia experimental do mundo, na Universidade de Leipzig, na Alemanha, em 1879. Seu objetivo, com isso, era realizar pesquisas sistemáticas sobre a mente e o comportamento humanos, testando inicialmente os processos sensoriais básicos. O laboratório de Wundt inspirou outras universidades americanas e europeias a montar os seus departamentos de psicologia — muitos dos quais usaram como modelo o laboratório pioneiro de Wundt e foram dirigidos por antigos alunos seus, como Edward Titchener e James Cattell.

Observando o comportamento

Wundt acreditava que "o único objetivo da psicologia experimental é a descrição exata da consciência". Embora considerasse a consciência uma "experiência interna", estava interessado apenas na forma "imediatamente real" ou aparente dessa experiência. Isso o levou ao estudo do comportamento, que podia ser investigado e descrito por meio da "observação direta".

Wundt dizia haver dois tipos de observação: a externa e a interna. A observação externa ocupa-se do relato de eventos visíveis no mundo exterior e é útil para a compreensão de algumas

O laboratório de Wundt serviu de modelo para departamentos de psicologia em todo o mundo. Seus experimentos tiraram a psicologia dos domínios da filosofia, transferindo-a para o campo da ciência.

relações, tais como causa e efeito em corpos físicos — por exemplo, em testes de estímulo e resposta. Se um choque elétrico é aplicado às terminações nervosas de um sapo morto, os músculos correspondentes contraem-se e fazem as pernas do sapo se mexer. O fato de isso ocorrer com animais mortos indica que esses movimentos não dependem de consciência. No caso de seres vivos, tais movimentos são a base do comportamento automático que chamamos de "reflexo", como, por exemplo, afastar a mão imediatamente quando se toca em algo quente.

O segundo tipo de observação de Wundt é a interna, denominada "introspecção" ou "auto-observação". Envolve o reconhecimento e o registro de eventos internos, como pensamentos e sentimentos. É crucial para a pesquisa, pois fornece dados sobre o funcionamento da mente. Wundt interessava-se pela relação entre os mundos interno e externo, que não via como mutuamente excludentes, mas, sim, interativos, descrevendo-a como uma relação "física e psíquica". »

Ele passou a se concentrar no estudo de sensações humanas, como a sensação visual de luz, por considerá-las agentes que ligam o mundo físico externo ao mundo mental interno.

Em uma de suas experiências, Wundt pediu que as pessoas relatassem suas sensações ao verem um sinal de luz — programado para produzir uma cor específica, com determinado brilho e por tempo definido. Desse modo, garantia-se que todos os participantes tivessem exatamente o mesmo estímulo, permitindo comparar as respostas e repetir o experimento depois, se necessário. Ao insistir nessa possibilidade de replicação, Wundt impôs um padrão que seria seguido por todos os experimentos psicológicos subsequentes.

O intuito de Wundt, com seus testes sensoriais, era investigar a consciência humana em termos mensuráveis. Ele se negava a encarar a consciência como uma experiência incognoscível e subjetiva, que é única para cada indivíduo. Nos experimentos com luz, ele estava particularmente interessado em determinar quanto tempo uma pessoa demorava, após receber algum tipo de estímulo, para ter uma reação voluntária (e não uma reação involuntária), e usou muitos instrumentos para medir com precisão

> O objetivo primordial da psicologia experimental é fazer uma descrição exata da consciência.
> **Wilhelm Wundt**

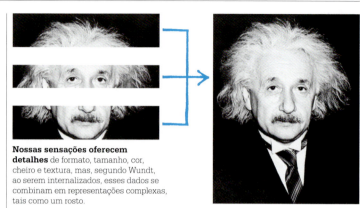

Nossas sensações oferecem detalhes de formato, tamanho, cor, cheiro e textura, mas, segundo Wundt, ao serem internalizados, esses dados se combinam em representações complexas, tais como um rosto.

essas reações. E tinha interesse tanto em saber o que havia em comum nos relatos dos participantes quanto nas aparentes diferenças individuais.

As sensações puras, declarou Wundt, têm três parâmetros: qualidade, intensidade e "modalidade do sentido". Por exemplo, determinado perfume pode ter um aroma doce (qualidade), nítido, porém leve (intensidade), e agradável ao olfato (modalidade do sentido), enquanto é provável que um rato morto exale um cheiro enjoativo (qualidade), forte (intensidade) e fedorento (modalidade do sentido). Toda consciência tem origem nas sensações, disse Wundt, mas essas não são internalizadas como informações sensoriais "puras"; em vez disso, são percebidas como algo já coletado ou como um composto de representações — por exemplo, um rato morto. Wundt definia isso como "imagens de um objeto ou de um processo no mundo externo". Dessa maneira, ao vermos, por exemplo, um rosto com determinadas feições — formato da boca, cor dos olhos, tamanho do nariz e daí por diante — podemos reconhecê-lo como pertencente a alguém conhecido.

Categorias de consciência
Baseado em seus experimentos sensoriais, Wundt declarou que a consciência consiste em três principais categorias de ação — representação, vontade e sentimento — que, juntas, dão a impressão de um fluxo unitário de eventos. Representações dividem-se em "percepções" se representarem a imagem mental de um objeto percebido no mundo exterior (tal como uma árvore no nosso campo de visão), e "intuições", caso representem atividades subjetivas (lembrar-se de uma árvore ou imaginar um unicórnio). Wundt nomeou o processo pelo qual uma percepção ou uma intuição tornam-se evidentes na consciência de "apercepção". Você pode, por exemplo, perceber um barulho alto repentino e, em seguida, ter a "apercepção" de que é um sinal de alerta, indicando que será atropelado por um carro se não sair a tempo do seu caminho.

A categoria das vontades da consciência caracteriza-se pela maneira como intervém no mundo externo; ela expressa a nossa volição, ou "vontade", desde levantar um braço a escolher usar uma roupa vermelha. Esse formato de consciência não pode ser controlado ou medido por experimentos. Contudo, Wundt considerava possível quantificar a terceira categoria de consciência, os sentimentos, por meio de relatos

RAÍZES FILOSÓFICAS 37

subjetivos dos participantes da experiência ou medindo níveis comportamentais, como tensão, relaxamento e excitação.

Psicologia cultural

Para Wundt, o desenvolvimento psicológico de uma pessoa é determinado não só por sensações, mas também por complexas influências sociais e culturais que não podem ser replicadas ou controladas em condições experimentais. Entre essas influências, Wundt incluiu religião, linguagem, mitos, história, arte, leis e costumes, discutindo-as em *Psicologia cultural*, obra de dez volumes que escreveu durante os últimos vinte anos de sua vida.

Entre as contribuições da cultura para a consciência, Wundt dava destaque especial para a linguagem. Qualquer forma de comunicação verbal tem origem numa "impressão geral" ou ideia unificada de algo que desejamos dizer. Tendo "apercebido" esse ponto de partida genérico, passa-se então a escolher palavras e frases que a expressem. Enquanto falamos, monitoramos o nível de precisão com que estamos expressando o significado almejado. Podemos dizer "Não, não é isso o que eu quero dizer..." e escolher outras frases e palavras que traduzam melhor nossas ideias. O ouvinte precisa compreender o que o falante tenta comunicar, mas as palavras em si podem não ser tão importantes quanto a impressão geral do ouvinte, ainda mais se emoções intensas estiverem envolvidas. Como prova de que usamos esse processo, Wundt aponta que é frequente lembrarmos o significado geral do que a pessoa disse, mesmo muito depois de esquecermos as palavras exatas empregadas.

> Ao longo da fala normal, concentramos o tempo todo a nossa força de vontade em manter a harmonia entre o encadeamento de ideias e os gestos articulatórios.
> **Wilhelm Wundt**

A habilidade de usar uma verdadeira linguagem, em oposição a simplesmente trocar símbolos e sinais, é hoje considerada pela maioria dos psicólogos a principal diferença entre seres humanos e o restante do reino animal. Pode haver algumas exceções — por exemplo, os primatas não humanos, como o chimpanzé —, mas a linguagem é geralmente considerada uma habilidade humana muito importante para a consciência.

A consciência e as espécies

A definição de consciência continua a ser discutida, mas desde a época de Wundt não sofreu alterações fundamentais. O nível de consciência dos animais ainda não foi determinado, mas levou à criação de um código de ética especial para experimentos, criação intensiva e esportes violentos envolvendo animais, como caçadas e touradas. Uma grande preocupação é determinar se os animais sentem desconforto, medo e dor da mesma forma que nós. A questão fundamental — quais animais possuem consciência e autopercepção — ainda não foi respondida, mas poucos psicólogos hoje afirmariam, como fez Wundt, que protozoários microscópicos estejam entre eles. ∎

Wilhelm Wundt

Nascido em Baden (atual Mannheim, na Alemanha), Wilhelm Wundt foi o quarto filho de uma família com uma longa história de conquistas intelectuais. O pai era pastor luterano. O jovem Wundt pouco se divertiu, tendo começado aos treze anos a frequentar uma escola católica rigorosa. Continuou os estudos nas universidades de Berlim, Tübingen e Heidelberg, formando-se médico em 1856.

Dois anos depois, Wundt tornou-se assistente do médico Hermann von Helmholtz, famoso por seu trabalho sobre percepção visual. Em Heidelberg, Wundt começou a ministrar o primeiro curso de psicologia experimental do mundo; e, em 1879, fundou o primeiro laboratório de psicologia. Produziu mais de 490 obras e talvez tenha sido o escritor científico mais prolífico do mundo.

Principais trabalhos

1863 *Lições de psicologia humana e animal*
1896 *Contribuições para a teoria da percepção sensorial*
1873 *Fundamentos da psicologia fisiológica*

SABEMOS O SIGNIFICADO DE "CONSCIÊNCIA", CONTANTO QUE NINGUÉM NOS PEÇA PARA DEFINI-LO

WILLIAM JAMES (1842–1910)

WILLIAM JAMES

CONTEXTO

ABORDAGEM
Análise da consciência

ANTES
1641 René Descartes define a consciência de si como a habilidade de pensar.

1690 O médico e filósofo inglês John Locke define consciência como "a percepção do indivíduo daquilo que se passa em sua própria mente".

1781 O filósofo alemão Immanuel Kant afirma que eventos simultâneos são sentidos como uma "unidade de consciência".

DEPOIS
1923 Max Wertheimer mostra, em *Laws of organization in perceptual forms*, que a mente interpreta imagens de forma ativa.

1925 John B. Watson rejeita o conceito de consciência, afirmando que não é "definitivo, nem útil".

O termo "consciência" é geralmente usado para se referir à percepção que um indivíduo tem dos seus próprios pensamentos, sensações, sentimentos e memórias. Presumimos que está sempre presente, salvo quando temos alguma dificuldade — como quando tentamos fazer algo em estado de extremo cansaço. Mas, se concentrarmos o pensamento nessa nossa percepção, logo notamos que as experiências da nossa consciência estão sempre mudando. A leitura deste livro, por exemplo, pode levar você a recordar experiências passadas ou desconfortos do presente que interrompem a sua concentração; planos para o futuro podem lhe ocorrer espontaneamente. Refletir sobre as experiências da consciência nos faz perceber que os nossos pensamentos estão sempre mudando e, no entanto, parecem surgir juntos, fundir-se e avançar como um todo.

O psicólogo americano William James comparou essas experiências diárias de consciência a um rio que flui continuamente, a despeito de ocasionais interrupções e mudanças de direção. "As metáforas mais naturais para descrever o fenômeno são 'rio' ou 'fluxo'. A partir de agora, para nos referir a ele, adotaremos o termo 'fluxo de pensamento', ou de 'consciência'...", declarou James.

Sua célebre descrição sobre o "fluxo... de consciência" é algo com que praticamente todos nós podemos nos identificar, porque podemos senti-lo. Não obstante, James observou que é, ao mesmo tempo, muito difícil defini-lo: "Quando digo que todo pensamento faz parte de uma consciência individual, um dos termos em questão é justamente 'consciência individual'... descrevê-lo de maneira fiel é a tarefa filosófica mais difícil que existe".

> A consciência... não se apresenta a si mesma aos pedaços... A consciência não é feita de remendos; ela flui.
> **William James**

William James

William James nasceu em 1842 em uma influente e abastada família nova-iorquina e viajou muito durante a infância, tendo frequentado escolas tanto na Europa quanto nos Estados Unidos. James demonstrou talentos artísticos precoces e, de início, tentou fazer carreira como pintor, mas seu crescente interesse científico levou-o, em 1861, a ingressar na Universidade de Harvard. Em 1864 já estava cursando a Escola de Medicina de Harvard, mas seus estudos foram interrompidos por surtos de mal-estar físico e depressão. Em 1869, graduou-se como médico, profissão que nunca exerceu. James voltou a Harvard, em 1873, para lecionar filosofia e psicologia. Criou os primeiros cursos de psicologia experimental dos Estados Unidos e teve papel central na consolidação da psicologia como disciplina realmente científica. Aposentou-se em 1907 e morreu tranquilamente em sua própria casa, em New Hampshire, em 1910.

Principais Trabalhos

1890 *Os princípios da psicologia*
1892 *Psicologia*
1897 *A vontade de crer*

RAÍZES FILOSÓFICAS

Veja também: René Descartes 20–21 ▪ Wilhelm Wundt 32–37 ▪ John B. Watson 66–71 ▪ Sigmund Freud 92–99 ▪ Fritz Perls 112–17 ▪ Wolfgang Köhler 160–61 ▪ Max Wertheimer 335

A "tarefa filosófica mais difícil que existe" tem longa tradição. Os antigos gregos refletiam sobre a mente, mas sem usar o termo "consciência" ou qualquer outro equivalente. Entretanto, eles debatiam se, de fato, existiria algo separado do corpo físico. No século IV a.C., Platão propôs uma distinção entre corpo e alma, mas Aristóteles argumentou que, mesmo se houvesse uma distinção, os dois não poderiam existir separadamente.

Primeiras definições

René Descartes, na metade do século XVII, foi um dos primeiros filósofos a tentar descrever a consciência, propondo que ela habitava uma esfera imaterial que batizou de "domínios do pensamento", em oposição aos domínios físicos das coisas materiais, que chamou de "substância extensa". Contudo, credita-se a John Locke, filósofo inglês do século XVII, o conceito moderno de consciência como uma passagem constante de percepções individuais. James interessou-se pela ideia de Locke, de passagem de percepções, e também pelo trabalho de Immanuel Kant, filósofo alemão do século XVIII. Kant ficara impressionado pela maneira como as experiências se unem, observando que, se ouvimos um barulho e sentimos dor ao mesmo tempo, costumamos registrar as duas coisas como um único evento. Ele chamou esse fenômeno de "unidade de consciência", um conceito que influenciou muitos filósofos posteriores, entre eles William James.

Para James, o detalhe mais importante a respeito da consciência é o fato de ela não ser uma "coisa", mas, sim, um processo — é o que o cérebro faz para "controlar um sistema nervoso que se tornou complexo demais para se autorregular". Ela nos permite »

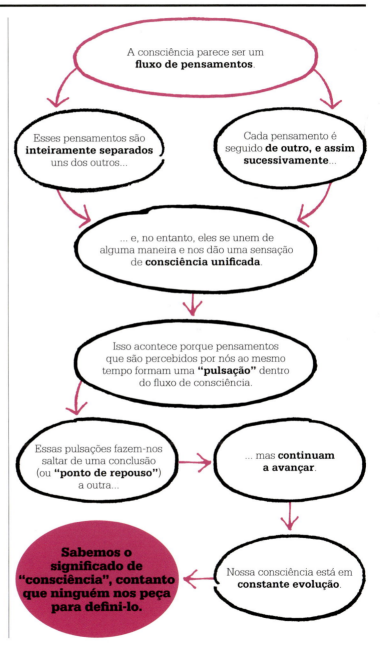

> Ninguém jamais teve uma simples e solitária sensação: consciência... é uma multiplicidade profusa de objetos e relações.
> **William James**

refletir sobre o passado, o presente e o futuro, planejar, adaptar-se às circunstâncias e, com isso, cumprir o que James considerava ser o propósito fundamental da consciência: sobreviver.

No entanto, James achava difícil imaginar a estrutura da consciência unificada. Comparou-a a um grupo de doze homens: "Selecione uma dúzia de palavras, pegue doze homens e dê uma palavra para cada um. Em seguida, disponha-os em fila ou próximos um do outro e deixe que cada um pense em sua palavra com tanta intensidade quanto for capaz; nenhum deles terá consciência da frase toda". Se a consciência é um fluxo de pensamentos distintos, James achava difícil entender como eles se uniam. Segundo ele, "a ideia de a mais a ideia de b não é igual à ideia de $(a + b)$". Dois pensamentos somados não formam uma ideia. É mais provável que deem origem a uma ideia totalmente nova. Por exemplo, se o pensamento a é "são nove horas" e o pensamento b é "o trem sai às 9h02", um pensamento c — "vou perder o trem!" — pode ser o resultado.

Juntando pensamentos

James concluiu que a maneira mais simples de entender como pensamentos dentro do fluxo de consciência se concatenam para fazer sentido seria supor "que coisas que são conhecidas ao mesmo tempo são captadas numa única pulsação daquele fluxo". Alguns pensamentos ou sensações, acreditava ele, estão inevitavelmente conectados, como no exemplo de Kant — ouvir um barulho e sentir dor no mesmo exato momento —, porque os pensamentos que penetram simultaneamente na nossa consciência se unem e formam uma pulsação, ou corrente, dentro do fluxo. Podemos ter muitas dessas correntes fluindo na consciência, algumas com rapidez, outras mais devagar. James afirmava que existem inclusive pontos de repouso, nos quais fazemos uma pausa para formar imagens mentais, que podem ser retidas e contempladas longamente. James chamava os locais de descanso de "partes substantivas" e as correntes em movimento de "partes transitivas", e sustentava que nosso pensamento está em constante deslocamento de uma parte substantiva para outra, impulsionado

O problema da frase com doze palavras foi usado por James para ilustrar sua dificuldade de compreender como uma consciência unificada deriva de pensamentos separados. Se cada homem tem consciência de uma palavra apenas, como pode haver consciência da frase inteira?

RAÍZES FILOSÓFICAS 43

Pontos de cores primárias compõem essa obra do pintor francês pós-impressionista Georges Seurat. No entanto, nosso cérebro combina esses elementos separados de tal modo que vejamos uma figura humana.

pela força das partes transitivas, ou correntes. Somos, portanto, de fato "arremessados" de uma conclusão a outra pelo fluxo constante de pensamentos, cujo propósito é nos fazer avançar sempre da mesma forma. Não há conclusão; a consciência não é uma coisa, mas um processo em constante evolução.

James também chamou a atenção para a natureza pessoal da consciência, declarando que pensamentos não podem existir dissociados de um pensador — são pensamentos seus ou meus. Cada um é "possuído" por alguém, e nunca "é visto diretamente por um pensamento de outra consciência pessoal que não seja a sua". E são esses pensamentos, "conectados como os sentimos conectados", que dão forma ao "eu". Já que não é possível separar os pensamentos do "eu", James concluiu que a investigação do "eu" deveria ser o ponto de partida da psicologia. Os psicólogos experimentais não concordavam, pois o "eu" não se presta a experimentos, mas James achava que era suficiente trabalhar com a nossa compreensão de um "eu" que faz certas coisas e sente de determinadas maneiras. A isso, ele dava o nome de "eu empírico", que se manifesta por seu comportamento e que era constituído de diversas partes — o "eu" material, o "eu" espiritual e o "eu" social — todos eles passíveis de serem estudados por meio da introspecção.

Teoria das emoções

Nos estágios iniciais de sua pesquisa sobre a consciência, James percebeu que as emoções desempenham um papel importante na vida cotidiana e desenvolveu, com seu colega Carl Lange, uma teoria sobre como as emoções se relacionam com nossas ações e comportamentos. Segundo a Teoria das Emoções James–Lange, as emoções derivam das percepções da mente consciente acerca das nossas condições fisiológicas. Para ilustrar essa teoria, James usou o exemplo de alguém que vê um urso e sai correndo. A pessoa não vê o urso, sente medo e foge porque tem medo. O que realmente acontece é que a pessoa vê o urso e sai correndo, e o sentimento consciente de medo é originado pela ação de sair correndo. Isso contradiz o que a maioria das pessoas supõe, mas, para James, era a percepção da mente acerca dos efeitos físicos de correr — respiração ofegante, batimento cardíaco acelerado e transpiração intensa — que se traduzia na emoção de medo. Outro exemplo, de acordo com essa teoria, é o fato de nos sentir felizes por ter consciência de estar sorrindo; não que primeiro tenhamos que nos sentir felizes para depois sorrir.

Pragmatismo

A abordagem de James sobre o modo como julgamos algo verdadeiro ou não »

> Existe apenas uma verdade certa e indefectível: a de que o presente fenômeno da consciência existe.
> **William James**

está ligada a suas teorias sobre a consciência. James alegava que "a verdade emerge dos fatos... mas... ocorre que 'fatos' em si não são verdadeiros; eles apenas são. A verdade é uma função das nossas crenças que têm início e fim entre si". James definiu como "crenças verdadeiras" aquelas consideradas úteis por quem acredita nelas. Esta ênfase na utilidade das crenças é o cerne da tradição filosófica americana do pragmatismo, essência do raciocínio de James.

James postulava que, no decorrer da vida, estamos testando de modo contínuo "verdades", comparando-as entre si, e nossas crenças conscientes continuam sendo alteradas, uma vez que as "velhas verdades" são modificadas e às vezes substituídas por "novas verdades". Essa teoria é especialmente relevante para a maneira como toda pesquisa científica progride, as de psicologia inclusive. James citou como exemplo a descoberta do elemento radioativo rádio por Pierre e Marie Curie, em 1902. Em suas investigações, o casal Curie percebeu que o rádio dava a impressão de emitir quantidades ilimitadas de energia, o que "por um momento pareceu contradizer nossas ideias sobre toda a organização da natureza".

Entretanto, após refletir melhor sobre essa revelação, eles concluíram que, "embora amplie nossos antigos conceitos sobre energia, ela pouco altera a natureza deles". Nesse caso, o conhecimento científico do casal Curie foi questionado e modificado, mas o cerne de suas verdades permaneceu intacto.

Estudos posteriores

O período que se seguiu à morte de James abrigou a ascensão do behaviorismo e um declínio do interesse pela consciência. Por consequência, poucos foram os estudos sobre o assunto no período entre o início da década de 1920 até os anos 1950. Uma exceção importante foi o movimento Gestalt, de origem alemã, defensor da ideia de que o cérebro opera de maneira holística, levando em consideração as experiências da consciência por inteiro, e não de eventos separados — assim, quando olhamos para uma imagem, não vemos apenas pontos, linhas e formas distintas, mas um todo repleto de significado. Esse conceito está por trás da frase hoje famosa da Gestalt: "O todo é maior que a soma das partes".

Contudo, desde a década de 1980, psicólogos e neurologistas desenvolveram um novo campo de pesquisa chamado "estudos da consciência", cujo foco recai sobre duas áreas principais de interesse: o conteúdo da consciência, relatado por pessoas consideradas normais e saudáveis; e a consciência cujo estado de percepção tenha sido de algum modo danificado. No segundo grupo incluem-se casos de indivíduos em "estado vegetativo persistente" —

A pesquisa de Pierre e Marie Curie, tal como a maioria dos trabalhos científicos, modificava teorias anteriores em vez de contradizê-las por completo. Para James, novas "verdades" estavam, de um jeito parecido, sempre alterando nossas crenças fundamentais.

em que pacientes em coma acordam e respiram por conta própria, mas aparentemente perderam todas as funções superiores do cérebro. A intenção de ambas as correntes de estudo é encontrar maneiras mais objetivas possíveis de acessar a consciência e entender seus mecanismos ocultos, tanto físicos quanto psicológicos.

A neurociência moderna conseguiu demonstrar a existência de mecanismos da consciência. Nos últimos anos do século XX, o biólogo molecular e biofísico britânico Francis Crick revelou que a consciência está relacionada a uma parte específica do cérebro — a área do córtex pré-frontal, que está envolvida em processos mentais como planejamento, resolução de problemas e controle comportamental.

Pesquisas realizadas pelo neurocientista colombiano Rodolfo Linas ligam a consciência às atividades do tálamo, em conjunto com o córtex cerebral. O tálamo, uma estrutura localizada no centro do cérebro, é responsável por manter as vibrações no interior do órgão em determinadas frequências; caso esse padrão de vibração seja modificado — por uma infecção ou por causas genéticas —, o indivíduo pode sofrer distúrbios neurológicos,

Ressonâncias magnéticas do cérebro ajudaram a identificar estruturas como o tálamo, localizado no centro dessa imagem, o qual parece ter ligação com os processos de consciência.

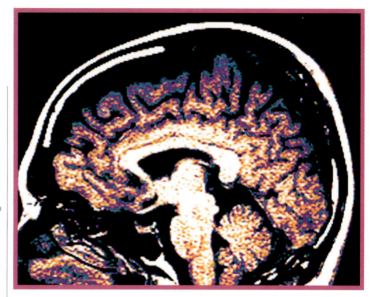

como epilepsia, mal de Parkinson, ou enfermidades psicológicas, como depressão.

Mas, quando se trata de definir consciência, as tentativas modernas continuam imprecisas e de difícil aplicação. O neurocientista americano Antonio Damásio, por exemplo, chama de consciência "a sensação do que acontece" e a define como "a percepção de um organismo sobre si mesmo e o que está ao seu redor". Como observou James, há mais de cem anos, é difícil definir consciência.

Legado duradouro

A versão de 1890 do livro *Os princípios da psicologia*, de James, continua sendo publicada, e suas ideias influenciaram diversos psicólogos, bem como cientistas e pensadores de outras áreas. A aplicação de sua filosofia pragmática aos fatos — dando enfoque não ao que é "verdade", mas àquilo em que "é útil acreditar" — ajudou a psicologia a se afastar do problema da separação entre corpo e mente e partir para estudos mais proveitosos sobre os processos mentais, tais como atenção, memória, raciocínio, imaginação e intenção. James defendia que sua abordagem ajudara a afastar filósofos e psicólogos "de abstrações, princípios fixos, sistemas fechados e pretensos conceitos e origens absolutos, levando-os para fatos, ação e poder". Sua insistência numa visão inteiriça dos eventos, incluindo os efeitos que ambientes diferentes exercem sobre nossas ações — em oposição à abordagem introspectiva e estruturalista, de dividir nossas experiências em pequenos detalhes —, moldou também a nossa compreensão de comportamento.

Antes de James começar a ensinar a matéria na Universidade de Harvard, em 1875, não havia cursos independentes de psicologia disponíveis em nenhuma instituição americana. Vinte anos depois, cerca de 24 universidades americanas haviam reconhecido a psicologia como uma disciplina acadêmica autônoma e ofereciam diplomas do curso. Durante esse período, também foram lançadas três revistas especializadas e foi fundada uma organização profissional — a Associação Americana de Psicologia.

James apresentou a psicologia experimental aos Estados Unidos, mesmo dizendo odiar "trabalho de laboratório". No entanto, ele o fazia por ter concluído que era o melhor jeito de provar ou refutar uma teoria. Mas continuou a valorizar a introspecção como ferramenta de descoberta, em especial no que dizia respeito aos processos mentais.

A mudança na percepção da psicologia e suas preocupações, de "um assuntozinho desagradável"

(palavras de James) para uma disciplina extremamente proveitosa, deve muito ao trabalho de William James. No ano de 1977, em discurso comemorativo ao 75º aniversário da Associação Americana de Psicologia, David Krech, então professor emérito de psicologia da Universidade da Califórnia em Berkeley, referiu-se a James como o "pai da psicologia". ■

Todas essas consciências fundem-se umas às outras como imagens que se dissolvem. Na verdade, são uma mesma consciência prolongada, um fluxo inquebrantável.
William James

A ADOLESCÊNCIA É UM NOVO NASCIMENTO
G. STANLEY HALL (1844–1924)

CONTEXTO

ABORDAGEM
Desenvolvimento humano

ANTES
1905 Sigmund Freud, em *Três ensaios sobre a teoria da sexualidade*, caracteriza a adolescência como a "fase genital".

DEPOIS
1928 A antropóloga americana Margaret Mead declara em seu livro *Adolescência, sexo e cultura em Samoa* que a adolescência só é reconhecida como uma fase distinta do desenvolvimento humano na sociedade ocidental.

1950 Erik Erikson, em *Infância e sociedade*, descreve a adolescência como o estágio da "identidade *versus* confusão de identidade", cunhando o termo "crise de identidade".

1983 Em *Margaret Mead and Samoa*, o antropólogo neozelandês Derek Freeman contesta a afirmação de Mead de que a adolescência não passa de um conceito construído socialmente.

O **desenvolvimento humano** é determinado pela natureza: ele repete o nosso **"arquivo ancestral"**.

↓

Uma criança tem **tendências animalescas** e passa por **diversos estágios de crescimento**.

↓

Na **adolescência**, o impulso evolucionário perde a força; esse é um período de **mudanças individuais**.

↓

Durante esse período selvagem e anárquico, os adolescentes ficam a cada dia mais **sensíveis, inconsequentes e autocríticos**, com tendências depressivas.

↓

Da criança surge então o adulto: um ser mais **civilizado e "de condição superior"**.

↓

A adolescência é um novo nascimento.

RAÍZES FILOSÓFICAS 47

Veja também: Francis Galton 28–29 ▪ Wilhelm Wundt 32 37 ▪ Sigmund Freud 92–99 ▪ Erik Erikson 272–73

A palavra "adolescência" significa literalmente "brotar" (da palavra latina *adolescere*). Na teoria, descreve um estágio distinto entre a infância e a vida adulta, mas na prática define apenas o período dos treze aos dezenove anos de idade. Na maior parte do Ocidente, o conceito de adolescência não foi reconhecido até o século XX; antes dele, a infância terminava quando a vida adulta começava, numa determinada idade — em geral, aos dezoito anos.

O psicólogo e educador pioneiro G. Stanley Hall foi o primeiro acadêmico a explorar o assunto em seu livro *Adolescence*, de 1904. Influenciado pela teoria darwinista da evolução, Hall acreditava que todas as infâncias, sobretudo no que diz respeito a comportamento e desenvolvimento físico inicial, refletiam o curso das mudanças evolucionárias e que cada um de nós se desenvolvia de acordo com o nosso "arquivo ancestral".

Uma influência fundamental para Hall foi o movimento de músicos e poetas alemães do século XVIII, *Sturm und Drang* ("Tempestade e Ímpeto"), que postulava uma completa liberdade de expressão. Para Hall, a adolescência era como "Sturm und Drang": considerava-a um estágio de agitação emocional e de rebelião, no qual o comportamento variava entre mau humor silencioso e atitudes selvagens e arriscadas. A adolescência, declarou ele, "anseia por sentimentos fortes e sensações novas... monotonia, rotina e detalhes lhe são intoleráveis". A consciência de si e do ambiente intensifica-se muito; tudo é sentido de maneira mais aguda, busca-se a sensação por si mesma.

Ecos modernos

Muitos achados de Hall encontram eco nas pesquisas contemporâneas. O psicólogo acreditava que os adolescentes eram altamente suscetíveis à depressão e propôs uma "curva de desesperança" cujo início é aos onze anos de idade, atinge o pico aos quinze e, a partir daí, começa a decair de modo regular até os 23 anos. Pesquisas modernas acusam um padrão similar. As causas da depressão identificadas por Hall soam familiares para nós: suspeita de rejeição, falhas de caráter aparentemente insuperáveis e "fantasia com um amor inatingível". Para Hall, a autoconsciência adolescente levava à autocrítica e à censura de si e dos outros. Essa visão antecipa estudos posteriores, segundo os quais as habilidades de raciocínio avançadas dos adolescentes permitem que eles "leiam nas entrelinhas", mas, ao mesmo tempo, ampliam a sensibilidade com que enfrentam as situações. Até a afirmação de Hall, de que o envolvimento com o crime é mais comum nessa fase, atingindo seu ponto máximo aos dezoito anos, continua sendo verdadeira.

Mas Hall não era totalmente negativo em relação à adolescência. Como escreveu em *Youth: its education, regiment, and hygiene*, a adolescência "é um novo nascimento, uma vez que os traços humanos mais elevados e completos têm nela sua origem". Portanto, para ele, a adolescência era, na verdade, um começo necessário de algo muito melhor. ■

> A adolescência é a fase em que os piores e os melhores impulsos da alma humana lutam entre si para ganhar terreno.
> **G. Stanley Hall**

G. Stanley Hall

Granville Stanley Hall nasceu em família fazendeira de Ashfield, Massachusetts, Estados Unidos, e formou-se na Williams College, em seu estado natal, em 1867. Não tendo conseguido realizar seus planos de viajar por falta de dinheiro, cedeu à vontade da mãe e foi estudar teologia em Nova York, onde permaneceu por um ano até se mudar para a Alemanha. Na volta aos Estados Unidos, em 1870, estudou por quatro anos com William James, em Harvard, recebendo o primeiro título de doutorado em psicologia dos Estados Unidos. Em seguida retornou por dois anos à Alemanha, para trabalhar com Wilhelm Wundt no laboratório de Leipzig.

Em 1882, tornou-se professor da Universidade John Hopkins, em Baltimore, onde fundou o primeiro laboratório americano especializado em psicologia. Em 1887, lançou a revista *American Journal of Psychology* e, em 1892, foi eleito o primeiro presidente da Associação Americana de Psicologia.

Principais trabalhos

1904 *Adolescence*
1906 *Youth: its education, regiment, and hygiene*
1911 *Educational problems*
1922 *Senescence*

ESQUECEMOS DOIS TERÇOS DO QUE APRENDEMOS NAS ÚLTIMAS 24 HORAS
HERMANN EBBINGHAUS (1850–1909)

CONTEXTO

ABORDAGEM
Estudo da memória

ANTES
Século V a.C. Os antigos gregos fazem uso da "mnemônica" — técnicas, como palavras-chave ou rimas, para auxiliar a memória.

1582 O filósofo italiano Giordano Bruno, em *The art of memory*, descreve métodos de memorização que utilizam diagramas de conhecimento e experiência.

DEPOIS
1932 Frederic Bartlett declara que toda memória é uma mistura de conhecimento e inferência.

1949 Em *The organization of behaviour*, Donald Hebb explica que o aprendizado é resultante de neurônios estimulados que se conectam, formando "assembleias".

1960 O psicólogo americano Leo Postman descobre que novos aprendizados podem intervir nos anteriores, causando uma "interferência retroativa".

Os experimentos de Ebbinghaus com a memória demonstraram que…

… o esquecimento é mais rápido nas **primeiras nove horas**.

… conteúdos esquecidos podem ser **reaprendidos com mais rapidez** do que conteúdos novos, aprendidos pela primeira vez.

… recordamos por mais tempo assuntos que continuamos a **estudar após dominar** (além do aprendizado).

… **conteúdos significativos** são lembrados por **cerca de dez vezes mais tempo** do que conteúdos insignificantes ou aleatórios.

… itens localizados próximos do **início ou do final de uma série** são lembrados com mais facilidade.

… sessões de aprendizagem repetidas **durante um intervalo maior de tempo** intensificam a memorização de qualquer assunto.

RAÍZES FILOSÓFICAS

Veja também: Bluma Zeigarnik 162 ▪ Donald Hebb 163 ▪ George Armitage Miller 168–73 ▪ Endel Tulving 186–91 ▪ Gordon H. Bower 194–95 ▪ Daniel Schacter 208–09 ▪ Frederic Bartlett 335–36

Em 1885, Hermann Ebbinghaus tornou-se o primeiro psicólogo a realizar um estudo sistemático do aprendizado e da memória, por meio de um longo e exaustivo experimento consigo próprio. Filósofos como John Locke e David Hume haviam alegado que o ato de recordar envolve associação — agrupando coisas ou ideias por características semelhantes, como tempo, lugar, causa ou efeito. Ebbinghaus decidiu testar os efeitos da associação sobre a memória, registrando os resultados de maneira matemática para verificar se a memorização seguia padrões identificáveis.

Experimentos com a memória

Ebbinghaus começou por memorizar listas de palavras, verificando em seguida de quantas conseguia se lembrar. Para evitar o uso de associação, criou 2.300 "sílabas sem sentido", todas formadas por três letras e estruturadas no formato básico de consoante–vogal––consoante — por exemplo, "ZUC" e "OAX". Agrupou essas sílabas em listas e olhava para cada uma por uma fração de segundo, parando por quinze segundos antes de ir para a lista seguinte. Repetia o processo até ser capaz de recitar uma série de sílabas com rapidez e precisão. Ebbinghaus testou listas de tamanhos variados e com diferentes intervalos de aprendizagem, anotando a velocidade da memorização e do esquecimento.

Percebeu que podia memorizar conteúdos com sentido, como poemas, com uma facilidade dez vezes maior do que as listas sem sentido. Notou também que, quanto mais vezes os estímulos (as sílabas sem sentido) eram repetidos, menos tempo era necessário para reproduzir a informação memorizada. Além disso, as primeiras repetições provaram ser mais eficazes para memorizar uma lista.

Ao examinar os resultados em busca de dados sobre esquecimento, Ebbinghaus descobriu que, como esperava, tendia a esquecer com menos rapidez as listas que passara mais tempo memorizando, e que a reprodução do que foi memorizado era melhor logo após o aprendizado. Ebbinghaus também revelou um padrão inesperado de retenção na memória. Sua experiência mostrou que em geral ocorre uma perda rápida de recordação na primeira hora, seguida por uma perda ligeiramente menor, de modo que, após nove horas, cerca de 60% do conteúdo é esquecido. Passadas 24 horas, cerca de dois terços de qualquer coisa memorizada serão esquecidos.

Ebbinghaus demonstrou que estudar e apreender determinado conteúdo na memória durante uma hora resulta em retenção mais duradoura e em maior facilidade para relembrá-lo.

Transformados em gráfico, esses dados apontam uma "curva de esquecimento" característica, que começa com uma queda vertiginosa, seguida por um suave declive.

A pesquisa de Ebbinghaus abriu caminho para uma nova linha de questionamento e ajudou a estabelecer a psicologia como disciplina científica. Seus métodos meticulosos continuam a servir de modelo para a experimentação psicológica nos dias atuais. ∎

Hermann Ebbinghaus

Hermann Ebbinghaus nasceu em Barmen, Alemanha, em uma família de comerciantes luteranos. Aos dezessete anos de idade, foi estudar filosofia na Universidade de Bonn, mas sua carreira acadêmica foi interrompida, em 1870, pela guerra franco-prussiana. Em 1873, completou os estudos e mudou-se para Berlim, de onde mais tarde partiu em viagem para França e Inglaterra, onde conduziu, a partir de 1879, pesquisas sobre seu próprio poder de memorização. Publicou *Memory* em 1885, no qual relata em detalhes a pesquisa das "sílabas sem sentido", e no mesmo ano tornou-se professor da Universidade de Berlim, onde montou dois laboratórios de psicologia e fundou uma revista acadêmica. Ebbinghaus transferiu-se em seguida para a Universidade de Breslau, onde também fundou um laboratório, e finalmente foi para Halle, onde lecionou até a morte, em decorrência de pneumonia, aos 59 anos.

Principais trabalhos

1885 *Memory: a contribution to experimental psychology*
1897–1908 *Fundamentals of psychology* (2 volumes)
1908 *Psychology: an elementary textbook*

A INTELIGÊNCIA INDIVIDUAL NÃO TEM UMA QUANTIDADE FIXADA
ALFRED BINET (1857–1911)

CONTEXTO

ABORDAGEM
Teoria da inteligência

ANTES
1859 O naturalista inglês Charles Darwin propõe, em *A origem das espécies*, que a inteligência é herdada.

Desde 1879 Wilhelm Wundt aplica métodos científicos à psicologia, procurando meios objetivos de medir as habilidades mentais, como a inteligência.

1890 O psicólogo americano James Cattell concebe testes para medir diferenças em habilidades mentais individuais.

DEPOIS
Anos 1920 O psicólogo educacional inglês Cyril Burt afirma que a inteligência é definida principalmente pela genética.

Anos 1940 Raymond Cattell categoriza dois tipos de inteligência: fluida (inata) e cristalizada (moldada pela experiência).

Em 1859, Charles Darwin divulgou sua teoria da evolução em *A origem das espécies*, fornecendo as bases para se debater se a inteligência era fixada por heranças genéticas ou se poderia ser modificada pelas circunstâncias. No começo da década de 1880, seu primo, Francis Galton, realizou testes com as habilidades cognitivas de cerca de 9 mil londrinos e concluiu que a inteligência básica era determinada pelo nascimento. Por volta da mesma época, Wilhelm Wundt sugeriu a ideia de haver um quociente de inteligência (QI) e esboçou tentativas de medi-lo. O trabalho de Wundt serviu de inspiração para estudos medidores das habilidades mentais realizados pelo

RAÍZES FILOSÓFICAS 51

Veja também: Francis Galton 28–29 ▪ Jean-Martin Charcot 30 ▪ Wilhelm Wundt 32–37 ▪ Raymond Cattell 314–15

Testes de inteligência só podem medir...

⬇

... as habilidades mentais de um indivíduo em **determinada hora** e em **determinado contexto**.

⬇

As habilidades variam em um curto período de tempo; mudam também a longo prazo, como parte do **processo de desenvolvimento**.

⬇

A inteligência varia ao longo **da vida**.

⬇

A inteligência individual não tem uma quantidade fixa.

Alfred Binet

Alfred Binet nasceu em Nice, França, mas mudou-se ainda novo para Paris, após a separação dos pais. Formou-se em direito em 1878 e depois estudou ciências na Sorbonne, preparando-se para cursar medicina. Mas decidiu que o seu verdadeiro interesse estava na área da psicologia; aprendeu muito por conta própria. Em 1883, Jean-Martin Charcot ofereceu-lhe um emprego no Hospital Salpêtrière de Paris. Sua curiosidade a respeito da inteligência e da aprendizagem começou após o seu casamento, em 1884, e o nascimento de suas duas filhas. Em 1891, tornou-se diretor adjunto do Laboratório de Psicologia Experimental da Sorbonne, ascendendo à direção em 1894.

Muitas honrarias foram concedidas a Binet desde sua morte precoce, em 1911. Entre elas, a mudança de nome, em 1917, de La Société Libre pour l'Etude Psychologique de l'Enfant para La Société Alfred Binet.

Principais trabalhos

1903 *Experimental study of intelligence*
1905 *The mind and brain*
1911 *A method of measuring the development of intelligence*

---

psicólogo americano James Cattell e constituiu a base para as pesquisas de Alfred Binet sobre a inteligência humana.

Fascínio pela aprendizagem
Binet havia estudado direito e ciências naturais antes de se envolver com psicologia. Era, em grande medida, um autodidata; contudo, o fato de ter trabalhado por mais de sete anos com Jean-Martin Charcot, no Salpêtrière, deu-lhe um conhecimento profundo dos procedimentos experimentais e de suas necessidades de precisão e planejamento cuidadoso. Seu desejo de estudar a inteligência humana floresceu com o fascínio despertado pelo desenvolvimento de suas filhas.

Binet notou que a rapidez e a facilidade com que elas absorviam novas informações variavam de acordo com a quantidade de atenção que dedicavam ao assunto. O contexto e a disposição mental da criança pareciam ser fundamentais para o aprendizado.

Quando ouviu falar dos testes de Francis Galton, em Londres, Binet decidiu realizar ele próprio uma pesquisa em larga escala, destinada a avaliar as diferenças das habilidades individuais entre diversos grupos de interesse, como matemáticos, enxadristas, escritores e artistas. Ao mesmo tempo, ele continuou a estudar a inteligência funcional das crianças, notando que certas »

ALFRED BINET

competências eram adquiridas em idades específicas. Por exemplo, crianças muito novas não eram capazes de conceber pensamentos abstratos — isso parecia ser um marco de maior grau de inteligência, diretamente atrelado à idade.

Em 1899, Binet foi convidado a fazer parte de uma nova organização dedicada à pesquisa educacional, La Société Libre pour l'Etude Psychologique de l'Enfant (Sociedade Independente para o Estudo da Psicologia Infantil). Em pouco tempo tornou-se líder do grupo e começou a publicar artigos e informações úteis a professores e profissionais da educação. Mais ou menos por essa época, a escola tornou-se obrigatória para todas as crianças francesas entre seis e doze anos de idade, e Binet foi chamado a desenvolver um teste capaz de identificar crianças com possíveis distúrbios de aprendizagem, para que pudessem receber educação apropriada às suas necessidades. Em 1904, esse trabalho resultou num convite para que integrasse uma comissão governamental incumbida de desenvolver um método para avaliar o potencial de aprendizado em crianças;

Testes de inteligência, ainda baseados em grande parte na Escala Binet–Simon, tornaram-se praticamente um instrumento padrão para prever o potencial de sucesso escolar de uma criança.

e Binet assumiu como tarefa primordial estabelecer diferenças entre crianças normais e deficientes, bem como encontrar uma forma de medir essas diferenças.

A escala Binet–Simon

Nessa tarefa, Binet teve a colaboração de Théodore Simon, pesquisador do Laboratório de Psicologia Experimental da Sorbonne, do qual Binet tornou-se diretor em 1894. Foi o início de uma longa e frutífera parceria entre os dois cientistas.

Em 1905, Binet e Simon já haviam criado o primeiro teste, batizado de "Novos métodos para diagnosticar níveis de idiotice, imbecilidade e retardo mental". Logo depois, apresentaram uma versão revista, para crianças de três a treze anos de idade, denominada simplesmente Escala Binet–Simon, revista em 1908, e mais uma vez em 1911.

Baseados em vasta observação de crianças, Binet e Simon conceberam trinta testes de níveis crescentes de dificuldade, valendo-se de uma série de tarefas que refletiam as habilidades médias das diferentes faixas etárias. Entre as mais fáceis estavam: acompanhar a direção de um raio de luz ou participar de uma conversa com o examinador. Tarefas um pouco mais difíceis envolviam: apontar para as partes do corpo requisitadas, repetir uma série de dois dígitos, repetir frases simples e definir palavras básicas como "casa" ou "garfo". Em testes mais complexos, pedia-se para as crianças descreverem as diferenças entre pares de objetos similares, reproduzirem desenhos de memória e construirem frases usando três palavras fornecidas. Entre as tarefas de nível máximo de dificuldade estavam: repetir sete dígitos aleatórios, encontrar três rimas para a palavra francesa *obéisance*; e

Há na inteligência... um agente fundamental cuja falta ou alteração é de grande importância para a vida prática: o juízo.
Alfred Binet

responder questões do tipo "Meu vizinho tem recebido estranhos visitantes. Recebeu a visita de um médico, de um advogado e, por fim, de um padre. O que está acontecendo?".

Binet e Simon testaram sua escala numa amostra de cinquenta crianças, divididas igualmente em cinco faixas etárias. As crianças haviam sido selecionadas por seus professores por serem representativas da inteligência média das suas idades, fornecendo uma medida básica de normalidade com a qual era possível avaliar crianças em todos os níveis de habilidade.

Os trinta testes de Binet––Simon, organizados por grau de dificuldade, deveriam ser aplicados em condições cuidadosamente controladas. Binet aprendera, ao observar suas filhas, que crianças se distraem com facilidade e que o nível de atenção é um ponto crítico para o desempenho. Binet via a inteligência como uma mistura de faculdades mentais multifacetadas e controladas pelo juízo prático, atuando num mundo real e em eterna transformação.

A inteligência não é fixada

Binet foi sempre franco quanto às limitações da Escala Binet–Simon. Fez questão de enfatizar que ela apenas classificava as crianças com base no seu desempenho intelectual comparado ao de crianças com idades semelhantes. As versões de 1908 e 1911 davam mais ênfase a testes propostos para diferentes faixas etárias e foi isso que resultou no conceito de "idade mental".

Binet também ressaltou que o desenvolvimento mental progride em ritmos diferentes e pode ser influenciado por fatores ambientais. Preferia considerar seus testes como um instrumento para avaliar o nível mental em um momento específico, pois isso permitia que o nível do indivíduo mudasse segundo as circunstâncias. Era o oposto do que pensava o influente psicólogo inglês Charles Spearman, que afirmaria, mais tarde, que a inteligência se baseia apenas em fatores biológicos.

Binet asseverou que as crianças "não têm uma quantidade fixada de inteligência", mas que esta se desenvolve à medida que a criança cresce e que, apesar de ter proposto uma forma de quantificá-la, nenhum número seria capaz de informar com precisão a inteligência de uma pessoa. Somente um estudo de acompanhamento poderia fornecer uma noção completa, pensava Binet. Em última análise, ele não acreditava ser possível medir a aptidão intelectual como se fosse um comprimento ou volume; só era possível classificá-la.

Usos e abusos

Em 1908, o psicólogo americano Henry H. Goddard viajou à Europa e descobriu os testes Binet–Simon. Traduziu-os e distribuiu cerca de 22 mil cópias nos Estados Unidos, para serem utilizados em escolas. Infelizmente, Binet havia tomado o cuidado de não atribuir a inteligência aos fatores hereditários, mas Goddard considerava que ela fosse determinada pela genética, e vislumbrou na Escala Binet–Simon

Os testes de Binet–Simon geram um número de QI (quociente de inteligência) que representa o nível médio de desempenho. Esses resultados podem ser transpostos em gráfico e revelar variações de QI em grupos ou populações.

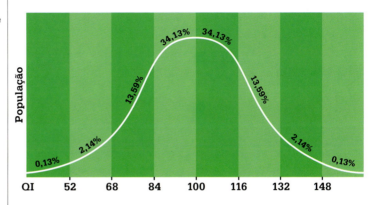

uma forma de erradicar "pessoas com mentes debilitadas", obrigando-as a se submeter à esterilização compulsória.

Em 1916, outro psicólogo americano, Lewis Terman, corrompeu a Escala Binet–Simon. Com base nos resultados de uma grande amostragem de crianças americanas, renomeou-a como Escala Stanford–Binet, e começou a utilizá-la para identificar não as crianças com necessidades especiais, mas, sim, as talhadas para uma educação mais vocacional ou voltada para o mercado de trabalho, contribuindo assim para condená-las a toda uma vida de trabalho subalterno. Terman, assim como Goddard, acreditava que a inteligência era herdada e imutável, logo nenhum esforço educacional poderia alterá-la.

É provável que Binet tenha ficado muito tempo sem saber qual o uso feito do seu trabalho. Era uma figura solitária, que raramente se preocupava com os desenvolvimentos profissionais fora do seu círculo imediato. Nunca viajou para fora da França, país que não adotou a Escala Binet–Simon enquanto ele ainda estava vivo, de modo que nunca soube de qualquer alteração em seu trabalho. Quando enfim se inteirou das "ideias estrangeiras enxertadas ao seu instrumento", reprovou fortemente aqueles que, com "pessimismo brutal" e "veredictos deploráveis", propagavam um conceito de inteligência única e constante.

O "teste de QI" desenvolvido por Binet é considerado até hoje a base do conceito de inteligência. Apesar de seus defeitos, gerou um volume de pesquisa que permitiu alargar nosso conhecimento sobre a inteligência humana. ■

Eu não queria criar um método de medição... mas apenas um método de classificação dos indivíduos.
Alfred Binet

O INCONSCIENTE VÊ OS HOMENS POR DETRÁS DAS CORTINAS
PIERRE JANET (1859–1947)

CONTEXTO

ABORDAGEM
Ciência neurológica

ANTES
1878 Em *Diseases of the nervous system*, Jean-Martin Charcot descreve os sintomas da histeria, então considerada uma doença nitidamente biológica.

DEPOIS
1895 Sigmund Freud anuncia que a dissociação é um dos mecanismos de defesa da mente.

Anos 1900 O neurologista americano Morton Prince declara que há uma variedade de distúrbios dissociativos.

1913 O naturalista francês J. P. F. Deleuze diz que a dissociação é como a formação de duas pessoas distintas — uma inteiramente desperta e outra em estado de transe.

1977 O livro *Divided consciousness*, de Ernest R. Hilgard, aborda a divisão da consciência por meio da hipnose.

Sinais psicológicos de terror ou angústia sem motivo aparente...

↓

... podem ser resultado de uma **ideia subconsciente**...

↓

... que a terapia revela estar relacionada a um **incidente traumático anterior**.

↓

Isso pode levar, em casos extremos, à **dissociação** — isto é, à existência de duas consciências separadas.

A partir de meados de 1880, e até 1910, houve grande interesse pelo distúrbio da "dissociação", isto é, quando alguns processos mentais se separam da consciência do indivíduo ou da sua personalidade cotidiana. A dissociação moderada, em que o mundo assemelha-se a um "sonho" ou a algo "irreal", é comum e afeta a maioria das pessoas em algum período da vida. É frequentemente causada por doenças, como a gripe, ou drogas, como o álcool, e pode ocasionar uma perda de memória parcial ou total durante ou após o período de dissociação. Em casos raros, descritos na época como "distúrbio de múltipla personalidade", o indivíduo parece ter duas ou mais personalidades distintas. Esses exemplos extremos são hoje classificados como "distúrbio de identidade dissociativa".

O médico e filósofo francês Pierre Janet é reconhecido como o primeiro a estudar e descrever a dissociação como um problema psiquiátrico. No final dos anos 1880 e início da década de 1890, Janet trabalhou no Hospital Salpêtrière, em Paris, onde atendeu pacientes que sofriam de "histeria". Publicou estudos sobre casos de várias mulheres que apresentavam sintomas extremos. Uma paciente chamada

RAÍZES FILOSÓFICAS

Veja também: Jean-Martin Charcot 30 ▪ Alfred Binet 50–53 ▪ Sigmund Freud 92–99 ▪ Thigpen e Cleckley 330–31 ▪ Ernest R. Hilgard 337

> Essas pessoas são perseguidas por algo, e é preciso investigar cuidadosamente para chegar à raiz da questão.
> **Pierre Janet**

"Lucie", por exemplo, era geralmente calma, mas de uma hora para outra ficava agitada, chorava e parecia aterrorizada sem razão aparente. Parecia ter três personalidades diferentes, as quais Janet nomeou de "Lucie 1", "Lucie 2" e "Lucie 3", e as assumia sem qualquer aviso, sobretudo quando estava hipnotizada. Lucie 1 possuía apenas "suas próprias" memórias, bem como Lucie 2, mas Lucie 3 podia relembrar eventos relacionados às três personalidades.

Significativo era o fato de Lucie 3 recordar uma experiência traumática que lhe ocorrera aos sete anos de idade, durante as férias, em que se sentira aterrorizada por dois homens escondidos atrás de uma cortina.

Trauma subconsciente

O drama da infância de Lucie, concluiu Janet, era a causa de sua dissociação. "Ter o corpo na postura de quem está aterrorizado é sentir a emoção do terror; e se essa postura é causada por uma ideia subconsciente, o paciente terá apenas a emoção em sua consciência e não saberá por que se sente daquela maneira", escreveu ele em *Psychological automatism*. Quando tomada pelo terror, Lucie dizia "Estou com medo e não sei por quê". "O inconsciente", disse Janet, "está tendo um sonho; ele vê os homens atrás da cortina e coloca o corpo numa postura de terror." Janet dizia ainda acreditar que eventos traumáticos e estresse podiam ocasionar dissociação em qualquer pessoa predisposta.

Janet chamou de "subconsciente" a parte da mente que acreditava ser a responsável pelo comportamento incomum e perturbado, mas Sigmund Freud considerou o termo vago demais e resolveu batizar de "inconsciente" a fonte dos problemas mentais de seus pacientes. Freud, além disso, levou adiante as ideias de Janet e declarou que a dissociação era um "mecanismo de defesa" universal.

A obra de Janet foi negligenciada durante décadas, pois o uso de hipnose na investigação e no tratamento de doenças mentais estava desacreditado. Contudo desde o final do século XX, seu trabalho tem atraído o interesse de psicólogos que estudam distúrbios dissociativos. ∎

Pode parecer que os traumas infantis foram esquecidos, mas, de acordo com Pierre Janet, é frequente que permaneçam na parte "subconsciente" da mente, dando origem a problemas mentais na vida adulta.

Pierre Janet

Pierre Janet nasceu numa família culta, de classe média, em Paris. Quando criança, era apaixonado por ciências naturais e coletava e catalogava plantas. Seu tio, o filósofo Paul Janet, encorajou-o a estudar medicina e filosofia. Assim, após cursar a conceituada École Normale Supérieure, em Paris, Janet seguiu para a Sorbonne, onde concluiu o mestrado em filosofia. Com apenas 22 anos, foi contratado como professor de filosofia no Lycée, em Le Havre, onde deu início a suas pesquisas sobre estados induzidos por hipnose. Influenciado por Jean-Martin Charcot, ampliou seus estudos para incluir neles "histeria", tornando-se, em 1898, diretor do laboratório de Charcot, no Hospital Salpêtrière, em Paris. Também lecionou na Sorbonne e, em 1902, tornou-se professor de psicologia no Collège de France.

Principais trabalhos

1893 *The mental state of hystericals*
1902 *Neuroses*
1907 *The major symptoms of hysteria*

BEHAVIO
RESPONDENDO AO AMBIENTE

RISMO

INTRODUÇÃO

Charles Darwin publica *A expressão das emoções no homem e nos animais*, em que argumenta que os comportamentos são adaptações evolucionárias.

John B. Watson publica "Psychology as the behaviourist views it", que se torna o **manifesto informal dos behavioristas**.

Ivan Pavlov demonstra o **condicionamento clássico** em seus experimentos com cachorros.

As experiências de Zing-Yang Kuo em gatos e ratos buscam comprovar que **não há algo chamado instinto**.

1872 — **1913** — **1927** — **1930**

1898 — **1920** — **1929** — **1930**

Segundo a **Lei do Efeito**, de Edward Thorndike, reações que produzem efeitos satisfatórios são mais passíveis de serem repetidas.

John B. Watson realiza experimentos com o "pequeno Albert", ensinando o bebê a ter **respostas emocionais condicionadas**.

Os experimentos de Karl Lashley com cérebros dissecados mostram que **o cérebro inteiro está envolvido no processo de aprendizagem**.

B. F. Skinner evidencia os efeitos do **"condicionamento operante"** por meio de experimentos com ratos.

Na década de 1890, a psicologia já estava consolidada como disciplina científica independente de suas origens filosóficas. Laboratórios e departamentos universitários haviam sido fundados na Europa e nos Estados Unidos, e já havia surgido uma segunda geração de psicólogos.

Nos Estados Unidos, psicólogos desejosos de assentar a nova disciplina sobre uma base objetiva e científica começaram a reagir contra a abordagem introspectiva e filosófica de William James e outros. A introspecção, achavam eles, era por definição subjetiva, e teorias nela fundamentadas não podiam ser confirmadas nem refutadas; se a psicologia queria ser incluída entre as ciências, deveria basear-se em fenômenos observáveis e mensuráveis. A solução foi estudar a manifestação dos processos mentais — o comportamento — sob condições laboratoriais estritamente controladas. Como escreveu John B. Watson, a psicologia é "aquela divisão da ciência natural cujo tema de interesse é o comportamento humano — o que se faz e o que se diz, o que foi aprendido e o que não foi". Os primeiros behavioristas, entre eles Edward Thorndike, Edward Tolman e Edwin Guthrie, conceberam experiências para observar o comportamento de animais em situações cuidadosamente planejadas e, a partir desses testes, elaboraram teorias sobre aprendizagem, memória, condicionamento e o modo como os seres humanos interagem com o ambiente.

Respostas condicionadas

Os experimentos behavioristas foram influenciados por experiências semelhantes desenvolvidas por fisiologistas interessados em processos físicos, e foi um fisiologista russo, Ivan Pavlov, que, sem querer, abriu caminho para a emergente psicologia behaviorista. Em seu hoje famoso estudo da salivação de cães, Pavlov descreveu como um animal responde a um estímulo durante o processo de condicionamento, fornecendo aos psicólogos a base para construir o conceito central do behaviorismo. A ideia de condicionamento, muitas vezes chamada de psicologia de "estímulo–resposta" (E–R), esculpiu o formato futuro do behaviorismo.

A abordagem behaviorista concentrava-se na observação de respostas a estímulos externos, ignorando estados e processos mentais interiores, considerados impossíveis de examinar cientificamente e que, por conseguinte, não poderiam ser incluídos em nenhuma análise comportamental. A mudança de foco,

BEHAVIORISMO

Konrad Lorenz descobre o fenômeno de **imprinting**, quando filhotes de animais assumem a filiação devido a informações sensoriais recebidas num momento crucial.

Clark L. Hull afirma que **reduzir a pulsão** (satisfazer nossas necessidades humanas básicas) é a única forma verdadeira de apelo.

B. F. Skinner publica *O comportamento verbal*, no qual afirma que a fala é um produto **da nossa história comportamental e genética**.

Noam Chomsky faz uma resenha crítica do livro de B. F. Skinner, *O comportamento verbal*, que ajuda a disseminar a **revolução cognitiva**.

1935   **1943**   **1957**   **1959**

1938   **1948**   **1958**   **Anos 1960**

Edwin Guthrie defende o **"aprendizado em uma única tentativa"**; o condicionamento não precisa se basear em repetição.

Cognitive maps in rats and men, de Edward Tolman, alega que desenvolvemos **mapas cognitivos** enquanto vivemos nossa rotina diária.

Joseph Wolpe aplica **técnicas de dessensibilização** em veteranos de guerra acometidos por "neurose de guerra".

Os experimentos de Neal Miller levam à descoberta de técnicas de **biofeedback**.

de "mente" para "comportamento", no estudo da psicologia foi revolucionária e veio acompanhada até de um "manifesto behaviorista" — o artigo "Psychology as the behaviourist views it", publicado por Watson, em 1913.

Nos Estados Unidos, que à época lideravam o campo da psicologia, o behaviorismo tornou-se a abordagem predominante pelos quarenta anos seguintes. Desenvolvendo a ideia de condicionamento clássico ou pavloviano, Watson afirmou que o comportamento é formado apenas pelo estímulo ambiental; fatores inatos ou herdados não participam do processo. Da geração seguinte, fazia parte o "behaviorista radical" B. F. Skinner, que propôs uma reformulação do conceito de "estímulo–resposta" em sua teoria do "condicionamento operante" — segundo a qual o comportamento era moldado por consequências, e não por estímulos precedentes. Embora similar às propostas de William James, essa ideia alterou radicalmente os rumos do behaviorismo, passando a considerar fatores genéticos e a explicar estados mentais como resultado (e não causa) do comportamento.

A revolução cognitiva
Em meados do século XX, porém, os psicólogos começaram a questionar a abordagem behaviorista. A etologia, estudo do comportamento animal, comprovou que o comportamento instintivo era tão importante quanto o aprendido — uma descoberta que não se encaixava muito bem com as ideias estritas de condicionamento. Uma reação às teorias de Skinner deflagrou a "revolução cognitiva", que voltava novamente a atenção para a mente e os processos mentais, tirando-a do comportamento. Uma figura central da época foi Edward Tolman, behaviorista cujas teorias não minimizavam a importância da percepção e da cognição, devido a seu interesse pela psicologia Gestalt dos alemães. Avanços em neurociência, explorados por outro behaviorista, Karl Lashley, também tiveram um papel nessa mudança, retirando a ênfase sobre o comportamento e priorizando o cérebro e seu funcionamento.

O pensamento behaviorista havia atingido o seu limite e foi sobrepujado pelas diversas correntes de psicologia cognitiva. O seu legado, entretanto, foi bastante duradouro, sobretudo no que diz respeito ao estabelecimento de um método científico para a disciplina e ao fornecimento de modelos passíveis de serem utilizados em experiências psicológicas. A terapia behaviorista continua presente nos dias de hoje como uma parte essencial da terapia cognitivo-comportamental. ■

AÇÕES NÃO COMPENSATÓRIAS SÃO SUPRIMIDAS
EDWARD THORNDIKE (1874–1949)

CONTEXTO

ABORDAGEM
Conexionismo

ANTES
1885 Em seu livro *Memória*, Hermann Ebbinghaus descreve a "curva de esquecimento" — para estabelecer o ritmo em que as lembranças humanas desaparecem.

Anos 1890 Ivan Pavlov funda o princípio do condicionamento clássico.

DEPOIS
1918 Os experimentos de John B. Watson com o "pequeno Albert" aplicam os princípios do condicionamento em um bebê humano.

1923 O psicólogo inglês Charles Spearman propõe um fator geral único — o "fator g" — para medir a inteligência humana.

Anos 1930 B. F. Skinner desenvolve uma teoria de condicionamento em função das consequências — o "condicionamento operante".

A proximadamente na mesma época em que Pavlov realizava seus experimentos em cães na Rússia, Edward Thorndike, nos Estados Unidos, começava a pesquisar o comportamento animal para sua tese de doutorado. Thorndike talvez tenha sido o primeiro psicólogo verdadeiramente "behaviorista", embora tenha desenvolvido sua pesquisa bem antes da adoção do termo.

A psicologia científica estava começando a ser vista como um novo campo de estudo nas universidades quando Thorndike se formou, na década de 1890, e se interessou pela possibilidade de aplicar os fundamentos da nova ciência a seus

BEHAVIORISMO

Veja também: Hermann Ebbinghaus 48–49 ▪ Ivan Pavlov 60–61 ▪ John B. Watson 66–71 ▪ Edward Tolman 72–73 ▪ B. F. Skinner 78–85 ▪ Donald Hebb 163

A psicologia ajuda a medir a probabilidade de um alvo ser alcançado.
Edward Thorndike

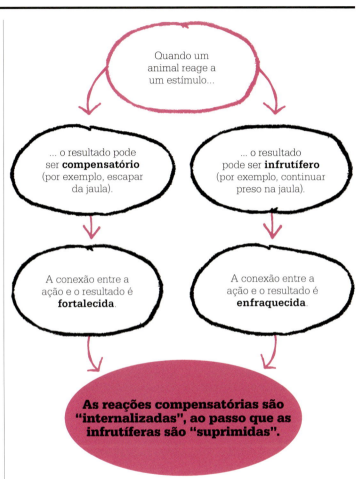

estudos sobre educação e aprendizagem. A intenção inicial de Thorndike era estudar o processo de aprendizagem em seres humanos, mas, como não conseguiu encontrar nenhum voluntário apropriado às suas pesquisas, voltou a atenção para os animais. Seu objetivo era examinar os processos de inteligência e aprendizado por meio da observação de uma série de experimentos controlados. Os resultados obtidos, contudo, levaram-no muito além e construíram os fundamentos da psicologia behaviorista.

Ambientes de aprendizagem
Os primeiros estudos de Thorndike envolviam pintinhos que aprendiam a transitar em labirintos especialmente desenvolvidos e construídos por ele para aqueles experimentos. O detalhe se tornaria uma marca registrada das técnicas de experimentação behaviorista — o uso de ambientes criados para esse fim, nos quais o sujeito em questão recebe determinado estímulo ou tarefa, hoje denominado "condicionamento instrumental" ou "aprendizagem instrumental". Conforme a pesquisa foi avançando, Thorndike voltou sua atenção para gatos, inventando "caixas-problema" que lhe permitiam observar as habilidades dos animais para aprender mecanismos de fuga.

Um gato faminto era trancafiado dentro de uma caixa-problema e, ao explorar o ambiente, descobria alguns dispositivos, como uma corrente, um anel, um botão ou painel, e apenas um deles estava conectado ao trinco que abriria a porta da caixa. Com o tempo, o gato descobria o objeto, o que lhe permitia escapar e receber a recompensa de comida. O processo era repetido e observava-se quanto tempo o gato levava para abrir a caixa-problema a cada nova tentativa; isso indicava a rapidez com que o animal estava aprendendo sobre seu ambiente. A experiência foi realizada com diversos gatos, colocando-se cada um dentro de uma série de caixas-problema que se abriam com »

EDWARD THORNDIKE

A Lei do Efeito, proposta por Thorndike, está na base de toda psicologia behaviorista. Thorndike demonstrou que os animais aprendem forjando ligações entre ações e resultados, recordando os resultados positivos e esquecendo os negativos.

dispositivos diferentes. Thorndike reparou que, apesar de todos os gatos terem descoberto o mecanismo de fuga na primeira vez por meio de tentativa e erro, nas ocasiões subsequentes a quantidade de tentativas e erros diminuía gradualmente conforme os gatos aprendiam quais ações seriam infrutíferas e quais seriam recompensadas.

A Lei do Efeito
Em decorrência desses experimentos, Thorndike propôs a Lei do Efeito, segundo a qual a resposta a uma situação que traz um resultado satisfatório apresenta mais probabilidade de ocorrer novamente no futuro; em contrapartida, uma reação que traz um resultado insatisfatório apresenta menor probabilidade de ser repetida. Essa foi a primeira formalização de uma ideia que está na base de toda psicologia behaviorista, a conexão entre estímulo e resposta e sua relevância para o processo de aprendizagem do comportamento. Segundo Thorndike, quando uma conexão entre um estímulo (E) e uma resposta (R) é estabelecida, uma conexão neural correspondente é forjada no cérebro. Thorndike chamou a sua concepção de aprendizagem E–R de "conexionismo", afirmando que as conexões feitas na aprendizagem são "impressas" no circuito do cérebro.

Thorndike postulava que, na verdade, é o resultado de uma ação que determina se a conexão estímulo–resposta será impressa com força ou não; no caso das caixas-problema, se resultaria em fuga ou frustração puxar uma corda ou apertar um controle. Em outras palavras, quando sequências de estímulo–resposta são seguidas de resultados satisfatórios ou prazerosos (como conseguir fugir ou ganhar uma recompensa), essas com respostas tendem a ser "vinculadas com mais firmeza à situação, de modo que, num contexto semelhante no futuro, têm mais probabilidade de se repetirem". Elas ficam "impressas" como uma conexão neural. Quando uma sequência de estímulo–resposta é seguida de um resultado desagradável ou irritante (por exemplo, continuar preso ou receber um castigo), as conexões neurais entre a situação e a resposta são enfraquecidas, até que eventualmente "as ações que não trazem recompensa são suprimidas".

O foco no resultado de um estímulo e sua resposta e a ideia de que o resultado pode fortalecer a conexão estímulo–resposta são exemplos do que mais tarde chamou-se de teoria de reforço da aprendizagem. O reforço e a importância dos resultados foram praticamente ignorados pela geração seguinte de behavioristas, da qual fez parte John B. Watson, mas a Lei do Efeito antecipou de maneira brilhante a obra de B. F. Skinner e sua teoria de "condicionamento operante".

Em pesquisas posteriores, Thorndike refinou a Lei do Efeito, passando a levar em consideração outras variáveis, como demora entre resposta e recompensa, o efeito da repetição de uma tarefa e quão rápido era esquecida quando não era repetida. Derivou-se daí a Lei do Exercício, segundo a qual as

O intelecto, a personalidade e as habilidades de todos os homens são o produto de certas tendências originais e do treinamento dado a elas.
Edward Thorndike

BEHAVIORISMO

Antigamente, considerava-se que alunos adultos eram menos capazes de reter informações do que crianças. Thorndike mostrou que a única diferença significativa ocorria na velocidade de aprendizagem, e não na memória.

conexões estímulo–resposta repetidas são fortalecidas, enquanto aquelas que não são usadas novamente tornam-se fracas. Além disso, a velocidade com que as conexões são fortalecidas ou enfraquecidas pode variar. De acordo com Thorndike, "quanto maior a satisfação ou o desconforto, maior o fortalecimento ou o enfraquecimento do vínculo".

É interessante notar que Thorndike considerava-se primordialmente um psicólogo educacional, embora estudasse comportamento animal com base em métodos que se tornariam tipicamente behavioristas — e tivesse escrito um livro, *Animal intelligence* (1911), que se tornaria um clássico do behaviorismo inicial. Seu objetivo original era estudar a inteligência animal, não o comportamento. Desejava provar, por exemplo, que os animais aprendem por simples tentativa e erro, e não por utilizar alguma capacidade de discernimento, ideia que prevalecia na psicologia de então. "Para começo de conversa, muitos livros não fornecem dados sobre a psicologia animal, mas são antes um panegírico aos animais. Todos versam sobre a inteligência animal, jamais sobre a estupidez deles", escreveu. O fato de os gatos das caixas-problema aprenderem de modo gradual, em vez de descobrirem de uma hora para outra a maneira de fugir, confirmava suas teorias. Os animais eram forçados a aprender por tentativa e erro porque eram incapazes de usar a razão para descobrir a ligação do mecanismo de abertura com a porta.

Inteligência humana

Após a publicação de *Animal intelligence*, Thorndike voltou sua atenção para a inteligência humana. Em sua opinião, a inteligência mais elementar caracteriza-se pela associação simples entre estímulo e resposta, o que resulta em uma conexão neural. Quanto mais inteligente o animal, mais capaz ele será de estabelecer tais conexões. Portanto, a inteligência pode ser definida pela habilidade de formar vínculos neurais, a qual não depende apenas de fatores genéticos, mas também de experiência.

Para encontrar uma maneira de medir a inteligência humana, Thorndike concebeu o teste CAVD (geralmente traduzido por "terminação, raciocínio aritmético, vocabulário e cumprimento de instruções"). O CAVD tornou-se modelo para todos os testes de inteligência modernos: avaliava tanto inteligência mecânica (compreensão do funcionamento das coisas) quanto inteligência abstrata (capacidade criativa) e social (capacidade de se relacionar). Thorndike estava especialmente interessado em saber de que modo a idade poderia afetar o aprendizado e propôs também uma teoria de aprendizagem que continua sendo a base da psicologia da educação atual — contribuição pela qual ele talvez preferisse ser lembrado acima de todas as outras. Não obstante, é por sua gigantesca influência no movimento behaviorista que costuma ser enaltecido. ■

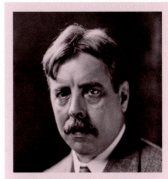

Edward Thorndike

Filho de um pastor metodista, Edward Thorndike nasceu em 1874, em Williamsburg, Massachusetts, Estados Unidos. Formou-se em ciências pela Universidade de Wesleyan, em 1895, e foi para Harvard estudar psicologia com William James. Em 1897, transferiu-se para a Universidade de Columbia, na cidade de Nova York, onde finalizou sua tese de doutorado, em 1898.

O interesse de Thorndike por psicologia educacional levou-o a assumir o cargo de professor na College for Women of Case Western Reserve, em Cleveland, Ohio; mas, um ano depois, em 1899, retornou à Columbia, onde lecionou até se aposentar, em 1939. Em 1912, seus colegas o elegeram presidente da Associação Americana de Psicologia. Thorndike continuou a pesquisar e a escrever até sua morte, aos 74 anos, em Montrose, Nova York.

Principais trabalhos

1905 *The elements of psychology*
1910 *The contribution of psychology in education*
1911 *Animal intelligence*
1927 *The measurement of intelligence*

QUALQUER PESSOA, INDEPENDENTEMENTE DE SUA NATUREZA, PODE SER TREINADA PARA SER QUALQUER COISA

JOHN B. WATSON (1878–1958)

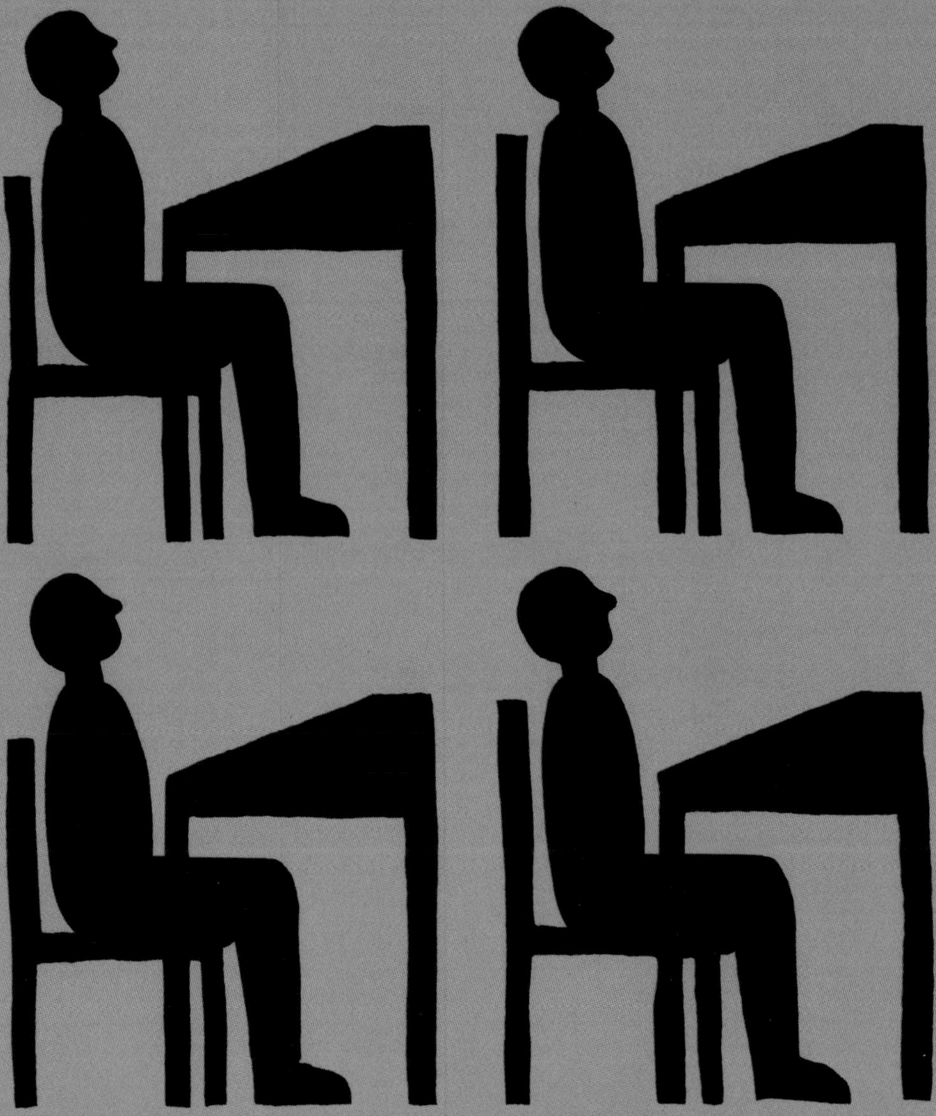

JOHN B. WATSON

CONTEXTO

ABORDAGEM
Behaviorismo clássico

ANTES
Anos 1890 O biólogo Jacques Loeb (um dos professores de Watson), nascido na Alemanha, explica o comportamento animal em termos puramente físico-químicos.

Anos 1890 Ivan Pavlov, com seu experimento com cães, estabelece o princípio do behaviorismo clássico.

1905 Edward Thorndike demonstra que os animais aprendem ao conquistar resultados positivos com seu comportamento.

DEPOIS
1932 Edward Tolman, com sua teoria da aprendizagem latente, acrescenta cognição ao behaviorismo.

Anos 1950 Psicólogos cognitivos procuram compreender os processos mentais subjacentes ao comportamento humano e o que produzem.

As emoções humanas básicas (não fruto de aprendizado) são **medo**, **raiva** e **amor**.

Esses **sentimentos** podem ser associados a objetos por meio do **condicionamento estímulo–resposta**.

As pessoas podem ser condicionadas a ter uma **resposta emocional** a objetos.

Pavlov demonstrou que, por meio de **condicionamento**, é possível ensinar reflexos comportamentais a animais.

Os seres humanos também podem ser condicionados a ter **respostas físicas** a objetos e eventos.

Qualquer pessoa, independentemente de sua natureza, pode ser treinada para ser qualquer coisa.

No início do século XX, muitos psicólogos já haviam concluído que a mente humana não podia ser estudada de maneira satisfatória com métodos introspectivos e defendiam uma mudança de abordagem em prol de análises comportamentais feitas em experiências controladas em laboratório.

John Watson não foi o primeiro a advogar a meticulosa prática behaviorista, mas foi com certeza o mais representativo. Ao fim de uma carreira interrompida por sua infidelidade conjugal, tornou-se um dos mais influentes e controversos psicólogos do século XX. Devido a seu trabalho sobre a teoria de aprendizagem por estímulo–resposta, proposta primordialmente por Thorndike, Watson passou a ser visto como o "pai" do behaviorismo, tendo trabalhado bastante para popularizar o termo. Sua conferência de 1913, "Psychology as the behaviourist views it", disseminou a revolucionária ideia de que "uma psicologia genuinamente científica abandonaria o discurso sobre estados mentais... e focaria, em vez disso, em prever e controlar o comportamento". Essa conferência ficou conhecida pelos psicólogos posteriores como o "manifesto behaviorista".

Antes da pesquisa que Watson desenvolveu na Universidade John Hopkins, em Baltimore, Estados Unidos, a maioria dos experimentos comportamentais concentrava-se no comportamento animal, e os resultados migravam para os humanos. O próprio Watson havia estudado ratos e macacos para seu doutorado, mas (talvez influenciado por sua experiência de trabalho com os militares, na Primeira Guerra Mundial) estava decidido a conduzir testes em humanos. Queria estudar o modelo estímulo–resposta do

BEHAVIORISMO

Veja também: Ivan Pavlov 60–61 ▪ Edward Thorndike 62–65 ▪ Edward Tolman 72–73 ▪ B. F. Skinner 78–85 ▪ Joseph Wolpe 86–87 ▪ Kenneth Clark 282–83 ▪ Albert Bandura 286–91

> Na visão de um behaviorista, a psicologia é um ramo puramente objetivo e experimental das ciências naturais.
> **John B. Watson**

condicionamento clássico e saber como poderia ser usado para prever e controlar o comportamento humano. Watson acreditava que as pessoas tinham três emoções fundamentais — medo, raiva e amor — e desejava descobrir se uma pessoa poderia ser condicionada a ter esses sentimentos em resposta a um estímulo.

O pequeno Albert

Junto com sua assistente de pesquisa, Rosalie Rayner, Watson iniciou uma série de experimentos envolvendo "Albert B", um bebê de nove meses de idade selecionado em um hospital infantil local. Os testes foram planejados com o objetivo de determinar se era possível ensinar uma criança a sentir medo de um animal, apresentando-o repetidas vezes a um barulho alto e assustador. Watson também queria descobrir se esse medo seria transferido para outros animais e objetos e quanto tempo duraria este medo. Nos dias de hoje, seus métodos seriam considerados antiéticos e até cruéis, mas, na época, foram vistos como uma progressão lógica e natural de estudos anteriores com animais.

Na hoje famosa "experiência com o pequeno Albert", Watson colocou o saudável, mas "geralmente apático e impassível", Albert sobre um colchão e observou suas reações ao ser apresentado a um cachorro, a um rato branco, a um coelho, a um macaco e a alguns objetos inanimados, como máscaras de rostos humanos e papéis queimados. Albert não demonstrou medo em relação a nenhum dos animais e objetos e chegou até a estender a mão para tocá-los. Watson estabeleceu, dessa forma, uma base de referência para medir qualquer mudança no comportamento da criança em relação ao que lhe fora apresentado.

Em outra ocasião, quando Albert estava sentado no colchão, Watson bateu com um martelo numa barra de metal, produzindo um barulho alto e repentino; como era de esperar, Albert ficou assustado e angustiado e começou a chorar. Watson então estipulara um estímulo incondicionado (o barulho) que certamente provocaria uma reação de medo no bebê. Watson levantou a hipótese de que, associando o barulho à visão do rato, condicionaria o pequeno Albert a ter medo do animal.

Quando Albert completou onze meses, Watson realizou o experimento. O rato branco foi colocado sobre o colchão junto com Albert e, quando a criança tocou o animal, Watson bateu com o martelo na barra de metal. O bebê começou a chorar. Esse procedimento foi repetido sete vezes ao longo de duas sessões, separadas por um intervalo de uma semana; após essas sessões, Albert ficava angustiado assim que o rato era trazido ao local, mesmo quando não vinha acompanhado do barulho. »

John B. Watson

Nascido em uma família pobre da Carolina do Sul, John Broadus Watson teve uma infância triste. Seu pai, alcoólatra e mulherengo, deixou a família quando Watson tinha treze anos; e sua mãe era muito religiosa. Watson tornou-se um jovem rebelde e violento, mas foi um aluno brilhante e ingressou na Universidade de Furman, perto de sua casa, aos dezesseis anos. Após concluir o doutorado em Chicago, tornou-se professor associado da Universidade John Hopkins, onde ministrou a palestra de 1913 que ficou conhecida como o "manifesto behaviorista". Trabalhou por pouco tempo para os militares, durante a Primeira Guerra Mundial, retornando à John Hopkins em seguida. Watson foi obrigado a renunciar ao seu cargo, devido ao caso amoroso que manteve com sua assistente de pesquisa, Rosalie Rayner. Voltou-se então para a carreira publicitária, mas continuou a publicar livros de psicologia. Após a morte precoce de Rosalie, aos 37 anos, Watson tornou-se recluso.

Principais trabalhos

1913 "Psychology as the behaviourist views it"
1920 *Conditioned emotional reactions* (com Rosalie Rayner)
1924 *Behaviorism*

JOHN B. WATSON

Ao associar repetidas vezes o rato ao som alto, Watson aplica o mesmo tipo de condicionamento clássico que Pavlov aplicou em seus cães. A reação natural da criança ao barulho — medo e angústia — estava agora associada ao rato. A criança ficara condicionada a responder com medo ao rato. No esquema do condicionamento clássico, o rato começou como um estímulo neutro que não suscitava nenhuma resposta especial; o barulho alto era um "estímulo incondicionado" (EI) que provocava uma "resposta incondicionada" (RI) de medo. Após o condicionamento, o rato passou a ser um "estímulo condicionado" (EC) que suscitava a "resposta condicionada" (RC) de medo.

No entanto, esse condicionamento parecia ir além do simples medo do rato branco e estava longe de ser temporário. Para testar se o medo de Albert havia se "generalizado", ou extrapolado para objetos semelhantes, a criança foi apresentada a outras coisas brancas e peludas — entre elas, um coelho, um cão e um casaco de pele de ovelha — cinco dias após o condicionamento original. Albert apresentou uma reação tão angustiada e temerosa em relação a estes quanto em relação ao rato.

Nessas experiências, Watson provou que as emoções humanas são suscetíveis ao condicionamento clássico. Era uma descoberta nova, pois as experiências anteriores de estímulo–resposta haviam se concentrado em testar o aprendizado de comportamentos físicos. Watson descobrira que o comportamento humano poderia ser não apenas previsto — dados determinados estímulos e condições —, como também controlado e modificado. Um novo exame das reações de Albert em relação ao rato, ao coelho e ao cachorro, realizado um mês depois, sugeriu que os efeitos desse condicionamento deveriam ser duradouros, mas isso não pôde ser provado, pois logo em seguida a mãe de Albert retirou-o do hospital. Já se interpretou essa atitude como um sinal de aborrecimento da mãe, mas, segundo relatos de Watson e Rayner, a retirada do menino ocorreu em data previamente estipulada.

Infinitamente maleável

A carreira de Watson acabou de modo abrupto logo após suas experiências com o pequeno Albert, quando foi obrigado a renunciar ao cargo de professor devido a um escândalo: seu caso amoroso com sua assistente, Rosalie Rayner. Embora não tenha completado suas pesquisas, Watson renovara a sua crença no

> " Não ficarei satisfeito até ter um laboratório onde eu possa educar crianças... sob observação contínua.
> **John B. Watson**

Médico

Juiz

Artista

Escritor

Watson via a criança como uma verdadeira "folha em branco". Afirmava que os princípios behavioristas podiam ser utilizados para moldar crianças, transformando-as em qualquer tipo de especialista, de artista a médico, independentemente de sua natureza.

BEHAVIORISMO 71

behaviorismo e, mais especificamente, na aplicação do clássico condicionamento de estímulo–resposta em seres humanos. Talvez devido à sua saída forçada do mundo acadêmico (e à transferência para a publicidade, profissão em que obteve grande sucesso), Watson desenvolveu uma tendência a exagerar o tamanho de suas descobertas e, com um talento natural para a autopromoção, continuou a publicar livros sobre psicologia.

Não satisfeito em afirmar, por exemplo, que era possível condicionar respostas emocionais, alardeou que, seguindo o mesmo princípio, seria possível controlar e modificar quase todos os aspectos do comportamento humano, por mais complexos que fossem. Assim como o pequeno Albert fora condicionado a temer objetos brancos e peludos, contrariando a sua tendência natural, Watson acreditava que "qualquer pessoa, independentemente de sua natureza, pode ser treinada a ser qualquer coisa". Em *Behaviourism*, de 1924, chegou inclusive a vangloriar-se: "Deem-me uma dúzia de crianças saudáveis e bem formadas e meu método específico para criá-las; garanto que posso escolher aleatoriamente qualquer uma e treiná-la para se tornar qualquer tipo de especialista — médico, advogado, artista, comerciante e, sim, mesmo mendigo e ladrão —, independentemente de talentos, aptidões, tendências, habilidades, vocações e raça de seus ancestrais". No debate "natureza *versus* criação", Watson colocava-se com firmeza do lado da criação.

Criação sem envolvimento emocional

Impossibilitado de continuar suas pesquisas universitárias, Watson popularizou suas ideias sobre o behaviorismo voltando-se para o campo dos cuidados infantis. Foi nessa área que suas opiniões tiveram maior repercussão pública e tornaram-se mais controversas. Previsivelmente, Watson defendia uma estrita abordagem behaviorista na criação de crianças e, durante as décadas de 1920

O 'watsonismo' tornou-se o evangelho e catecismo das creches e salas de estar americanas.
Mortimer Adler

e 1930, seus vários livros sobre cuidados infantis foram muito populares. Em retrospecto, é fácil notar que sua abordagem, baseada em extremo desapego emocional, era no mínimo equivocada e potencialmente nociva, mas seus métodos foram adotados por milhões de pais, entre eles os próprios Watson e Rosalie Rayner.

A criança, acreditava Watson, é formada pelo meio, e este é controlado pelos pais. Para ele, a educação infantil era basicamente um exercício objetivo de modificação comportamental, sobretudo em relação às emoções de medo, raiva e amor. Talvez compreensivelmente, dada a sua infância infeliz, tinha restrições à afeição por considerá-la sentimentalista e resultando numa dependência exagerada dos pais. Contudo, não era a favor do extremo emocional oposto e opunha-se a castigos físicos.

O questionável trabalho de Watson, de aplicar técnicas de condicionamento de estímulo–resposta na educação de crianças, foi bastante criticado. Gerações subsequentes consideraram a abordagem manipuladora e fria, com ênfase em eficiência e resultados em vez de preocupação com o bem-estar da criança. Os danos de longo prazo às crianças educadas segundo o modelo behaviorista de Watson tornaram-se evidentes apenas com o passar do tempo, mas eram

significativos. A popularidade de seus livros, as "bíblias" dos cuidados infantis, resultou em toda uma geração afetada pelo que hoje se entende por uma criação disfuncional. Inclusive a família do próprio Watson foi atingida: Rosalie eventualmente percebeu as falhas nas teorias de educação infantil do marido e escreveu um artigo para a *Parents' Magazine*, intitulado "I am the mother of a behaviourist's sons" [Sou a mãe dos filhos de um behaviorista], e a neta de Watson, a atriz Mariette Hartley, relatou a sua perturbada história familiar na autobiografia *Breaking the silence* [Quebrando o silêncio].

Formas alternativas de criar os filhos logo surgiram, até mesmo entre behavioristas convictos. Servindo-se dos princípios básicos de condicionamento estabelecidos por Watson (apesar da ética duvidosa do experimento com o pequeno Albert) e utilizando-os como ponto de partida para o seu próprio "behaviorismo radical", o psicólogo B. F. Skinner aplicaria o behaviorismo no contexto da criação infantil de maneira muito mais positiva (ainda que excêntrica). ∎

Watson aplicou a sua compreensão do comportamento humano à publicidade durante a década de 1920, demonstrando que as pessoas podem ser induzidas a comprar produtos pela imagem, e não pelo conteúdo.

O GRANDE LABIRINTO CRIADO POR DEUS: O MUNDO EM QUE VIVEMOS
EDWARD TOLMAN (1886–1959)

CONTEXTO

ABORDAGEM
Behaviorismo cognitivo ("intencional")

ANTES
Anos 1890 Os experimentos de Ivan Pavlov com cães fundam a teoria do condicionamento clássico.

1920 John B. Watson conduz experiências behavioristas em seres humanos, celebrizando o caso do pequeno Albert.

DEPOIS
1938 As pesquisas de B. F. Skinner sobre condicionamento operante utilizam pombos em vez de ratos e tornam-se mais sofisticadas.

Anos 1950 A psicologia cognitiva substitui o behaviorismo como principal movimento da psicologia.

Anos 1980 A teoria comportamental de Joseph Wolpe une-se à terapia cognitiva de Aaron Beck e dá origem à terapia cognitivo--comportamental.

Apesar de ser considerado uma das figuras centrais da psicologia behaviorista nos Estados Unidos, a abordagem de Edward Tolman era muito diferente das de Thorndike e Watson. Tolman concordava com a metodologia básica do behaviorismo — de que a psicologia só pode ser estudada por meio de experiências científicas e objetivas —, mas também tinha interesse nas teorias sobre processos mentais como percepção, cognição e motivação que havia conhecido ao estudar a corrente da Gestalt na Alemanha. Construiu uma ponte entre as duas abordagens, dando origem a uma nova teoria sobre o papel do condicionamento e criando o que chamou de "behaviorismo intencional", hoje denominado behaviorismo cognitivo. Tolman questionava a premissa básica da aprendizagem

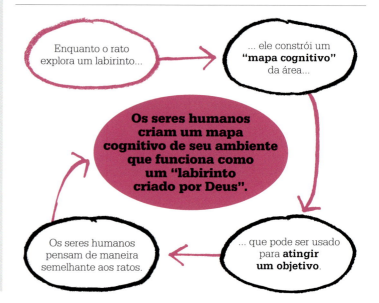

BEHAVIORISMO

Veja também: Ivan Pavlov 60–61 ▪ Edward Thorndike 62–65 ▪ John B. Watson 66–71 ▪ B. F. Skinner 78–85 ▪ Joseph Wolpe 86–87 ▪ Wolfgang Köhler 160–161 ▪ Daniel Kahneman 193

Existe mais do que um tipo de aprendizado.
Edward Tolman

condicionada (de que se aprende um comportamento simplesmente em resposta automática a um estímulo). Para ele, os animais podiam aprender sobre o mundo ao seu redor sem necessidade do reforço de uma recompensa e mais tarde usariam o conhecimento adquirido para tomar decisões.

Concebeu então uma série de experiências com ratos em labirintos para analisar o papel do reforço no aprendizado. Comparando um grupo de ratos, que era recompensado diariamente com comida quando conseguia se mover no labirinto, a um segundo grupo que só era recompensado após seis dias e a um terceiro grupo que era alimentado após dois dias, Tolman confirmou suas ideias. O segundo e o terceiro grupos cometeram menos erros ao percorrer o labirinto no dia seguinte à conquista da recompensa, demonstrando que eles já "sabiam" solucionar o labirinto, o que haviam aprendido antes de receber a comida. Quando as recompensas eram oferecidas, eles eram capazes de usar o "mapa cognitivo" que haviam construído antes para poder percorrer o labirinto com mais rapidez.

Aprendizagem latente

Tolman referia-se ao período inicial de aprendizagem dos ratos, quando não havia uma recompensa óbvia à vista, como "aprendizagem latente". No seu entender, enquanto os animais (todos eles, inclusive os homens) vivem suas vidas cotidianas, eles constroem um mapa cognitivo do mundo ao seu redor — o "labirinto criado por Deus" — que depois utilizam para localizar objetivos específicos. Tolman citou o exemplo de como aprendemos onde estão localizados vários pontos de referência em nossas jornadas cotidianas, mas só percebemos ter esse conhecimento quando precisamos achar algum local no meio do trajeto. Experimentos posteriores mostraram que os ratos aprendiam a ter um senso de localização, e não simplesmente onde virar para chegar a um lugar.

Em *Purposive behaviour in animals and men*, Tolman esboçou sua teoria sobre aprendizagem latente e mapas cognitivos, associando a metodologia behaviorista ao pensamento da Gestalt e introduzindo o componente da cognição. ■

Desenvolvemos um mapa cognitivo dos nossos arredores durante a nossa vida cotidiana. Podemos não estar cientes disso, até precisar encontrar um local pelo qual já passamos sem notar.

Edward Tolman

Edward Chance Tolman nasceu em uma família próspera de West Newton, Massachusetts, Estados Unidos. Estudou no Massachusetts Institute of Technology, onde se formou em eletroquímica em 1911; após ler os trabalhos de William James, decidiu fazer uma pós-graduação em filosofia e psicologia, em Harvard. Enquanto ainda estudava, viajou para a Alemanha e foi apresentado à psicologia da Gestalt. Após concluir o doutorado, lecionou na Universidade Northwestern, mas suas opiniões pacifistas custaram-lhe o emprego, e ele se transferiu para a Universidade da Califórnia, em Berkeley. Foi lá que fez a experiência com ratos em labirintos. Durante o macartismo, foi ameaçado de demissão porque recusou-se a assinar um juramento de lealdade que considerava restringir a liberdade acadêmica. O caso foi revogado em 1955. Tolman morreu em Berkeley, aos 73 anos, em 1959.

Principais trabalhos

1932 *Purposive behavior in animals and men*
1942 *Drives toward war*
1948 *Cognitive maps in rats and men*

APRENDER SIMPLESMENTE NÃO É POSSÍVEL
KARL LASHLEY (1890–1958)

CONTEXTO

ABORDAGEM
Neuropsicologia

ANTES
1861 O anatomista francês Paul Broca descobre a localização da área do cérebro responsável pela fala.

Anos 1880 O patologista e neurocientista espanhol Santiago Ramón y Cajal desenvolve a teoria de que o nosso sistema nervoso é constituído de células, mais tarde chamadas, pelo anatomista alemão Heinrich Waldeyer-Hartz, de "neurônios".

DEPOIS
1949 Donald Hebb descreve a formação de assembleias celulares e sequências de fase no processo de aprendizagem associativa.

A partir de 1980 Técnicas modernas de imagens do cérebro, como tomografia computadorizada, ressonância magnética e tomografia por emissão de pósitrons, permitem aos neurocientistas mapear funções cerebrais específicas.

O americano Karl Lashley, fisiologista que se transformou em psicólogo, interessava-se em saber o que acontecia fisicamente com o cérebro durante o processo de aprendizagem. Se, para Pavlov e outros behavioristas, o condicionamento causava mudanças químicas e elétricas no cérebro, Lashley queria determinar exatamente onde isso acontecia. Queria sobretudo localizar traços de memória, ou "engramas", os locais específicos do cérebro responsáveis pela memória. Assim como muitos behavioristas, Lashley usou ratos em labirintos como base para seus experimentos de aprendizagem. De início, os animais aprendiam a percorrer o labirinto até encontrar uma recompensa em comida. Em seguida, Lashley fazia operações cirúrgicas nos ratos para remover partes específicas e diferentes do córtex cerebral de cada animal. Depois, eles eram recolocados no labirinto para que suas habilidades de aprendizagem e memorização pudessem ser testadas.

Sem lugar para a memória
Lashley descobriu que não importava qual parte do cérebro era removida, a memória dos ratos acerca da tarefa permanecia intacta. O aprendizado e a retenção de novas tarefas estavam prejudicados, mas a intensidade do prejuízo dependia da extensão do dano, não da sua localização. Lashley concluiu que os traços da memória não estão em nenhum lugar específico, mas distribuídos de maneira uniforme pelo córtex cerebral; cada parte do cérebro é, portanto, igualmente importante, ou equipotencial. Décadas depois, Lashley afirmaria que suas experiências o levaram a "sentir às vezes... que seria forçoso concluir que aprender simplesmente não é possível". ∎

Não temos células excedentes disponíveis a ponto de poder reservar algumas para abrigar memórias especiais.
Karl Lashley

Veja também: John B. Watson 66–71 ▪ Donald Hebb 163 ▪ George Armitage Miller 168–73 ▪ Daniel Schacter 208–09 ▪ Roger Brown 237

BEHAVIORISMO

O *IMPRINTING* JAMAIS É ESQUECIDO!
KONRAD LORENZ (1903–1989)

CONTEXTO

ABORDAGEM
Etologia

ANTES
1859 O biólogo inglês Charles Darwin publica *A origem das espécies*, no qual descreve a teoria de seleção natural.

1898 O biólogo alemão Oskar Heinroth, mentor de Lorenz, inicia seus estudos sobre o comportamento de patos e gansos e relata o fenômeno do *imprinting*.

DEPOIS
1959 As experiências do psicólogo alemão Eckhard Hess mostram que, no *imprinting*, o que foi aprendido antes é mais bem lembrado; ao passo que, na aprendizagem associativa, o aprendizado recente é mais bem lembrado.

1969 John Bowlby argumenta que a ligação dos bebês recém-nascidos com suas mães é uma predisposição genética.

O zoólogo e médico austríaco Konrad Lorenz foi um dos fundadores da etologia — o estudo comparativo do comportamento animal em seu ambiente natural. Iniciou seu trabalho observando gansos e patos na casa de veraneio da família, em Altenberg, Áustria. Lorenz percebeu que as jovens aves rapidamente criavam laços com as mães após o nascimento, mas poderiam também estabelecer a mesma ligação com uma mãe ou pai adotivos, caso a mãe natural estivesse ausente. Este fenômeno, batizado de *imprinting* pelo zoólogo, já havia sido observado, mas Lorenz foi o primeiro a fazê-lo de maneira sistemática. Notabilizou-se inclusive por convencer jovens gansos e patos a aceitá-lo como pai adotivo.

O que distingue o *imprinting* da aprendizagem, descobriu Lorenz, é que o primeiro se dá apenas num estágio específico do desenvolvimento animal, o qual chamou de "período crítico". Diferentemente da aprendizagem, o processo é rápido, ocorre sem depender do comportamento e parece ser irreversível; o *imprinting* jamais é esquecido. Lorenz prosseguiu na mesma linha e observou outros comportamentos instintivos ligados a determinados estágios de vida, como o comportamento de cortejo, e batizou-os de "padrões de ação fixa" — padrões de comportamento que ficavam adormecidos até serem acionados por um estímulo específico, num período crítico determinado. Padrões de ação fixa, enfatizava Lorenz, não são aprendidos, mas geneticamente programados e, como tais, passaram por evoluções durante o processo de seleção natural. ■

Lorenz descobriu que gansos e outros pássaros seguem e se afeiçoam ao primeiro objeto em movimento que veem ao sair do ovo — neste caso, suas botas de borracha.

Veja também: Francis Galton 28–29 ▪ Ivan Pavlov 60–61 ▪ Edward Thorndike 62–65 ▪ Karl Lashley 76 ▪ John Bowlby 274–77

O COMPORTAMENTO É MOLDADO POR REFORÇOS POSITIVOS E NEGATIVOS

B. F. SKINNER (1904–1990)

O reforço positivo pode estimular determinados padrões comportamentais, como demonstrou Skinner ao confinar um rato em uma de suas caixas especiais, onde havia uma barra ou alavanca. Porções de comida surgiam sempre que o animal pressionasse a alavanca, o que o encorajava a repetir o ato indefinidamente.

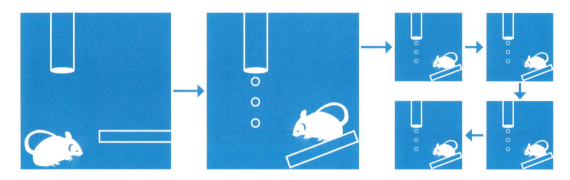

seu comportamento operante (pressionar a alavanca). Para distinguir esta situação daquela que envolve o condicionamento clássico, Skinner cunhou o termo "condicionamento operante"; a maior diferença entre os dois é que o condicionamento operante não depende de um estímulo que o preceda, mas, sim, do que acontece como consequência de sua atitude. Também se diferencia por representar um processo de duas mãos, no sentido que a ação, ou o comportamento, atua sobre o ambiente tanto quanto o ambiente define o comportamento.

Ao longo de suas experiências, Skinner começou a ter problemas com o suprimento de ração, o que o obrigou a reorganizar a frequência com que distribuía as porções para os ratos. Alguns roedores então só recebiam comida quando pressionavam a alavanca um certo número de vezes em sequência, em intervalos fixos ou aleatórios. As consequências dessa variação reforçaram as conclusões iniciais de Skinner e o levaram também a uma nova descoberta: enquanto um estímulo reforçador aumentava a probabilidade de ocorrência de um comportamento, se esse estímulo reforçador fosse suspenso em seguida, haveria uma redução na probabilidade de ocorrência desse comportamento, cujo padrão era determinado pelo padrão de redução na quantidade de alimento.

Skinner continuou realizando seus experimentos, cada vez mais variados e sofisticados, incluindo neles mudanças de horário para verificar se os ratos eram capazes de distinguir e reagir a diferenças na frequência da oferta de ração. Como suspeitava, os animais adaptavam-se com rapidez aos novos horários de distribuição.

Reforço negativo
Nos experimentos seguintes, os fundos das caixas de Skinner ganharam uma grade elétrica que dava um choque nos ratos sempre que ativada. Isso permitiu que ele investigasse o efeito do reforço negativo sobre o comportamento. Novamente, assim como evitara a palavra "recompensa", Skinner também se esquiva de descrever o choque

Ganhar em jogos de apostas em geral estimula a compulsão para tentar de novo, ao passo que perder reduz a vontade; da mesma forma, quando Skinner alterava a frequência com que alimentava seus ratos, o comportamento dos animais se modificava.

elétrico como "castigo", distinção que se mostrou cada vez mais importante ao analisar as implicações de sua pesquisa.

O reforço negativo não era um conceito novo para a psicologia. Em 1890, William James já escrevera, em *Princípios da psicologia*: "Os animais, por exemplo, despertam numa criança impulsos opostos de medo e de vontade de acariciar. Mas se, em sua primeira tentativa de acariciar um cachorro, uma criança recebe um rosnado ou uma mordida, o impulso do medo aumenta consideravelmente e é possível que,

por muitos anos, nenhum cão suscite na criança o impulso de acariciar novamente". E caberia a Skinner produzir as evidências experimentais dessa ideia.

Reforço positivo

Como esperava, Skinner constatou que sempre que um comportamento tinha o resultado negativo de suscitar um choque, ocorria uma redução desse comportamento. Redesenhou então as caixas para que os ratos colocados em seu interior pudessem desligar a grade elétrica pressionando um dispositivo — o que proporcionava uma forma de reforço positivo, advinda da retirada do estímulo negativo. Os resultados obtidos confirmaram a teoria de Skinner: se um comportamento ocasiona a supressão de um estímulo negativo, ocorre um aumento desse comportamento.

No entanto, os resultados revelaram também uma distinção interessante entre o comportamento aprendido pelo reforço positivo e o comportamento provocado por estímulos negativos. Os ratos reagiam melhor e mais rapidamente aos estímulos positivos (bem como à supressão de estímulos negativos), em comparação aos testes em que seu comportamento provocava uma resposta negativa. Continuando a evitar os conceitos de "recompensa" e "castigo", Skinner concluiu que programas de reforço positivo eram capazes de configurar comportamentos com mais eficiência. Mais do que isso, Skinner acabou acreditando que o reforço negativo poderia ser até contraproducente, fazendo o indivíduo continuar esperando por respostas positivas a determinado comportamento, a despeito do fato disso resultar em uma resposta negativa na maioria das vezes.

Essas conclusões tiveram implicações em diversas outras áreas do comportamento humano; por exemplo, no uso de medidas disciplinares na educação de crianças. Se um garoto é punido seguidas vezes por um comportamento que ele considera prazeroso, como cutucar o nariz, é provável que passe a evitá-lo quando os adultos estiverem por perto. A criança pode até mudar seu comportamento, mas apenas na medida em que evite ser castigada. Skinner acreditava, em última análise, que nenhuma forma de punição era adequada para controlar o comportamento das crianças.

Predisposição genética

A "modelagem" do comportamento pelo condicionamento operante possui paralelos notáveis em relação à teoria da seleção natural de Charles Darwin — cuja essência diz que apenas os organismos geneticamente adequados a determinado ambiente sobrevivem para se reproduzir, garantindo assim o "sucesso" de sua espécie. A probabilidade de um rato ter um comportamento que resulte em um estímulo reforçador, desencadeando o processo de condicionamento operante, depende da curiosidade e da inteligência do roedor, que são geneticamente determinadas. Essa associação de predisposição e condicionamento levou Skinner a concluir que "o comportamento

O experimento de Skinner com pombos provou que o reforço positivo de ser alimentado ao realizar uma tarefa contribuía para acelerar e reforçar a aprendizagem de novos padrões comportamentais.

de um indivíduo é controlado por suas histórias genética e ambiental" — ideia que explorou a fundo no artigo "The selection by consequences", escrito para o periódico *Science*, em 1981.

Em 1936, Skinner assumiu um cargo na Universidade de Minnesota, onde refinou suas pesquisas experimentais sobre o condicionamento operante e explorou a possibilidade de aplicações práticas de suas ideias, dessa vez usando pombos em vez de ratos. Descobriu que, com pombos, podia elaborar testes mais sutis. Usando o que descreveu como um "método das aproximações sucessivas", Skinner pôde estimular e observar padrões comportamentais mais complexos.

Deu aos pombos reforços positivos para qualquer tipo de comportamento semelhante ao que tentava realmente produzir. Por exemplo, se estivesse tentando treinar um pombo para voar em círculos no sentido horário, a ave ganhava alimento por qualquer movimento que fizesse para a direita, ›› por mais sutil que fosse. Quando esse comportamento estava consolidado, a comida só era fornecida em resposta a voos maiores para a direita, e o processo era repetido até o pombo completar o círculo para ser alimentado.

Programa de ensino

As pesquisas de Skinner levaram-no a questionar os métodos de ensino utilizados nas escolas. Nos anos 1950, época em que seus filhos recebiam educação formal, era frequente os alunos terem que cumprir longas tarefas, compostas por vários estágios, e precisar esperar até que o professor corrigisse todo o projeto para obter uma resposta. Essa abordagem contrariava as descobertas de Skinner sobre o processo de aprendizagem e, em sua opinião, prejudicava o progresso. Em resposta, Skinner desenvolveu um programa de ensino que acumulava *feedbacks* a cada etapa de um projeto — prática mais tarde adotada por diversos sistemas educacionais. Skinner concebeu também uma "máquina de ensino" que dava aos alunos *feedbacks* encorajadores para respostas corretas fornecidas a cada etapa de uma longa série de questões, em vez de dá-los apenas no final da atividade. Na época, poucas pessoas aprovaram a máquina de ensino de Skinner, mas os princípios que a regiam ressurgiram décadas depois em programas de computador de autoaprendizado.

Vale dizer que muitas invenções de Skinner foram mal compreendidas em sua época e lhe deram reputação de excêntrico. O "berço de Skinner", por exemplo, foi concebido como uma alternativa ao berço comum, para manter sua filha pequena em um ambiente controlado, aquecido e sem correntes de ar, mas o público confundiu o berço com a caixa de Skinner e a invenção foi apelidada de "condicionador de filha" pela imprensa, em face a rumores de que Skinner estaria realizando experiências com os próprios filhos. Não obstante, o berço atraiu muita publicidade, e Skinner sempre gostou de estar sob os holofotes.

Esforço de guerra

Outra experiência famosa, denominada "Projeto Pombo", foi recebida com ceticismo e certo desdém. Essa aplicação prática do trabalho de Skinner com pombos pretendia ser uma contribuição séria ao esforço de guerra de 1944. Como os sistemas de orientação de mísseis ainda não haviam

> A objeção aos estados internos não é por eles não existirem, mas pelo fato de não serem relevantes para a análise funcional.
> **B. F. Skinner**

sido inventados, o psicólogo projetou um bocal cônico que podia ser acoplado a uma bomba e guiado por três pombos colocados em seu interior. As aves haviam sido treinadas por condicionamento operante a dar bicadas em uma imagem do alvo em questão, que era projetada no cone por uma lente posicionada em sua dianteira. As bicadas dos pombos controlavam o plano de voo do míssil. Pelo menos os militares levaram a sério a ideia de Skinner; o Comitê de Pesquisa do Ministério da Defesa ajudou a angariar fundos para o projeto, que, entretanto, nunca foi usado em combate. A suspeita é que Skinner, com sua paixão por engenhocas, estava mais interessado na invenção em si do que em sua aplicação. Quando lhe perguntaram se achava correto envolver animais nos conflitos de guerra, ele respondeu dizendo que achava errado envolver seres humanos.

Mais tarde, como acadêmico em Harvard, Skinner continuou desenvolvendo as implicações de suas

Como foi demonstrado, elogiar ou incentivar com frequência enquanto um trabalho progride torna a aprendizagem infantil muito mais rápida do que dar uma grande recompensa final.

descobertas em diversos artigos e livros. *Walden II — Uma sociedade do futuro* (1948) descreve uma sociedade utópica fundamentada no comportamento aprendido por condicionamento operante. A ideia exposta no livro — de controle social obtido por reforço positivo — foi motivo de controvérsia e, não obstante suas boas intenções, considerada totalitária por muitos. Não foi uma reação surpreendente, dado o clima político que se seguiu à Segunda Guerra Mundial.

Behaviorismo radical

Fiel à abordagem behaviorista, Skinner nomeou o ramo da psicologia que adotou como "behaviorismo radical". Apesar de não negar a existência dos processos de pensamento e estados mentais, achava que a psicologia deveria se interessar apenas pelo estudo das respostas físicas a condições e situações existentes.

Em seu livro, *Beyond freedom and dignity*, ampliou ainda mais o princípio de modelagem de comportamento, ressuscitando o debate filosófico entre determinismo e livre-arbítrio. Para o behaviorista radical que era, o livre-arbítrio não passava de uma ilusão; a seleção baseada em resultados controla inteiramente o nosso comportamento e, portanto, nossa vida. Tentativas de escapar dessa condição estão fadadas ao fracasso e ao caos. Nas palavras do próprio Skinner: "Ao ser expulso do paraíso, o Satanás de Milton vai para o inferno. E o que diz a si mesmo para se reconfortar? 'Aqui, pelo menos serei livre.' E este, creio eu, é o destino do velho liberal. Ele será livre, mas estará no inferno".

Opiniões como essa ganharam notoriedade e deixaram indignados os críticos mais ferrenhos de Skinner. A aplicação de suas ideias behavioristas no aprendizado da linguagem, descrita em *O comportamento verbal*, de 1957, recebeu uma crítica contundente de Noam Chomsky, considerado o responsável por desencadear o movimento conhecido como psicologia cognitiva.

Parte da crítica ao trabalho de Skinner deve-se, no entanto, a interpretações equivocadas dos princípios do condicionamento operante. O behaviorismo radical foi muitas vezes erroneamente relacionado à corrente filosófica europeia do positivismo lógico, segundo a qual afirmações e ideias só têm significado se puderem ser comprovadas por experiências reais. Na verdade, o pensamento de Skinner tem muito mais em comum com o pragmatismo americano, que mede a importância ou o valor das ações por suas consequências. De forma igualmente equivocada, depreendeu-se que o behaviorismo radical de Skinner enxergava todos os seres vivos como objetos passivos do condicionamento; mas, na verdade, segundo ele, o condicionamento operante é um processo recíproco, no qual o organismo atua sobre seu ambiente e o ambiente reage, ocasionando resultados que na maioria das vezes moldam o comportamento futuro.

Na década de 1960, o foco da psicologia deixou de lado o estudo do comportamento para se dedicar aos processos mentais e, durante certo tempo, as ideias de Skinner foram rejeitadas ou ignoradas. Seguiu-se, porém, um ressurgimento do behaviorismo e sua obra foi reavaliada por profissionais de diversas áreas da psicologia aplicada, sobretudo por psicólogos educacionais e clínicos. A abordagem da terapia cognitivo-comportamental deve muito às suas ideias. ∎

> Skinner tem uma paixão desmedida pela possibilidade de não existirem indivíduos nem agentes — somente organismos.
> **Thomas Szasz**

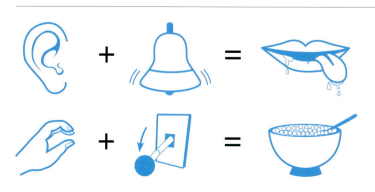

O condicionamento clássico produz uma resposta comportamental automática a um estímulo neutro; por exemplo, salivar pela expectativa de receber comida quando um sino é tocado.

O condicionamento operante produz uma probabilidade maior de repetição do comportamento por meio do reforço positivo; por exemplo, liberar comida quando se aciona uma alavanca.

PSICOTE

O INCONSCIENTE DETERMINA O COMPORTAMENTO

RAPIA

INTRODUÇÃO

Sigmund Freud e Josef Breuer publicam *Estudos sobre a histeria*.

1895

Em seu livro *Tipos psicológicos*, Carl Jung apresenta os termos **"introvertido"** e **"extrovertido"**.

1921

Anna Freud publica *O ego e os mecanismos de defesa*.

1936

As divergências de Karen Horney com a teoria freudiana levam-na a criar o **Instituto Americano de Psicanálise**.

1941

1900

Sigmund Freud apresenta os conceitos fundamentais da **psicanálise** em *A interpretação dos sonhos*.

1927

Após publicar o livro *The practice and theory of individual psichology*, **Alfred Adler** é reconhecido como fundador da psicologia individual.

1937

Jacques Lacan envia seu artigo "O estágio do espelho" para o XIV Congresso Internacional de Psicanálise.

1941

Erich Fromm escreve uma das obras fundamentais da psicologia sociopolítica, *O medo da liberdade*.

Na virada para o século XX, o behaviorismo havia se tornado a principal corrente da psicologia americana; os psicólogos europeus, entretanto, seguiam um caminho diferente — em decorrência sobretudo do trabalho de Sigmund Freud, cujas teorias enfocavam as psicopatologias e seus tratamentos, e não o estudo do comportamento e dos processos mentais. Ao contrário do behaviorismo, suas ideias baseavam-se na observação e no histórico dos casos, e não nas evidências experimentais.

Freud havia trabalhado com o neurologista Jean-Martin Charcot e fora bastante influenciado pela utilização que o francês fazia da hipnose no tratamento da histeria. Durante o período que passou com Charcot, Freud deu-se conta da importância do inconsciente — uma área de pensamento não consciente que ele achava ser central na formação do comportamento. Freud acreditava que se acessasse o inconsciente por meio de conversas com seus pacientes, poderia trazer memórias doloridas e ocultas para o âmbito da consciência, no qual o paciente poderia entendê-las e, com isso, aliviar seus sintomas.

Novas psicoterapias

As ideias de Freud disseminaram-se pela Europa e pelos Estados Unidos. O médico atraiu um grupo de pessoas para a sua Sociedade Psicanalítica, em Viena, da qual faziam parte Alfred Adler e Carl Jung — que, contudo, acabariam por discordar de certos elementos da teoria freudiana e dariam seguimento às suas próprias abordagens individuais psicodinâmicas, baseadas nos fundamentos de Freud. Terapeutas reconhecidas, como Melanie Klein e Karen Horney, também se afastaram do psicanalista.

Apesar dessas diferenças de opinião, as ideias básicas de Freud não foram rejeitadas, mas, sim, modificadas pela geração seguinte de psicanalistas, e teorias subsequentes passaram a enfatizar outros aspectos. Erik Erikson, por exemplo, seguiu uma abordagem mais social e desenvolvimentista, enquanto Jung formularia a ideia de inconsciente coletivo.

Durante a primeira metade do século XX, a psicanálise, em suas diversas formas, manteve-se a principal alternativa ao behaviorismo e não enfrentou sérios desafios até o período que se seguiu à Segunda Guerra Mundial. Na década de 1950, a psicoterapia freudiana continuava a ser praticada por terapeutas, sobretudo na França de Jacques Lacan e seus seguidores, mas ao mesmo tempo surgiram novas terapias que buscavam

PSICOTERAPIA 91

1942	1955	1961	1967
Carl Rogers desenvolve a **terapia centrada no cliente**, delineando suas teorias em *Psicoterapia e consulta psicológica*.	Melanie Klein apresenta um controverso artigo, "Inveja e gratidão", afirmando que a presença da **"pulsão de morte"** é inata.	Albert Ellis introduz a **Terapia Racional Emotivo-Comportamental**, em *A guide to rational living*.	A **psicologia existencial** americana vem à tona com o trabalho *Existence*, de Rollo May.

1946	1959	1964	1970
Após ser libertado de Auschwitz, Viktor Frankl escreve *Em busca de sentido*, resumindo a necessidade de **encontrar sentido no sofrimento**.	R. D. Laing procura descrever a estrutura da **experiência esquizofrênica** em *O "eu" dividido*.	Virginia Satir, a **"mãe da terapia familiar"**, publica *Terapia do grupo familiar*.	Abraham Maslow define o conceito de **autorrealização** em *Motivation and personality*.

trazer mudanças genuínas à vida de seus pacientes. Fritz e Laura Perls desenvolveram com Paul Goodman a, de certo modo eclética, terapia da Gestalt, ao passo que a filosofia existencialista inspirou psicólogos como Viktor Frankl e Erich Fromm, que deram à terapia um papel mais sociopolítico.

Vale destacar um grupo de psicólogos que, buscando explorar uma abordagem mais humanista, realizaram uma série de reuniões nos Estados Unidos, no final dos anos 1950, das quais emergiu o esqueleto de uma associação conhecida como a "terceira força", que se dedica a investigar temas como autorrealização, criatividade e liberdade individual. Seus fundadores — entre eles Abraham Maslow, Carl Rogers e Rollo May — ressaltavam que a saúde mental era tão importante quanto o tratamento de distúrbios mentais.

Talvez a ameaça mais significativa à psicanálise naquele momento tenha sido a psicologia cognitiva, que criticava a psicanálise por sua falta de evidências objetivas — no que se referia tanto às suas teorias quanto à sua eficiência como tratamento. Em contraste, a psicologia cognitiva produziu teorias comprovadas cientificamente e, mais tarde, práticas terapêuticas com eficiência clinicamente atestada.

Psicoterapia cognitiva
Os psicólogos cognitivos rejeitaram a psicanálise por julgá-la não científica e baseada em teorias impossíveis de comprovar. Paul Watzlawick questionou um dos conceitos básicos da análise freudiana — a lembrança reprimida; já Elizabeth Loftus demonstrou que nenhuma forma de lembrança podia ser plenamente confiável. A psicologia cognitiva, em contrapartida, oferecia psicoterapias baseadas em evidências,

tais como a Terapia Racional Emotivo-Comportamental (TREC) de Albert Ellis e a terapia cognitiva de Aaron Beck. A ênfase de Freud no desenvolvimento infantil e na história pessoal teve grande influência sobre a psicologia desenvolvimentista e social. No final do século XX, psicoterapeutas como Guy Corneau, Virginia Satir e Donald Winnicott voltaram suas atenções para o ambiente familiar; ao passo que outros, como Timothy Leary e Dorothy Rowe, concentraram-se nas pressões sociais.

Embora as ideias originais de Freud tenham sido questionadas com frequência ao longo dos anos, a evolução da psicanálise freudiana em direção à terapia cognitiva e à psicoterapia humanista resultou em grandes avanços para o tratamento da saúde mental e criou o modelo do que hoje chamamos de inconsciente, impulsos e comportamento. ∎

O INCONSCIENTE É A VERDADEIRA REALIDADE PSÍQUICA

SIGMUND FREUD (1856–1939)

SIGMUND FREUD

CONTEXTO

ABORDAGEM
Psicanálise

ANTES
2500-600 a.C. Os Vedas, textos sagrados do hinduísmo, descrevem a consciência como "um campo de consciência abstrato, silencioso e completamente unificado".

1567 O médico suíço Paracelso apresenta a primeira descrição médica do inconsciente.

Anos 1880 O neurologista francês Jean-Martin Charcot usa hipnose para tratar a histeria e outras condições mentais anormais.

DEPOIS
1913 John B. Watson critica as ideias de Freud sobre o inconsciente, afirmando que não são científicas e não podem ser comprovadas.

1944 Carl Jung sustenta que a presença de arquétipos universais comprova a existência do inconsciente.

O inconsciente é um dos conceitos mais intrigantes da psicologia. Parece conter todas as nossas experiências acerca da realidade, mas parece estar também fora da nossa percepção e controle. É o espaço em que armazenamos todas as nossas memórias, pensamentos e sentimentos. O tema fascinava o neurologista e psiquiatra austríaco Sigmund Freud, interessado em descobrir se era possível explicar coisas que pareciam estar fora do alcance da psicologia vigente em sua época. Aqueles que haviam começado a investigar o inconsciente temiam que ele contivesse uma atividade psíquica poderosa demais, assustadora demais, ou incompreensível demais para ser incorporada pela mente consciente. O trabalho de Freud sobre o tema foi pioneiro. Ele descreveu a estrutura da mente formada por consciente, inconsciente e pré-consciente; popularizou a ideia de inconsciente e introduziu a noção de que é a parte da mente que define e explica os mecanismos responsáveis por nossa habilidade de pensar e sentir.

Hipnose e histeria
Freud foi apresentado ao mundo do inconsciente em 1885, quando conheceu o trabalho do neurologista francês Jean-Martin Charcot, que parecia tratar com sucesso os sintomas de doenças mentais de seus pacientes pelo uso da hipnose. Charcot considerava a histeria um distúrbio mental causado por anormalidades no sistema nervoso, uma ideia que proporcionou novas e importantes possibilidades de tratamento. Freud retornou a Viena ansioso por utilizar esse novo conhecimento, mas lutou para conseguir encontrar uma técnica exequível.

Conheceu então Josef Breuer, um médico respeitado que descobrira ser possível reduzir significativamente a gravidade dos sintomas da doença mental de uma de suas pacientes pedindo-lhe simplesmente para descrever suas fantasias e alucinações. Breuer começou a usar a hipnose para facilitar o acesso da paciente às lembranças de um evento traumático e, após um período de duas sessões semanais de hipnose, todos os sintomas haviam sido mitigados. Breuer concluiu que os sintomas da paciente eram produto das memórias perturbadoras ocultas em sua mente inconsciente e que, ao dar voz aos pensamentos, essas memórias eram trazidas à

Anna O, na verdade Bertha Pappenheim, recebeu o diagnóstico de paralisia e histeria. O médico Josef Breuer obteve sucesso em seu tratamento, ao qual ela se referia como "cura pela fala".

consciência, possibilitando o desaparecimento dos sintomas. Trata-se do caso de Anna O, o primeiro caso de psicoterapia intensa utilizada para tratamento de doença mental.

Breuer tornou-se amigo e colega de Freud e, juntos, os dois desenvolveram e popularizaram um método de tratamento psicológico baseado no conceito de que muitas formas de distúrbios mentais (medos irracionais, angústia, histeria, paralisias, dores imaginárias e certos tipos de paranoia) resultavam de experiências traumáticas ocorridas no passado do paciente e que então se mantinham ocultas da consciência. Usando uma nova técnica, que os dois descreveram em uma publicação conjunta — *Estudos sobre a histeria* (1895) — Freud e Breuer afirmavam ter encontrado uma maneira de liberar as memórias reprimidas do inconsciente, permitindo que o paciente recordasse a experiência de maneira consciente e a confrontasse emocional e intelectualmente. O processo liberava a emoção aprisionada e os sintomas

PSICOTERAPIA 95

Veja também: Johann Friedrich Herbart 24–25 ▪ Jean-Martin Charcot 30 ▪ Carl Jung 102–07 ▪ Melanie Klein 108–09 ▪ Anna Freud 111 ▪ Jacques Lacan 122–23 ▪ Paul Watzlawick 149 ▪ Aaron Beck 174–75 ▪ Elizabeth Loftus 202–07

desapareciam. Breuer discordava do que ele considerava um excesso de ênfase, por parte de Freud, nas origens e no conteúdo sexuais das neuroses (problemas causados por conflitos psicológicos), e os dois romperam. Freud continuou desenvolvendo as ideias e técnicas da psicanálise.

A mente cotidiana

É fácil presumir a realidade do consciente e ingenuamente acreditar que pensamentos, sentimentos, lembranças e experiências constituem a totalidade da mente humana. Segundo Freud, porém, o estado ativo da consciência — isto é, a mente operacional da qual estamos diretamente cientes durante a experiência cotidiana — é apenas uma fração do total de forças atuantes em nossa realidade psicológica. O consciente existe em um nível superficial, ao qual temos acesso fácil e imediato. Sob o consciente estão as potentes dimensões de armazenagem do inconsciente que ditam os nossos estados cognitivos ativos e comportamentos. O consciente está à mercê do inconsciente. A mente consciente é apenas a superfície de um complexo reino psíquico.

O inconsciente abrange tudo, afirmou Freud, e contém dentro dele os domínios do consciente e de uma área denominada "pré-consciente". Tudo o que é consciente — aquilo sobre o qual temos um saber ativo — esteve em algum momento nas profundezas do inconsciente antes de emergir à consciência. Entretanto, nem tudo se torna conhecimento consciente; muito do que é inconsciente lá permanece. Lembranças que não estão na nossa memória cotidiana, mas que não foram reprimidas, habitam a parte da mente consciente denominada por Freud de pré-consciente. Somos capazes de trazer essas memórias para a consciência a qualquer momento. O inconsciente funciona »

Poetas e filósofos descobriram o inconsciente antes de mim; o que eu descobri foi o método científico para estudá-lo.
Sigmund Freud

Quando são **dolorosos ou inapropriados** demais para que a mente consciente possa suportar, ideias, memórias e impulsos são **reprimidos**...

... e **armazenados no inconsciente** junto com os nossos impulsos instintivos, no qual não são acessíveis pela consciência imediata.

O inconsciente **dirige em silêncio os pensamentos e o comportamento** do indivíduo.

As diferenças entre nossos pensamentos conscientes e inconscientes criam uma **tensão psíquica**...

... que só encontra alívio quando permitimos às memórias reprimidas **virem à consciência** por meio da psicanálise.

SIGMUND FREUD

A mente é como um *iceberg* que flutua com um sétimo de seu volume acima da superfície.
Sigmund Freud

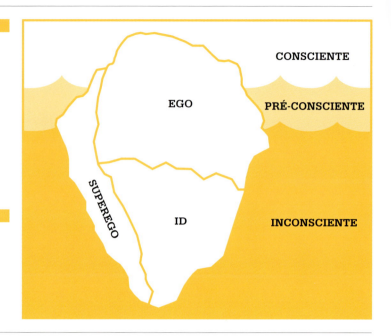

A psique, segundo Freud, assemelha-se a um *iceberg*, com a área de pulsões primitivas, o id, oculta no inconsciente. O ego lida com o pensamento consciente e regula tanto o id quanto o superego — a voz crítica, julgadora.

como receptáculo das ideias e memórias poderosas ou dolorosas demais, ou que estão de alguma forma além da capacidade de processamento da mente consciente. Freud acreditava que, quando certas ideias ou memórias (e as emoções a elas associadas) ameaçam inundar a psique, elas são retiradas da memória acessível pela mente consciente e armazenadas no inconsciente.

Pensamento dinâmico

Freud foi influenciado pelo psicólogo Ernst Brücke, um dos fundadores da "nova psicologia" do século XIX, que procurava explicações mecânicas para todos os fenômenos orgânicos. Brücke afirmava que, a exemplo de todos os outros organismos vivos, o ser humano é essencialmente um sistema de energia e deve, portanto, comportar-se de acordo com o Princípio de Conservação de Energia. Segundo essa lei, a quantidade total de energia de um sistema permanece constante ao longo do tempo; não pode ser destruída, apenas transferida ou transformada. Freud aplicou esse raciocínio aos processos mentais, criando o conceito de "energia psíquica". Essa energia, dizia ele, pode sofrer transformação, transmissão e conversão, mas não pode jamais ser destruída. Se temos, portanto, um pensamento considerado inaceitável pela mente consciente, a mente o redireciona para o inconsciente, num processo que Freud chamava de "recalque". Podemos reprimir a memória de um trauma de infância (como abuso ou testemunho de um acidente), um desejo que julgamos inaceitável (pela mulher do seu melhor amigo, talvez) ou ideias que de alguma maneira ameaçam nosso bem-estar ou modo de viver.

Pulsões motivadoras

O inconsciente é também a dimensão em que residem as pulsões instintivas biológicas. As pulsões orientam o comportamento e nos direcionam para as opções que prometem satisfazer nossas necessidades básicas. Elas garantem nossa sobrevivência: a necessidade de comida e água e a de encontrar calor, abrigo e companhia; e o desejo sexual para garantir a continuação da espécie. Mas Freud afirmou que o inconsciente também abriga uma pulsão contraditória, a pulsão de morte, que está presente desde o nascimento. Essa pulsão é autodestrutiva e nos move para a frente, ainda que, ao fazê-lo, estejamos cada vez mais próximos da morte.

Em obras posteriores, Freud afastou-se do conceito de uma mente estruturada por consciente, inconsciente e pré-consciente e propôs uma nova estrutura de controle: o id, o ego e o superego. O id (constituído pelos impulsos primitivos) obedece ao Princípio do Prazer, segundo o qual todo desejo deve ser imediatamente satisfeito: o id quer tudo agora. Contudo, outra parte da estrutura mental, o ego, atua sob o comando do

PSICOTERAPIA

Princípio da Realidade, segundo o qual não podemos ter tudo o que desejamos, mas devemos considerar o mundo em que vivemos. O ego negocia com o id, buscando encontrar maneiras sensatas de ajudá-lo a obter aquilo que deseja, sem causar danos ou outras consequências terríveis. O ego, por sua vez, é controlado pelo superego — a voz internalizada dos pais e do código moral da sociedade. O superego é uma instância de julgamento e a fonte da consciência, da culpa e da vergonha.

O inconsciente abriga, segundo Freud, uma enorme quantidade de forças conflitantes. Além da força das pulsões de vida e de morte, contém também a intensidade das memórias e das emoções recalcadas, bem como as contradições inerentes à nossa compreensão da realidade consciente, permeada pela realidade reprimida. Segundo Freud, o conflito psicológico que surge em função dessas forças contraditórias está subjacente a todo o sofrimento humano. Não é maravilhoso como os humanos vivem em estados de angústia, depressão, neurose e outras formas de insatisfação?

Tratamento psicanalítico
Uma vez que o inconsciente é inacessível, os conflitos só ficam aparentes pelos sintomas que se manifestam no plano consciente. O sofrimento emocional, dizia Freud, é resultado de um conflito inconsciente. Não podemos ficar sempre lutando contra nós mesmos, a insurreição de temas recalcados e a força da morte, sem sentir turbulência emocional.

A abordagem inovadora utilizada por Freud no tratamento de distúrbios psicológicos incluía lidar com os conflitos existentes no inconsciente. O objetivo era livrar o paciente das memórias reprimidas e assim aliviar o seu sofrimento mental. Freud chamou sua prática de tratamento de psicoterapia psicanalítica, ou psicanálise. Tal processo não é fácil nem rápido. A psicanálise só é realizada por um terapeuta treinado na abordagem especificamente freudiana — aquela que estimula o paciente a se deitar num divã e falar. Desde os primeiros tratamentos de Freud, a psicanálise tem sido praticada em sessões que por vezes levam horas, ocorrem diversas vezes

A pessoa não deve lutar para eliminar seus complexos, mas para entrar em acordo com eles; os complexos são guias legítimos de sua conduta no mundo.
Sigmund Freud

por semana e podem prosseguir por muitos anos.

Embora os pensamentos inconscientes não possam ser alcançados pela simples introspecção, o inconsciente pode comunicar-se com o consciente de algumas maneiras. Expressa-se silenciosamente em nossas preferências, nos padrões de referência pelos quais costumamos compreender as coisas e nos símbolos que criamos ou que nos atraem.

Durante o processo de análise, o analista age como um mediador, procurando abrir espaço para que pensamentos silenciados e sentimentos intoleráveis venham à superfície. Mensagens que nascem do conflito entre consciente e inconsciente tendem a aparecer disfarçadas ou codificadas, e a tarefa do psicanalista é interpretar essas mensagens utilizando as ferramentas da psicanálise. »

Os pacientes de Freud ficavam deitados neste divã, em seu consultório, enquanto falavam. Freud sentava-se fora do campo de visão do paciente, com os ouvidos atentos para as pistas relacionadas à origem dos conflitos internos do paciente.

SIGMUND FREUD

Há várias técnicas que permitem a emergência do inconsciente. Uma das primeiras a ser examinada a fundo por Freud foi a análise dos sonhos; como se sabe, os sonhos do próprio Freud foram a base para o livro *A interpretação dos sonhos*. Segundo ele, todo sonho representa a realização de um desejo e quanto menos palatável esse desejo for para nossa mente consciente, mais disfarçado ou distorcido ele aparece em nossos sonhos. O inconsciente, portanto, envia mensagens codificadas à mente consciente. Freud abordou, por exemplo, os sonhos em que o sonhador está nu — para a maioria das pessoas, a fonte primordial desse tipo de sonho são memórias da primeira infância, quando a nudez não é algo censurado e não há noção de vergonha. Nos sonhos em que o sonhador se sente constrangido, as outras pessoas presentes geralmente parecem ignorá-lo, o que corrobora a interpretação de que o sonho é a realização do desejo do sonhador de esquecer a vergonha e a censura. Até prédios e estruturas têm significado codificado: escadarias, minas subterrâneas, portas trancadas ou um pequeno prédio num nicho estreito, tudo isso representa sentimentos sexuais reprimidos, de acordo com Freud.

Acessando o inconsciente

Outras manifestações do inconsciente bastante conhecidas são os atos falhos e o processo de associação livre. O ato falho freudiano é um erro verbal, um "lapso de linguagem" que revela uma convicção, um pensamento ou uma emoção reprimidos. É a substituição involuntária de uma palavra por outra que soa parecida, mas que, sem querer, revela algo que a pessoa de fato sente. Por exemplo, um homem pode dizer a uma mulher por quem se sente atraído que o jantar que ela lhe ofereceu "estava muito bem *peito*", e o deslize expõe seus verdadeiros pensamentos.

> A interpretação dos sonhos é a principal via de acesso para se conhecer as atividades inconscientes da mente.
> **Sigmund Freud**

A persistência da memória (1931), de Salvador Dalí, é uma visão surrealista da passagem do tempo, levando à decadência e à morte. Sua característica fantástica lembra o processo freudiano de análise dos sonhos.

PSICOTERAPIA

Freud utilizava a técnica de associação livre (criada por Carl Jung), na qual os pacientes ouviam uma palavra e deveriam dizer em seguida a primeira palavra que lhes ocorresse. Esse processo, acreditava, permitia que o inconsciente viesse à tona, pois a mente usa associações automáticas, portanto, os pensamentos "ocultos" poderiam ser enunciados antes que a mente consciente pudesse detê-los.

Para ajudar um indivíduo a sair do estado de recalque e começar a lidar de forma consciente com as questões que realmente o afetam, Freud julgava necessário acessar os sentimentos recalcados desse indivíduo. Por exemplo, se é difícil um homem confrontar outros indivíduos, ele prefere recalcar seus sentimentos a ter que lidar com enfrentamentos. Com o tempo, no entanto, essas emoções recalcadas acumulam-se e revelam-se de outras maneiras. Raiva, angústia, depressão, excesso de álcool e drogas ou distúrbios alimentares, tudo isso pode ser resultado da luta para afastar esses sentimentos recalcados, em vez de lidar com eles. Emoções não digeridas, asseverou Freud, tentam constantemente vir à tona, gerando uma tensão cada vez mais desconfortável e provocando medidas cada vez mais extremas para mantê-las fora do consciente.

A análise permite que memórias e sentimentos aprisionados venham à superfície e é comum que o paciente surpreenda-se com a emoção que estava oculta. Não é raro que pacientes se emocionem até as lágrimas por alguma questão antiga que julgavam há muito "superada". Essa reação demonstra que o evento e a emoção continuavam vivos — ainda detinham energia emocional —, e estavam recalcados, em vez de ser confrontados. Na terminologia freudiana, a "catarse" é este ato de liberar e sentir as emoções profundas ligadas às memórias recalcadas. Se um evento significativo — como a morte do pai — não foi totalmente experimentado à época por ser muito devastador, a dificuldade e a energia ficam preservadas e são liberadas no momento da catarse.

Escola de psicanálise

Freud fundou a proeminente Sociedade de Psicanálise em Viena, a partir da qual exerceu poderosa influência sobre a comunidade dos profissionais de saúde mental da época, treinando outros com seus métodos e exercendo autoridade para definir quais práticas eram aceitáveis. Com o tempo, os alunos e outros profissionais fizeram alterações nas ideias de Freud, acabando por dividir a Sociedade em três correntes: freudianos (que permaneceram fiéis às concepções originais de Freud), kleinianos (seguidores de Melanie Klein) e neofreudianos (um grupo posterior que incorporou as ideias de Freud a uma prática mais ampla). A psicanálise moderna conta com pelo menos 22 escolas de pensamento diferentes, mas as teorias freudianas continuam influenciando todos os analistas contemporâneos. ∎

Tal qual as coisas físicas, as psíquicas não são necessariamente aquilo que parecem ser na realidade.
Sigmund Freud

Sigmund Freud

Sigismund Schlomo Freud, como foi batizado, nasceu em Freiberg, na Morávia, e a mãe não escondia sua predileção por este filho; chamava-o de "meu precioso Siggie". Quando Freud tinha quatro anos de idade, a família mudou-se para Viena, e Sigismund tornou-se Sigmund. Concluiu o curso de medicina em 1886, abriu um consultório especializado em neurologia e casou-se com Martha Bernays. Mais tarde, desenvolveu o método da "cura pela fala" que se tornaria uma abordagem psicológica totalmente inovadora: a psicanálise.

Em 1908, Freud formou a Sociedade de Psicanálise, que garantiu a continuidade de sua escola de pensamento. Durante a Segunda Guerra Mundial, os nazistas queimaram seu trabalho em praça pública, e Freud mudou-se para Londres. Praticou suicídio assistido, após ter um câncer de boca.

Principais trabalhos

1900 *A interpretação dos sonhos*
1904 *Sobre a psicopatologia da vida cotidiana*
1905 *Três ensaios sobre a teoria da sexualidade*
1930 *O mal-estar na civilização*

O INCONSCIENTE COLETIVO É FORMADO POR ARQUÉTIPOS

CARL JUNG (1875–1961)

> As ideias mais poderosas da história remontam aos arquétipos.
> **Carl Jung**

soldados, o lógico de sangue-frio e o sedutor romântico. A Anima aparece como uma ninfa da floresta, uma virgem, uma mulher sedutora. Pode ser próxima da natureza, intuitiva e espontânea. Está presente em quadros e histórias como Eva, Helena de Troia, ou em personalidades como Marilyn Monroe, enfeitiçando homens ou sugando suas vidas. Como existem em nosso inconsciente, os arquétipos podem afetar nossos estados de humor e nossas reações, manifestando-se como declarações proféticas (Anima) ou uma rígida racionalidade (Animus).

De acordo com Jung, um dos arquétipos representa a parte de nós que não desejamos mostrar ao mundo. Denominado Sombra, o oposto da Persona, simboliza todos os nossos pensamentos secretos ou reprimidos e os aspectos vergonhosos do nosso caráter. Aparece na Bíblia sob a forma do diabo e, na literatura, como o Mr. Hyde do Dr. Jekyll. A Sombra é o nosso lado "ruim" que projetamos sobre os outros, e no entanto não é de todo negativo; pode representar aspectos que optamos por suprimir apenas por serem inaceitáveis em determinada situação.

De todos os arquétipos, o mais importante é o Verdadeiro *Self*. É um arquétipo central, organizador, que tenta harmonizar todos os outros aspectos para formar um *self* unificado, inteiriço. O verdadeiro objetivo da existência humana, para Jung, é atingir um estado psicológico avançado, esclarecido, que ele denomina de "autorrealização", e o caminho para alcançá-la passa pelo arquétipo do Verdadeiro *Self*. Quando inteiramente compreendido, esse arquétipo é fonte de sabedoria e verdade, capaz de conectar o *self* ao espiritual. Jung asseverava que a autorrealização não surge de maneira automática, é preciso buscá-la conscientemente.

Arquétipos nos sonhos
Os arquétipos têm importância fundamental na interpretação dos sonhos. Jung acreditava que os sonhos constituem um diálogo entre o *self* consciente e o eterno (o ego e o inconsciente coletivo) e que os arquétipos atuam como símbolos dentro do sonho, facilitando o diálogo.

Os arquétipos têm significados específicos no contexto dos sonhos. Por exemplo, o arquétipo do Velho Sábio ou da Velha Sábia pode ser representado no sonho pela figura de um líder espiritual, pai, professor ou médico — indica aqueles que oferecem conselho, orientação e sabedoria. A Grande Mãe, arquétipo que pode aparecer como a mãe ou avó de quem sonha, representa a criadora. Ela oferece confiança, cuidado e reconhecimento. A Criança Divina, arquétipo representante do Verdadeiro *Self* em sua forma mais pura, simboliza inocência e vulnerabilidade e aparece nos sonhos como um bebê ou criança, sugerindo receptividade e potencial. E para que o ego não se torne grande demais, é vigiado pela figura do Trapaceiro, um arquétipo brincalhão que expõe a vulnerabilidade de quem sonha e prega peças para evitar que o indivíduo leve a si mesmo e a seus desejos muito a sério. O Trapaceiro também se manifesta como o semideus nórdico Loki, o deus grego Pan, a aranha divina africana Anansi ou como um simples mágico ou palhaço.

O Dr. Jekyll transforma-se no perverso Mr. Hyde, no romance em que Robert Louis Stevenson explora a ideia do "*self* obscuro" por meio de uma personagem que personifica, segundo Jung, o arquétipo da Sombra.

PSICOTERAPIA 107

Carl Jung

Carl Gustav Jung nasceu em uma pequena vila suíça, no seio de uma família culta da qual faziam parte vários membros excêntricos. Jung era próximo à mãe, que sofria de episódios de depressão. Linguista talentoso, dominava diversos idiomas europeus, bem como numerosos idiomas antigos, entre eles o sânscrito. Casou-se com Emma Rauschenbach, em 1903, com quem teve cinco filhos.

Jung estudou psiquiatria, mas, após conhecer Sigmund Freud, em 1907, tornou-se psicanalista e natural herdeiro de Freud. No entanto, os dois se afastaram devido a divergências teóricas e nunca mais se viram. Nos anos subsequentes à Segunda Guerra Mundial, Jung viajou pela África, América e Índia, estudando populações nativas e participando de expedições antropológicas e arqueológicas. Tornou-se professor da Universidade de Zurique, em 1935, mas largou a docência para concentrar-se em suas pesquisas.

Principais trabalhos

1912 *Símbolos da transformação*
1934 *Os arquétipos e o inconsciente coletivo*
1945 *On the nature of dreams*

Usando os arquétipos

Os arquétipos estão presentes na mente antes mesmo do pensamento consciente e, por isso, têm um poderoso impacto sobre a nossa percepção das experiências. Seja qual for a nossa acepção consciente do que está acontecendo, quem pauta o que escolhemos perceber — e, portanto, o que experimentamos — são essas ideias preestabelecidas alojadas no inconsciente. Dessa maneira, o inconsciente coletivo e seu conteúdo afetam o estado consciente. Segundo

O conto da Branca de Neve existe no mundo todo com pequenas variações. Jung atribui a popularidade universal dos contos de fada e dos mitos ao uso de personagens arquetípicas.

Jung, muito do que consideramos ser pensamento consciente deliberado, fundamentado, foi na realidade orientado pela atividade inconsciente, sobretudo pelas figuras organizadoras dos arquétipos.

Além dos estudos sobre o inconsciente coletivo e os arquétipos, Jung foi o primeiro a investigar a prática de associação de palavras e a introduzir o conceito de tipos de personalidade extrovertida e introvertida. Estes acabaram inspirando testes de personalidade muito utilizados, como a Classificação Tipológica de Myers-Briggs (MBTI, em inglês). A obra de Jung teve grande impacto sobre a psicologia, a antropologia e a espiritualidade, e seus arquétipos são tão conhecidos que podem ser facilmente identificados em filmes, na literatura e em outras manifestações culturais que buscam retratar personagens universais. ∎

> É entendendo o inconsciente que nos livramos de seu domínio.
> **Carl Jung**

O CONFLITO ENTRE AS PULSÕES DE VIDA E DE MORTE PERMANECE POR TODA A EXISTÊNCIA
MELANIE KLEIN (1882–1960)

CONTEXTO

ABORDAGEM
Psicanálise

ANTES
1818 O filósofo alemão Arthur Schopenhauer afirma que a existência é impulsionada pela vontade de viver, a qual sofre constante oposição de uma igualmente poderosa pulsão de morte.

1910 O psicanalista Wilhelm Stekel diz que a supressão social do instinto sexual ocorre em paralelo ao desenvolvimento do instinto de morte.

1932 Sigmund Freud defende que a pulsão mais básica para promover a satisfação é, na verdade, uma pulsão em direção à morte.

DEPOIS
2002 A psicóloga americana Julie K. Norem apresenta o conceito de "pessimismo defensivo", propondo que as pessoas pessimistas talvez estejam mais bem preparadas para lidar com as demandas e estresses da vida moderna.

O tema de forças opostas sempre interessou a escritores, filósofos e cientistas. A literatura, a religião e as artes estão repletas de histórias sobre o bem e o mal, o amigo e o inimigo. Segundo a física newtoniana, alcança-se a estabilidade ou o equilíbrio pela contraposição de uma força à outra, oposta e de igual intensidade. Essas forças opostas parecem ser parte essencial da existência, e talvez as mais poderosas entre elas sejam as pulsões instintivas pela vida e pela morte.

De acordo com Sigmund Freud, para não sermos destruídos por nossa própria pulsão de morte, usamos a pulsão de vida (a libido) narcísica ou autorreferencial para mandar a pulsão de morte para fora, direcionando-a para outros objetos. Melanie Klein desenvolveu esta ideia: mesmo quando redirecionamos a pulsão de morte para fora, continuamos a sentir o perigo de sermos destruídos por "esse instinto agressivo"; acusamos o esforço da imensa tarefa de "mobilizar a libido" contra ela. Conviver com essas forças opostas é um conflito psicológico nato e de central importância para a experiência humana. Segundo Klein, nossos esforços de crescimento e criação — que vão da procriação à criatividade — são forçados a competir continuamente com uma força

A força do teatro jaz no reflexo de sentimentos e emoções reais. Grandes peças, como *Romeu e Julieta*, de Shakespeare, mostram não apenas o poder afirmativo da vida característico do amor, mas também seus aspectos tóxicos e mortais.

igualmente poderosa e destrutiva, e essa tensão psíquica constante está por trás de todo o sofrimento.

Klein também achava que essa tensão psíquica explicava nossa tendência inata para a agressão e a violência. A mesma tensão gera conflito similar de amor e ódio, presente até em um recém-nascido. Essa constante batalha entre nossa pulsão de vida e de morte — entre prazer e dor, renovação e destruição — ocasiona uma confusão no interior da psique. Raiva ou sentimentos "ruins" podem então

PSICOTERAPIA

Veja também: Sigmund Freud 92–99 ▪ Anna Freud 111 ▪ Jacques Lacan 122–23

ser direcionados a qualquer situação, seja ela boa ou ruim.

Conflito constante

Klein era da opinião de que nunca nos livramos desses impulsos primitivos. Eles persistem durante toda a nossa vida, jamais atingindo um estado maduro, seguro, mas convivendo com um inconsciente curtido num caldo de "fantasias primitivas" violentas. Dada a influência penetrante desse conflito psíquico, Klein acreditava que a felicidade, em sua noção tradicional, era algo impossível de ser alcançado e que viver bem é encontrar uma forma de tolerar o conflito, não de alcançar o nirvana.

Uma vez que esse estado de tolerância é a nossa melhor opção, não é surpresa que a vida, não refletindo o que as pessoas desejam ou se consideram merecedoras, origina depressão e decepção. A experiência humana, para Klein, está inevitavelmente permeada de dor, ansiedade, perda e destruição. As pessoas precisam, portanto, aprender a funcionar dentro dos extremos de vida e de morte. ▪

O inconsciente humano contém...

... a **pulsão de vida** que nos empurra para o crescimento e a criação.

... a **pulsão de morte**, que nos empurra para a destruição e a desintegração.

A própria vida é uma batalha contra a pulsão de morte.

Isso gera uma **tensão psíquica** constante na qual...

... o **conflito entre as pulsões de vida e de morte** permanece por toda a existência.

Melanie Klein

Melanie Klein, assim como seus três irmãos, nasceu na Áustria. Seus pais eram frios e distantes e mais tarde se divorciaram. Aos dezessete anos de idade, Melanie ficou noiva de Arthur Klein, um químico industrial, e abandonou seus planos de estudar medicina.

Decidiu tornar-se psicanalista após ler um livro de Sigmund Freud, em 1910. Ela própria sofrera de depressão e era perseguida pela morte — sua adorada irmã mais velha falecera quando Klein tinha apenas quatro anos de idade; seu irmão mais velho também morrera, suspeitava-se que em decorrência de suicídio; e Klein perdera o filho em

1933, morto durante uma escalada. Apesar de não ter nenhuma qualificação formal, Klein exerceu enorme influência no campo da psicanálise e é particularmente respeitada por seu trabalho com crianças e a utilização de brincadeiras como forma de terapia.

Principais trabalhos

1932 *A psicanálise de crianças*
1935 *Uma contribuição à psicogênese dos estados maníaco-depressivos*
1955 *Inveja e gratidão*
1961 *Narrativa da análise de uma criança*

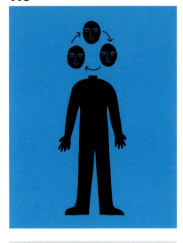

A TIRANIA DOS "DEVERES"
KAREN HORNEY (1885–1952)

CONTEXTO

ABORDAGEM
Psicanálise

ANTES
1889 Em *L'automatism psychologique*, Pierre Janet descreve a "clivagem", processo pelo qual a personalidade se ramifica em partes distintas e separadas.

DEPOIS
Anos 1950 Melanie Klein afirma que as pessoas separam partes de suas personalidades para conseguir lidar com conflitos de outra forma incontroláveis.

Anos 1970 O psicanalista austríaco Heinz Kohut afirma que, quando as necessidades de uma criança não são contempladas, surge um ego fragmentado, constituído pelo ego narcisista e pelo ego grandioso.

Anos 1970 Albert Ellis desenvolve a teoria racional-emotiva comportamental, que tem como objetivo liberar as pessoas de "deveres" internalizados.

Os ambientes sociais — família, escola, local de trabalho e a comunidade em geral — criam "normas" culturais baseadas em crenças específicas. A psicanalista Karen Horney, nascida na Alemanha, dizia que meios sociais não saudáveis, ou "tóxicos", tendem a criar nos indivíduos sistemas de crença não saudáveis, que impedem as pessoas de concretizar seus potenciais mais elevados.

Para Horney, é essencial reconhecer quando não estamos agindo com base em nossas próprias crenças, mas, sim,

Esqueça a infame criatura que você realmente *é*; é assim que você *deve ser*.
Karen Horney

induzidos por crenças internalizadas a partir de um ambiente tóxico. Tais crenças atuam como mensagens internas, sobretudo sob a forma de "deveres"— por exemplo, "eu devo obter reconhecimento e poder" ou "eu devo ser magro". Horney ensinou seus pacientes a tomar consciência de duas influências em suas psiques: o "verdadeiro eu", com desejos autênticos, e o "eu ideal", que luta para cumprir todas as demandas dos "deveres". O "eu ideal" preenche a mente com ideias que são impraticáveis e inadequadas à jornada do "verdadeiro eu", gerando respostas negativas, com base nos "fracassos" do "verdadeiro eu" em alcançar as expectativas do "eu ideal". Isso leva ao desenvolvimento de um terceiro "eu" infeliz — o "eu desprezado".

Horney defendia que os "deveres" são a base da "barganha com o destino"; se prestamos obediência aos deveres, acreditamos poder controlar magicamente a realidade externa, embora, na verdade, eles nos induzam à neurose e à infelicidade profunda. As opiniões de Horney tinham particular relevância em seu próprio ambiente social — a Alemanha do início do século XX, de forte tendência conformista. ■

Veja também: Pierre Janet 54–55 ■ Sigmund Freud 92–99 ■ Melanie Klein 108–09 ■ Carl Rogers 130–37 ■ Abraham Maslow 138–39 ■ Albert Ellis 142–45

PSICOTERAPIA **111**

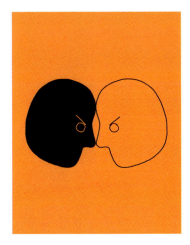

O SUPEREGO SÓ SE MANIFESTA QUANDO ENFRENTA O EGO COM ANIMOSIDADE
ANNA FREUD (1895–1982)

CONTEXTO

ABORDAGEM
Psicanálise

ANTES
1920 Sigmund Freud emprega pela primeira vez os conceitos de ego, id e superego em seu ensaio *Além do princípio do prazer*.

DEPOIS
Anos 1950 Melanie Klein não concorda que os pais tenham influência direta no processo de formação do superego.

1961 Eric Berne sustenta a ideia de que retemos, ao longo da vida, estados de ego criança, ego adulto e ego pai, os quais podem ser explorados pela análise.

1976 Para a psicóloga americana Jane Loevinger, o ego desenvolve-se em fases ao longo da vida do indivíduo e é resultante da interação entre o "eu interior" e o ambiente externo.

De acordo com a Bíblia, Adão e Eva tomam as decisões do jardim do Éden e enfrentam o dilema de optar entre tentação e obediência. Em seu esboço estrutural da psique, Sigmund Freud descreveu a existência de um modelo parecido no interior da inconsciência humana e propôs um aparato psíquico de três partes: o id, o superego e o ego.

O id sussurra em nossos ouvidos como uma serpente, incentivando-nos a fazer o que é prazeroso. O id é governado pelo desejo, busca o prazer e a satisfação das necessidades básicas (alimento, conforto, calor e sexo). O superego, tal qual uma presença autoritária, convida-nos a seguir caminhos mais nobres. Tenta impor-nos os valores da sociedade e dos pais e diz o que devemos ou não fazer. Há, por fim, o ego, que, tal qual o adulto tomador de decisões, controla os impulsos e delibera como agir; trata-se de um moderador, suspenso entre o id e o superego.

A psicanalista austríaca Anna Freud levou adiante as ideias de seu pai, chamando a atenção para o processo de formação do superego e para seus efeitos sobre o ego. O ego considera a realidade exterior e está simultaneamente em contato com o id e sendo relegado a uma posição inferior pelo superego. O superego fala a linguagem da culpa e da vergonha, como uma espécie de pai severo internalizado. Ouvimos o superego quando nos repreendemos por pensar ou agir de determinada maneira; o superego só se torna evidente (ou "se manifesta") quando enfrenta o ego com animosidade.

Mecanismos de defesa do ego
A voz crítica do superego suscita angústia e é nesse momento, segundo Anna Freud, que levantamos as defesas do ego. São elas os incontáveis métodos utilizados pela mente para impedir a angústia de se tornar insuportável. Anna Freud descreveu os diversos e criativos mecanismos de defesa que empregamos, como humor, sublimação, negação e deslocamento. Sua teoria acerca das defesas do ego seria considerada um dos pensamentos mais férteis surgidos no seio das terapias humanistas do século XX. ■

Veja também: Sigmund Freud 92–99 ▪ Melanie Klein 108–09 ▪ Eric Berne 337

A VERDADE
SÓ PODE SER TOLERADA SE DESCOBERTA POR CONTA PRÓPRIA

FRITZ PERLS (1893–1970)

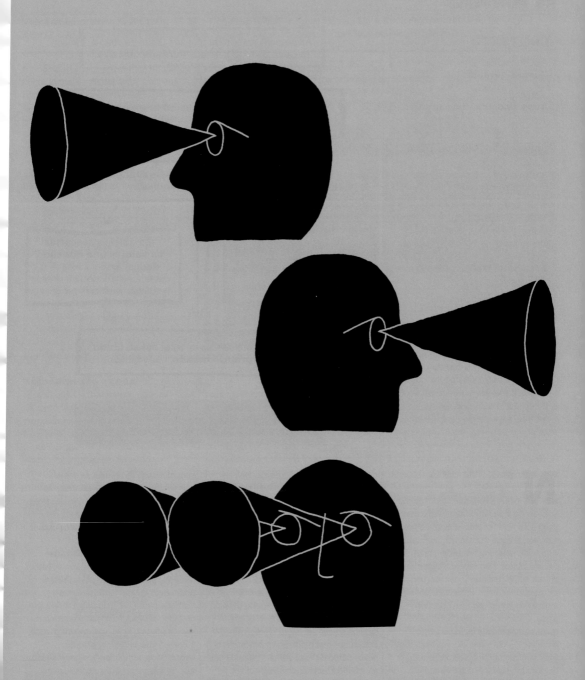

FRITZ PERLS

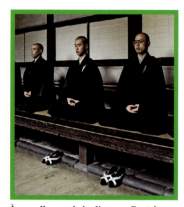

À semelhança do budismo, a Gestalt––terapia estimula o desenvolvimento de uma consciência atenta e a aceitação de mudanças como algo inevitável. Perls chamava as mudanças de "estudos de ajustes criativos".

capazes de controlar a configuração de suas paisagens interiores. Ao assumir a responsabilidade por suas noções perceptivas da realidade, os pacientes podiam criar a realidade que bem entendessem.

Perls ajudava seus pacientes a atingir esse estado ensinando-lhes todos os processos da Gestalt–terapia. O primeiro e mais importante é aprender a cultivar a consciência e concentrá-la sobre os sentimentos correntes. Isso permite que o indivíduo experimente diretamente os seus sentimentos e perceba a realidade do tempo presente. Esta habilidade de estar "aqui agora" é crucial no processo da Gestalt; é a aguçada consciência emocional que constitui as bases para o entendimento de como cada um cria e reage ao ambiente. É ela também o caminho para aprendermos como modificar as maneiras de experimentarmos a nós mesmos e ao nosso ambiente.

Perls julgava que a capacidade de entrar em contato com sentimentos autênticos — emoções e pensamentos verdadeiros — era mais importante para o crescimento pessoal do que as explicações psicológicas ou os *feedbacks* analíticos oferecidos por outras formas de terapia. O "porquê" dos comportamentos não tinha a menor importância para ele; o "como" e "o quê" é que eram importantes. A desvalorização da necessidade de buscar um "porquê" e a substituição do analista pelo paciente no papel de responsável pela significação provocaram mudanças profundas na hierarquia terapeuta––paciente. Se as abordagens terapêuticas anteriores geralmente envolviam um terapeuta manipulando o paciente em direção ao objetivo terapêutico, a prática gestáltica caracteriza-se por uma relação afetuosa e empática entre terapeuta e paciente, que trabalham como parceiros em direção a uma meta. O terapeuta é dinâmico, mas não orienta o paciente; a Gestalt de Perls mais tarde serviria de alicerce para a abordagem humanista, centrada no indivíduo, de Carl Rogers.

Negando o destino

Outro componente do método da Gestalt envolve o uso da linguagem. Uma ferramenta fundamental fornecida aos pacientes para desenvolver a autoconsciência é notar e modificar o uso da palavra "eu" em seus discursos. Segundo Perls, para assumir a responsabilidade por nossa realidade, precisamos reconhecer que usamos a linguagem para dar impressão de que não temos o controle, quando isso não é verdade. Simplesmente substituindo a frase "não posso fazer isso" por "não quero fazer isso", o indivíduo deixa claro que está fazendo uma escolha. Isso também ajuda a esclarecer quem é o dono do sentimento: as emoções existem e pertencem a mim. Não se pode culpar outras pessoas ou outras coisas por nossos sentimentos.

Outro exemplo de mudanças na linguagem é substituir "precisar" por "querer". Por exemplo, em vez de "eu preciso ir embora", dizer "eu quero ir

Fritz Perls

Frederick "Fritz" Salomon Perls nasceu em Berlim, no final do século XIX. Estudou medicina e, após servir no Exército alemão por um breve período, durante a Primeira Guerra Mundial, conseguiu obter seu diploma. Especializou-se em psiquiatria e, depois de se casar com a psicóloga Laura Posner, em 1930, foi para a África do Sul, onde fundou com a esposa um instituto psicanalítico. Desencantados com o intelectualismo exacerbado da abordagem psicanalítica, mudaram-se para Nova York no final da década de 1940, onde se juntaram à florescente cultura de pensamento progressista. No final dos anos 1960, os dois se separaram e Perls foi para a Califórnia, onde continuou a influenciar o cenário da psicoterapia. Saiu dos Estados Unidos para fundar um centro de terapia no Canadá, em 1969, mas morreu do coração um ano depois, quando conduzia um *workshop*.

Principais trabalhos

1946 *Ego hunger and aggression*
1969 *Gestalt therapy verbatim*
1973 *Abordagem gestáltica e testemunha ocular da terapia*

PSICOTERAPIA 117

Perca a cabeça e encontre as suas razões.
Fritz Perls

A cultura hippie dos anos 1960 ecoava a ideia gestáltica de se encontrar, mas Perls fez um alerta contra os "vendedores de felicidade instantânea" e o "chamado fácil caminho da liberdade sensorial".

embora". Revela-se aí também o elemento de escolha. Conforme aprendemos a assumir a responsabilidade por nossas experiências, afirmou Perls, desenvolvemos indivíduos autênticos, livres da influência da sociedade. Experimentamos também uma sensação de poder ao perceber que não estamos à mercê de coisas que "simplesmente acontecem". Qualquer sentimento de vitimização esfarela-se quando entendemos que aquilo que aceitamos para nossas vidas — o que escolhemos

Quem precisa que os outros lhe deem incentivos, elogios e tapinhas nas costas, faz dos outros os seus juízes.
Fritz Perls

ver e experimentar — é uma opção; não somos impotentes. Junto com a responsabilidade pessoal, vem a obrigação de não vivenciar eventos, relacionamentos ou circunstâncias erradas para o nosso "eu" autêntico. A teoria da Gestalt convida-nos a pensar atentamente sobre o que escolhemos acatar dentre as normas sociais. Talvez nos comportemos há tanto tempo com base no pressuposto de que elas são verdadeiras que as aceitamos de maneira automática. Em vez disso, de acordo com Perls, é melhor adotar crenças que inspirem e desenvolvam o nosso "eu" autêntico. A capacidade de definir nossas regras, determinar nossas próprias opiniões, filosofias, desejos e interesses é de fundamental importância. Conforme aumentamos a nossa consciência de autorresponsabilidade, autoconfiança e autocompreensão, entendemos que estamos construindo o nosso próprio mundo, ou a nossa verdade. A vida que vivemos torna-se mais suportável, porque "a verdade só pode ser tolerada se descoberta por conta própria".

A possibilidade de intimidade

A ênfase da Gestalt–terapia no "aqui agora" e em procurar caminhos e ideias próprios do indivíduo ajustava-se perfeitamente à revolução da contracultura que tomou conta do mundo ocidental na década de 1960. Mas alguns psicólogos e analistas, sobretudo aqueles que enxergam os humanos acima de tudo como seres sociais, consideram o foco no individualismo um ponto fraco da terapia. Para eles, uma vida regrada pelos princípios da Gestalt não permitiria a possibilidade de intimidade com o outro; e a terapia teria um foco excessivo no indivíduo, à custa da comunidade. Em resposta, os partidários da Gestalt afirmam que, sem o desenvolvimento do "eu" autêntico, não é possível construir um relacionamento autêntico com o outro.

Em 1964, Perls passou a ser um palestrante assíduo do Instituto Esalen, na Califórnia, e tornou-se uma influência duradoura nesse renomado centro de desenvolvimento espiritual e psicológico. Após uma explosão de popularidade na década de 1970, a Gestalt–terapia caiu em desuso, mas seus princípios foram incorporados aos fundamentos de outras modalidades de terapia. A Gestalt é reconhecida hoje como uma das abordagens "padrão" de terapia. ∎

NADA É MAIS INADEQUADO DO QUE ADOTAR UMA CRIANÇA E AMÁ-LA

DONALD WINNICOTT (1896–1971)

CONTEXTO

ABORDAGEM
Psicanálise

ANTES
Anos 1900 Sigmund Freud diz que os conflitos neuróticos (e o superego) aparecem no período edipiano — dos três aos seis anos de idade.

Anos 1930 Melanie Klein afirma que a forma primitiva de superego desenvolve-se no primeiro ano de vida e que amor e ódio são, por herança, conectados.

DEPOIS
1947 A psicóloga e ludoterapeuta Virginia Axline define os oito princípios da ludoterapia, entre eles: "Aceitar a criança como ela é".

1979 A psicanalista suíça Alice Miller diz, em *The drama of the gifted child*, que somos incentivados a "desenvolver a arte de não vivenciar sentimentos".

Muita gente acredita que uma criança que passou por uma criação sofrida, sem amor e sem apoio, não será capaz de se adaptar e florescer em uma nova família que supra as suas necessidades. No entanto, embora estabilidade e aceitação ajudem a construir as bases para uma criança crescer de maneira saudável, esses fatores positivos são apenas parte do que é preciso.

Por ser o primeiro pediatra da Inglaterra a adquirir treinamento psicanalítico, Donald Winnicott tinha uma visão única do relacionamento mãe–bebê e do processo de desenvolvimento infantil. Winnicott foi muito influenciado por Sigmund Freud,

PSICOTERAPIA

Veja também: Sigmund Freud 92–99 ▪ Melanie Klein 108–09 ▪ Virginia Satir 146–47 ▪ John Bowlby 274–77

Crianças vindas de situações de abuso e negligência **temem não ser amadas** por suas famílias adotivas...

... como defesa, então, **reagem com ódio**, mesmo quando são adotadas por pais competentes.

Isso naturalmente evoca sentimentos de **ódio nos pais**.

Se os pais **reconhecem seu ódio** e toleram esse sentimento...

... a criança adotada **sabe que ela é amada ou passível de ser amada** mesmo quando tanto ela quanto o adulto estão sentindo ódio.

A criança conseguirá formar laços afetivos fortes.

Donald Winnicott

O pediatra e psicanalista inglês Donald Woods Winnicott foi o caçula e único filho homem de uma rica e proeminente família de Plymouth, em Devon, no Reino Unido. Embora sua mãe sofresse de depressão, seu pai, Sir John Frederick Winnicott, foi uma influência estimulante para ele. Winnicott primeiro formou-se médico e pediatra e depois concluiu o treinamento psicanalítico, na década de 1930.

Casou-se duas vezes. Conheceu a segunda esposa, a assistente social e psiquiatra Clare Britton, quando trabalhava com crianças que haviam desenvolvido distúrbios após perderem seus lares durante a Segunda Guerra Mundial. Atuou como pediatra por mais de quarenta anos, o que conferiu uma perspectiva única às suas ideias. Foi por duas vezes presidente da Sociedade Britânica de Psicanálise e buscou aumentar o conhecimento público sobre o assunto fazendo frequentes palestras e programas no rádio.

Principais trabalhos

1947 "Hate in the countertransference"
1951 *Transitional objects and transicional phenomena*
1960 *The theory of the parent–infant relationship*

bem como pelos textos de Melanie Klein, sobretudo pelos que tratavam dos sentimentos inconscientes da mãe ou cuidadora da criança. Winnicott começou sua carreira trabalhando com crianças separadas de suas famílias devido à Segunda Guerra Mundial e observou de perto as dificuldades enfrentadas por elas ao tentar se adaptar a um novo lar.

De acordo com o artigo "Hate in the countertransference", de Winnicott: "Nada é mais inadequado do que adotar uma criança e amá-la". Na verdade, os pais precisam trazer a criança adotada para casa e ser capazes de tolerar o ódio que sentem por ela. Winnicott afirma que uma criança só consegue acreditar que é amada se antes se sentir odiada, e ressalta que a importância de "tolerar o ódio" no processo de cura não deve ser subestimada.

Winnicott explica que, se a criança foi privada de cuidados paternos apropriados e ganha uma chance de tê-los em um ambiente familiar saudável — em uma família adotiva ou provisória —, ela desenvolve uma espécie de esperança inconsciente. Mas essa esperança está associada ao medo. Quando a criança em questão passou por decepções terríveis no passado, em que suas necessidades emocionais e físicas mais básicas não foram satisfeitas, ela ergue as suas defesas. São forças inconscientes que visam proteger a criança da »

DONALD WINNICOTT

Parece que uma criança adotada só consegue acreditar que é amada após conseguir ser odiada.
Donald Winnicott

decepção que pode decorrer da esperança. As defesas, sustentou Winnicott, explicam a presença do ódio. A criança "encenará" um ímpeto raivoso direcionado à nova figura parental, exprimindo seu ódio e, em troca, gerando o ódio do seu responsável. Winnicott denominou tal comportamento de "tendência antissocial".

Segundo ele, a necessidade de odiar e ser odiada, para uma criança sofrida, é ainda maior do que a necessidade de se rebelar, e um fator fundamental para a sua cura é a tolerância desse ódio pelos responsáveis. Winnicott defende que é preciso deixar a criança expressar seu ódio, e os pais devem ser capazes de tolerar tanto o ódio do filho adotivo quanto o deles próprios.

Essa ideia pode parecer surpreendente e alguns podem ter dificuldade para aceitar que sentem ódio. Talvez sintam culpa, por achar que a criança já passou por muitas dificuldades. Mas o fato é que a criança está tendo um comportamento ativo de ódio direcionado aos pais, projetando as experiências anteriores de abandono e negligência na realidade atual.

A criança órfã ou oriunda de uma família desestruturada, afirmou Winnicott, "passa o tempo todo procurando os pais de maneira inconsciente", portanto os sentimentos das relações anteriores são transferidos para outros adultos. O ódio está internalizado, e a criança pode vê-lo mesmo quando não está mais presente. Na nova situação, a criança precisa ver o que acontece quando há ódio no ar. Winnicott explicou: "Ocorre que, após um período de tempo, a criança adotada começa a ter esperança e passa então a testar o ambiente que encontrou e a procurar provas da capacidade de seu guardião odiá-la de forma objetiva".

Há muitas maneiras de uma criança demonstrar ódio e provar que ela realmente não merece ser amada. Esta autodesvalorização é a mensagem que foi incutida na criança pelas experiências parentais negativas do passado. Do ponto de vista da criança, trata-se de uma tentativa de se proteger do risco de ter que sentir amor ou ser amada por conta da potencial decepção que acompanha esse estado de ser.

Lidando com o ódio

As emoções que o ódio de uma criança suscita em pais, professores e outras figuras de autoridade são muito reais. Winnicott julga essencial que os adultos reconheçam esses sentimentos em vez de negá-los, o que talvez pareça mais fácil. Precisam entender também que o ódio da criança não é pessoal; ela está apenas expressando a angústia decorrente de uma situação triste do passado para a pessoa que está a seu lado no momento atual.

O que a figura de autoridade faz do seu próprio ódio tem, é claro, importância fundamental. A crença do adotado de que é "mau" e não merece ser amado não pode ser reforçada pela resposta do adulto; este precisa apenas tolerar os sentimentos de ódio e entender que fazem parte do relacionamento. É o único jeito de fazer com que a criança se sinta segura e capaz de se afeiçoar.

Não importa quão amoroso seja o novo ambiente, não se pode apagar o passado da criança; permanecerão sentimentos residuais da experiência anterior. Winnicott não enxerga atalhos para a resolução do conflito. A criança supõe que os sentimentos de ódio do adulto resultarão em rejeição devido ao que ocorreu antes; quando o ódio

A "**tendência antissocial**" é um meio de as crianças expressarem suas angústias em relação ao mundo em que vivem e de testarem seus cuidadores, que devem continuar a prover carinho e um ambiente compassivo.

A despeito dos sentimentos inconscientes negativos e naturais que a criança provoca, o responsável precisa construir um ambiente que "acolha" a criança e a faça se sentir segura.

não resulta em rejeição e, em vez disso, é tolerado, o sentimento pode começar a se dissipar.

Ódio saudável

Mesmo em famílias psicologicamente saudáveis que têm filhos biológicos, Winnicott crê que o ódio inconsciente é parte natural e essencial da experiência paterna e fala em "odiar de maneira apropriada". Melanie Klein havia proposto que um bebê sente ódio de sua mãe, mas Winnicott retrucou que é precedido pelo ódio da mãe pelo bebê — e que, mesmo antes disso, ocorre um amor extraordinário e primitivo, ou um "amor cruel".
A existência do bebê faz exigências colossais à mãe, tanto psicológica quanto fisicamente, o que provoca o sentimento de ódio materno. Em uma listagem de dezoito motivos para a mãe odiar o bebê, Winnicott citou, entre outros: a gravidez e o parto puseram a sua vida em perigo; o bebê interfere na sua vida particular; o bebê a machuca durante a amamentação, chegando até a mordê-la; o bebê "a trata feito lixo, uma criada não remunerada, uma escrava". E, apesar disso tudo, ela o ama também, "com excrementos e tudo", disse Winnicott, com um sentimento de amor primitivo muito poderoso e aprendeu a tolerar seu ódio pelo bebê sem jamais agir com base nesse sentimento. Se a mãe não for capaz de odiar de maneira apropriada, ela direciona os sentimentos de ódio para si mesma, de maneira masoquista e doentia.

Relação terapêutica

Winnicott também usou a relação entre pais e filhos para fazer uma analogia da relação terapêutica entre terapeuta e cliente. Os sentimentos que surgem num terapeuta durante a análise fazem parte de um fenômeno conhecido por "contratransferência". Os sentimentos evocados em um paciente durante a terapia — em geral referentes a pais ou irmãos — são transferidos para o terapeuta. Winnicott relatou que, como parte da análise, o terapeuta sente ódio pelo cliente provocado por este como parte de um teste necessário para saber se o terapeuta pode suportá-lo. O paciente precisa confirmar se o terapeuta é forte e confiável o suficiente para resistir ao golpe.

O sentimentalismo materno não faz bem algum à criança.
Donald Winnicott

Uma abordagem realista

As opiniões de Winnicott podem parecer um tanto chocantes, mas sua teoria defende que devemos ser realistas em relação à criação dos filhos, evitando o sentimentalismo em prol da honestidade. Isso permite que, quando crianças, e mais tarde, ao nos tornarmos adultos, possamos reconhecer e lidar com sentimentos negativos naturais e inevitáveis. Winnicott é realista e pragmático; recusa-se a acreditar no ideal mítico da "família perfeita" ou num mundo em que algumas palavras gentis possam apagar todos os horrores que as tenham precedido. Prefere encarar os verdadeiros ambientes e estados mentais que experimentamos e nos convida a fazer o mesmo, com honestidade e coragem. Suas ideias não se encaixam perfeitamente em uma única escola de pensamento, mas tiveram grande impacto e continuam a influenciar profissionais ligados à assistência social, educação, psicologia do desenvolvimento e psicanálise em todo o mundo. ∎

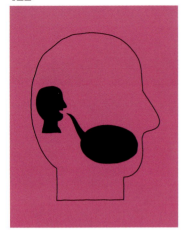

O INCONSCIENTE É O DISCURSO DO OUTRO
JACQUES LACAN (1901–1981)

CONTEXTO

ABORDAGEM
Psicanálise

ANTES
1807 O filósofo alemão Georg Hegel afirma que a consciência de si depende da presença do Outro.

1818 O filósofo alemão Arthur Schopenhauer diz que não pode haver objeto sem um sujeito que o observe, e essa percepção do objeto é limitada pela visão e experiência pessoais.

1890 William James, em *Os princípios da psicologia*, faz uma distinção entre o "eu" conhecedor e o "mim" que é conhecido.

DEPOIS
1943 O filósofo francês Jean-Paul Sartre afirma que a nossa percepção do mundo ao nosso redor, ou do Outro, altera-se quando surge uma nova pessoa, incorporando o conceito dele/dela à nossa percepção do Outro.

O Outro é tudo aquilo que fica além das fronteiras de nós mesmos.

É pela existência do Outro que **definimos e redefinimos a nós mesmos**.

Entendemos o mundo por meio da **linguagem** (discurso) do Outro.

Também usamos essa linguagem em nossos **pensamentos** mais profundos.

O inconsciente é o discurso do Outro.

Os psicanalistas descrevem o inconsciente como o local em que guardamos todas as memórias que queremos deixar de lado e que não podem ser conscientemente recuperadas. Às vezes, o inconsciente comunica-se com o "eu" consciente de maneira limitada: Carl Jung acreditava que o inconsciente apresentava-se ao "eu" desperto por intermédio dos sonhos, dos símbolos e da linguagem dos arquétipos, enquanto, para Freud, expressava-se por meio do comportamento motivacional e por sonhos, atos falhos e lapsos de linguagem acidentais. Uma concordância entre as diversas correntes psicanalíticas é que o inconsciente retém mais informações do que o consciente. Para o psiquiatra francês Jacques Lacan, porém, a linguagem do inconsciente não é a do "eu", mas a do "Outro".

O sentido de si

É fácil assumirmos como certa a noção do "eu", de que cada um de nós existe como um ser individual, separado, que vê o mundo com seus próprios olhos, conhece as fronteiras que o separam dos outros e do mundo ao redor e reconhece uma distinção em seu próprio

PSICOTERAPIA

Veja também: William James 38–45 ▪ Sigmund Freud 92–99 ▪ Carl Jung 102–07 ▪ Donald Hebb 163

O sentido de si é talhado por nossa consciência do Outro, do mundo exterior a nós. Contudo, segundo Lacan, é a linguagem do Outro que dá forma aos nossos pensamentos mais profundos.

pensamento e na maneira como interage com o meio. Mas e se não houvesse nada externo que pudéssemos reconhecer como separado de nós? Seríamos, então, incapazes de conceituar o nosso sentido de si, porque não haveria um ser delineado para se considerar. O único jeito de determinar que somos distintos como indivíduos do mundo ao nosso redor é a capacidade de reconhecer a separação entre nós e o nosso ambiente, ou entre o "eu" e o Outro, e o que nos permite incorporar o "eu conhecedor". Lacan concluiu, portanto, que cada um de nós é um "eu" somente porque há um conceito de Outro.

Para Lacan, o Outro é toda a alteridade que fica além do "eu"; é o ambiente em que nascemos e para o qual precisamos conferir sentido para sobreviver e prosperar. Uma criança precisa aprender a agrupar sensações em categorias e conceitos para poder operar no mundo e faz isso à medida que adquire consciência e compreensão de uma série de significantes — sinais ou códigos. Mas esses significantes só podem chegar a nós a partir do universo exterior ao "eu", devem, portanto, se formar a partir da linguagem — ou daquilo que Lacan preferia chamar de "discurso" — do Outro.

O "eu" está sempre nos domínios do Outro.
Jacques Lacan

Somente pela linguagem somos capazes de pensar e expressar nossas ideias e emoções, e a única linguagem que possuímos, segundo Lacan, é a do Outro. As sensações e imagens que se traduzem nos pensamentos do inconsciente devem, então, ser construídas pela linguagem do Outro, ou, como dizia Lacan, "o inconsciente é o discurso do Outro". Essa ideia teve grande influência sobre a prática da psicanálise e levou a uma interpretação mais objetiva e aberta do inconsciente. ■

Jacques Lacan

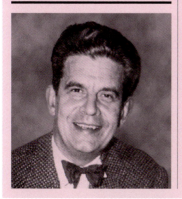

Jacques Marie Émile Lacan nasceu em Paris, onde recebeu educação jesuíta no Collège Stanislas. Estudou medicina e especializou-se em psiquiatria. Permaneceu em Paris durante a ocupação da cidade na Segunda Guerra Mundial, trabalhando no hospital militar Val-de-Grâce.

Depois da guerra, a psicanálise tornou-se sua principal ferramenta de trabalho. Todavia, foi expulso da Associação Internacional de Psicanálise, em 1953, após acirradas discussões sobre a sua "perversa" prática de conduzir sessões de terapia mais curtas.

Lacan fundou então a Sociedade Francesa de Psicanálise.

Os textos de Lacan ingressam nos terrenos da filosofia, arte, literatura e linguística; ministrou seminários semanais frequentados por pensadores eminentes, como Roland Barthes e Claude Lévi-Strauss. Freudiano convicto, Lacan fundou também a Escola Freudiana de Paris, em 1963, e a Escola da Causa Freudiana, em 1981.

Principais trabalhos

1966 *Escritos*
1968 *The language of the self*
1954-80 *O seminário* (27 volumes)

A PRINCIPAL TAREFA DO HOMEM É PROMOVER O SEU PRÓPRIO NASCIMENTO

ERICH FROMM (1900–1980)

Os quatro tipos improdutivos de personalidade

A **personalidade receptiva** não tem outra escolha, exceto aceitar seus papéis e jamais lutar por mudanças ou melhoras.

A **personalidade exploradora** é agressiva, autocentrada e costuma envolver-se em situações de coerção e plágio.

A **personalidade acumulativa** briga para manter o que tem e está sempre querendo mais.

A **personalidade marqueteira** "vende" tudo, principalmente a sua própria imagem.

A única maneira de amar, afirmou Fromm, é com liberdade, permitindo ao outro exercer toda a sua individualidade; respeitando as diferentes opiniões, preferências e crenças. Não se encontra o amor tentando encaixar uma pessoa no molde de outra, e não é uma questão de encontrar o "par" perfeito. Amor, disse ele, é "a união com alguém ou alguma coisa, exterior a si, sob condição de se manter a separação e a integridade do indivíduo".

Muitas pessoas gastam enorme quantidade de tempo e dinheiro tentando cultivar o *self* que julgam mais merecedor de aceitação e com mais chances de ser amado ou desejado. Trata-se de uma atitude fútil, porque só quem possui uma forte noção de si mesmo e consegue se manter com firmeza dentro do seu próprio entendimento do mundo é capaz de se dar com liberdade aos outros e amar de forma autêntica. Os que se guiam pela possibilidade de receber amor em vez de serem amorosos, não têm sucesso; são os mesmos que tentam estabelecer outras formas de relações lucrativas, ou que estão sempre querendo receber coisas — materiais ou imateriais — em vez de dar. São pessoas que acreditam que tudo de bom está fora delas e têm necessidade constante de adquirir coisas, embora isso não lhes traga alívio.

Tipos de personalidade

Fromm identificou vários tipos de personalidade que chamou de "improdutivas", por permitir que os indivíduos evitem assumir verdadeira responsabilidade por seus atos e impedir o crescimento produtivo e pessoal. Cada um dos quatro principais tipos de personalidade improdutiva — a receptiva, a exploradora, a acumulativa e a mercantil — tem lados positivos e negativos. O quinto tipo, o necrófilo, é totalmente negativo, e o sexto — o tipo produtivo — é o ideal de Fromm. Na verdade, nossa personalidade é traçada por uma mistura dos quatro tipos principais.

Uma pessoa de personalidade "receptiva" é reconhecida por existir passivamente de acordo com o *status quo*, aceitando o que lhe é dado. São pessoas lideradas, jamais líderes; os outros fazem as coisas por eles. Levada ao extremo, tem postura de vítima; mas, no lado positivo, tem grande dedicação e aceitação. Fromm compara esse tipo de personalidade aos camponeses e trabalhadores imigrantes.

A personalidade "exploradora" adora tirar coisas dos outros; pessoas exploradoras pegam o que necessitam, em vez de fazer por merecer ou produzi--las. Contudo, esbanjam autoconfiança e têm muita iniciativa. Esse tipo de personalidade é tipificado pelas aristocracias históricas que tomaram o poder e as riquezas das populações indígenas.

Aqueles que têm personalidade "acumulativa" estão sempre em busca de amigos influentes e classificam até mesmo seus entes queridos em termos de valor, enxergando-os como posse. Ávidos por poder e nada generosos, são pragmáticos e econômicos na melhor das hipóteses. Historicamente,

---

> 'Conhece-te a ti mesmo' é um dos comandos fundamentais para dar força e felicidade aos homens.
> **Erich Fromm**

configuram a classe média, ou a burguesia, que aumentam durante períodos de depressão econômica.

O último tipo principal é o "marqueteiro". É obcecado por imagem e por divulgar e vender a si mesmo com eficiência. Faz escolhas em função de como refletirão seu *status*, desde a compra de roupas, carros e férias a casamentos com membros de "boas" famílias. No extremo, são oportunistas, indelicados e superficiais; na melhor das hipóteses, repletos de motivação, propósito e energia. Esse tipo representa a sociedade moderna, com seu crescente ímpeto aquisitivo e preocupação individual.

O tipo mais negativo de personalidade — o "necrófilo" — quer apenas destruir. Apavorados com a desorganização e a falta de controle da vida, os "necrófilos" adoram falar de doença e morte e são obcecados pela necessidade de impor "lei e ordem". Preferem objetos mecânicos a pessoas. Em dose moderada, são pessoas pessimistas, negativas, que sempre veem o lado ruim das coisas.

O último tipo de personalidade descrito por Fromm, a "produtiva", realmente procura e encontra uma alternativa legítima para a vida por meio da flexibilidade, aprendizagem e sociabilidade. A fim de se "unir" ao mundo e, assim, escapar da solidão da existência separada, as pessoas "produtivas" reagem ao mundo com racionalidade e mente aberta, dispostas a mudar suas crenças caso confrontadas com novas evidências. Uma pessoa "produtiva" pode realmente amar o outro pelo que ele é, e não como um troféu ou um amuleto para se proteger do mundo. Fromm descreve esse corajoso indivíduo como "o homem sem máscara".

A obra de Fromm tem uma perspectiva singular e bebe nas fontes da psicologia, da sociologia e do pensamento político, sobretudo o de Karl Marx. Seus textos, direcionados ao leitor leigo, tiveram mais influência sobre o público em geral do que sobre a academia — em grande parte devido à sua insistência na liberdade de ideias. Não obstante, Fromm é reconhecido como um dos principais colaboradores para o desenvolvimento da psicologia humanista. ∎

> A vida tem um dinamismo interno próprio: ela tende a crescer, a encontrar uma expressão e a ser vivida.
> **Erich Fromm**

A fascinação de Hitler por morte e destruição faz dele um exemplo típico da personalidade "necrófila" proposta por Fromm, obcecada por controle e pela imposição da ordem.

PSICOTERAPIA 129

Erich Fromm

Erich Fromm, filho único de pais judeus ortodoxos, cresceu em Frankfurt am Main, na Alemanha. Jovem pensativo, foi inicialmente influenciado por estudos do Talmude, mas logo se voltou para Karl Marx e a teoria socialista, bem como para a psicanálise de Freud. Motivado pelo desejo de entender a hostilidade que testemunhou durante a Primeira Guerra Mundial, estudou jurisprudência, então sociologia (no doutorado), antes de se especializar em psicanálise. Quando os nazistas assumiram o poder na Alemanha, em 1933, Fromm mudou-se para a Suíça e depois para Nova York, onde trabalhou como psicanalista e lecionou na Universidade de Columbia.

Fromm casou-se três vezes e teve um caso notório com Karen Horney durante os anos 1930. Em 1951, trocou os Estados Unidos por um posto de professor no México, só retornando onze anos depois para assumir um cargo de professor de psiquiatria, na Universidade de Nova York. Morreu na Suíça, aos 79 anos.

Principais trabalhos

1941 *The fear of freedom*
1947 *Man for himself*
1956 *The art of loving*

A VIDA PLENA É UM PROCESSO, NÃO UM ESTADO DE SER

CARL ROGERS (1902–1987)

Fazer um trabalho voluntário com pessoas carentes pode ser uma forma gratificante de se tornar disponível a novas experiências, testar ideias preestabelecidas a respeito do mundo e descobrir mais sobre si mesmo.

na opinião de Rogers, é que a experiência seja o ponto de partida da edificação da personalidade, em vez de tentarmos encaixar nossas experiências numa ideia preconcebida de como devemos ser. Se nos apegamos às ideias de como as coisas devem ser, em vez de aceitá-las como são de fato, certamente consideraremos nossas necessidades "incongruentes" ou em descompasso com o que está disponível.

Quando o mundo não faz "o que queremos" e nos sentimos incapazes de mudar nossas ideias, o conflito emerge sob a forma de uma postura defensiva. Rogers explicou essa postura como uma tendência inconsciente de usar estratégias para impedir que estímulos problemáticos adentrem a consciência. Nós negamos (bloqueamos) ou distorcemos (reinterpretamos) o que de fato está acontecendo para manter nossas ideias preconcebidas. Ao fazer isso, abdicamos de toda uma gama de reações, sentimentos e ideias em potencial e abrimos mão de um largo espectro de opções, por considerá-las erradas ou inapropriadas. Os sentimentos e pensamentos defensivos que nos acometem quando a realidade não corresponde às nossas ideias preconcebidas geram uma interpretação limitada e artificial da experiência. Para realmente participar do que Rogers chamou de "processo contínuo de experiência organísmica", é preciso estar totalmente aberto a novas experiências e abrir mão de atitudes defensivas por completo.

Toda a gama de emoções
Ao entrar em contato com toda a nossa gama de emoções, postulou Rogers, abre-se espaço em todos os aspectos da vida para experiências mais profundas e ricas. Achamos que podemos fazer um bloqueio seletivo das emoções e soterrar sentimentos perturbadores ou desconfortáveis, mas, ao reprimir parte das emoções, diminuímos inevitavelmente o impacto delas, dessa maneira negando a nós

O 'eu' e a personalidade emergem da própria experiência, e não de uma experiência traduzida... para se encaixar a uma estrutura pré-concebida do eu.
Carl Rogers

mesmos o acesso à totalidade de nossa natureza. Se então, em vez disso, nos permitimos ficar mais à vontade com nossas emoções, inclusive com as que consideramos negativas, a corrente de sentimentos positivos flui com mais vigor; é como se, ao se permitir sentir dor, o indivíduo abrisse espaço para uma experiência mais intensa de alegria.

Uma visão inflexível do mundo costuma levar à infelicidade; podemos nos sentir como uma peça quadrada tentando se ajustar a um encaixe redondo, em constante frustração porque a vida não é como esperávamos. Rogers nos estimula a abandonar nossas ideias preconcebidas e encarar o mundo como ele realmente é.

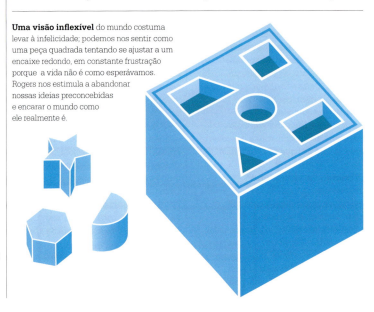

Segundo Rogers, quando nos mantemos receptivos a tudo que ocorre, permitimos que nossas habilidades funcionem em força máxima e, em troca, tiramos maior satisfação das nossas experiências. Não acionamos nossas defesas para isolar partes do "eu", logo, podemos experimentar tudo ao máximo. Uma vez liberados do marasmo das preconcepções da nossa mente, podemos florescer. Em vez de organizar a experiência para que se encaixe na nossa noção de mundo, "descobrimos sua estrutura na experiência".

Essa disposição não é para os fracos, afirmou Rogers, pois requer coragem da parte do indivíduo. Não precisamos temer nenhum tipo de sentimento, disse ele, precisamos apenas permitir que a cognição e a experiência fluam integralmente. Ao ter acesso verdadeiro a uma gama maior de experiências, cada um de nós poderá encontrar com mais facilidade o melhor caminho para o seu "eu" autêntico — é neste indivíduo dinâmico que Rogers nos incita a nos transformarmos. As pessoas estão sempre crescendo, segundo ele, e a direção que tomam — quando há liberdade para seguir qualquer caminho — é geralmente a mais apropriada para elas e para a qual estão mais propensas.

Aceitação incondicional

Em contraste à visão de muitos de seus antecessores, Rogers acreditava que as pessoas são, em essência, saudáveis e boas; e que o bem-estar mental e emocional é uma progressão natural da condição humana. Essas opiniões são a base de uma abordagem que vê os pacientes sob uma luz totalmente positiva e requer aceitação absoluta e incondicional. Rogers pedia a seus pacientes que aprendessem a fazer o mesmo em relação a si próprios e aos outros. Essa perspectiva, fundamentada em compaixão e no reconhecimento do potencial de cada um, ficou conhecida por "olhar positivo incondicional". Rogers acreditava que todas as pessoas, não apenas seus pacientes, precisavam se ver dessa forma, bem como os outros e o ambiente ao seu redor. A aceitação incondicional de si e dos outros é fundamental; quando não está presente, as pessoas não conseguem se abrir às experiências. Rogers dizia que muitos estabelecem condições muito duras, determinantes e específicas que precisam ser satisfeitas para dar sua aprovação ou aceitação. Também definimos o nosso próprio valor e o respeito pelo outro de acordo

Nenhuma ideia criada por outra pessoa ou por mim tem tanta autoridade quanto a minha experiência.
Carl Rogers

O amor condicionado a determinada ação ou situação — por exemplo, tirar nota dez na escola ou comer o alimento adequado — pode fazer uma criança se sentir não merecedora ou não aceita.

com as conquistas ou aparências, em vez de aceitar as pessoas como são.

Pais podem, sem querer, ensinar aos filhos que merecem afeição apenas se preencherem certos requisitos, oferecendo-lhes recompensas e elogios quando comem todos os legumes ou tiram nota dez em física, sem ser capazes de amar os filhos abertamente apenas por serem quem são. Rogers chamou esses requisitos de "condições de valor" e opinou que a tendência de exigir que pessoas e coisas correspondam às nossas arbitrárias expectativas não faz bem a ninguém.

Devemos respeitar as conquistas, disse ele, mas elas são algo separado e secundário em relação à aceitação, que é uma necessidade básica do ser humano e não deveria precisar ser "conquistada" com feitos ou ações. Rogers afirmou que o valor de um indivíduo é uma garantia inerente, concedida pelo simples milagre da existência. A aceitação não deve jamais ser algo condicional; o olhar positivo incondicional é »

CARL ROGERS

> O ser humano possui um importante valor... por mais que o rotulem e o avaliem, ele continua sendo, acima de tudo, uma pessoa.
> **Carl Rogers**

fundamental para que todos possamos viver "a vida plena".

Conforme as pessoas se aceitam mais, ficam também mais pacientes consigo mesmas. O alívio da pressão que se acumula quando vivemos segundo a equivocada ideia de que atividades como fazer, ver e adquirir definem o nosso valor vem da aceitação. Compreendemos que somos uma construção em processo, como disse Rogers em sua obra fundamental, *Tornar-se pessoa*, estamos em constante "estado de transformação". Ironicamente, quanto mais nos aceitamos e menos nos criticamos e pressionamos de maneira doentia, mais produtivos nos tornamos.

Autoconfiança
Para Rogers, viver "a vida plena" significa conquistar autoconfiança. Conforme um indivíduo vai se tornando mais aberto, percebe que está, ao mesmo tempo, desenvolvendo a sua capacidade de confiar em si mesmo e em seus instintos e passa a ficar mais seguro de sua competência para tomar decisões. Como não precisa reprimir nenhuma parte de sua individualidade, tem mais condições de interagir com todas. Isso lhe dá acesso a uma grande variedade de perspectivas e sentimentos, o que, em troca, o torna mais apto a avaliar as escolhas para realizar seu potencial. Começa a ver com mais clareza que direção o seu "eu" autêntico deseja seguir e pode fazer escolhas realmente coerentes com suas necessidades. Não está mais a mercê do que pensa que deveria fazer, nem do que a sociedade ou seus pais o condicionaram a pensar que deseja; torna-se então muito mais fácil viver no momento presente e tomar consciência daquilo que de fato se quer. O indivíduo pode confiar em si mesmo, "não porque é infalível, mas porque está totalmente aberto às consequências dos seus atos e pode corrigi-los caso se mostrem insatisfatórios", explicou Rogers.

Ao viver "a vida plena", adquirimos também uma noção de posse sobre a própria vida e de responsabilidade por nós mesmos — outro princípio da filosofia de Rogers, baseado numa visão existencialista. O que escolhemos pensar ou fazer depende apenas de nós mesmos; não há como ter nenhum vestígio de ressentimento quando definimos por conta própria nossos desejos e necessidades e trabalhamos para alcançá-los. Adquirimos ao mesmo tempo uma maior responsabilidade e uma vontade crescente de investir em nossas vidas. É comum ouvir histórias como a do médico que odeia medicina, mas que pratica a profissão porque seus pais lhe disseram que ganharia respeito e aprovação deles e da sociedade ao tornar-se médico. Em contraste, a quantidade de alunos que abandona a universidade ou é reprovada em cursos universitários é surpreendentemente baixa entre aqueles que receberam pouca ajuda e tiveram que trabalhar para pagar suas mensalidades.

Carl Rogers

Carl Rogers nasceu em Oak Park, Illinois, Estados Unidos, em uma família protestante ortodoxa, e teve poucos amigos fora da família antes de entrar na faculdade. Formou-se primeiramente em agricultura, mas, após se casar com sua namorada de infância, Helen Elliott, em 1924, frequentou um seminário teológico, que abandonou para entrar no curso de psicologia. Trabalhou nas universidades de Ohio, Chicago e Wisconsin e desenvolveu sua terapia centrada no cliente baseada na psicologia humanista. Também trabalhou como voluntário na United Service Organizations (USO), oferecendo terapia aos batalhões que regressavam da Segunda Guerra Mundial. Em 1964, Rogers recebeu o prêmio de "Humanista do ano" da American Humanist Association. Dedicou seus últimos dez anos de vida à luta pela paz mundial, tendo sido indicado ao Prêmio Nobel da Paz em 1987.

Principais trabalhos

1942 *Psicoterapia e consulta psicológica*
1951 *A pessoa como centro*
1961 *Tornar-se pessoa*

PSICOTERAPIA 137

Ensinar uma criança a andar de bicicleta requer muito incentivo e apoio, mas, em última instância, é a própria criança que deve ter coragem e autoconfiança. Para Rogers, sua terapia centrada na pessoa era similar a esse processo.

A influência dos outros sobre os nossos desejos e sobre como nos definimos pode ser muito complexa. Podemos criar profundas raízes de ressentimento dentro de nós quando agimos conforme os desejos de outrem, e não os nossos. Se nossas ações não sofrem influência externa, sentimo-nos mais autênticos, com maior controle sobre o próprio destino e mais satisfeitos com os resultados.

Abordagem centrada na pessoa

A filosofia de Rogers foi o fundamento de uma nova abordagem conhecida como psicologia humanista, fundada por ele na década de 1950, juntamente com Abraham Maslow e Rollo May. Ancorava-se numa imagem positiva da humanidade que a considerava basicamente saudável, capaz de crescer e de atingir seu potencial. Essa abordagem divergia das outras principais terapias psicológicas da época — psicanálise e behaviorismo — ambas focadas na patologia do indivíduo e em como curá-la.

Rogers de início definiu sua abordagem como "centrada no cliente", expressão que depois mudou para "centrada na pessoa" e que, desde então, teve enorme influência sobre áreas como educação, criação de filhos, negócios e outras, além da prática clínica. Na terapia centrada na pessoa, descrita por Rogers como "não diretiva", o terapeuta desempenha o papel de um facilitador que ajuda o cliente a encontrar suas próprias respostas, partindo do pressuposto que o cliente conhece melhor a si mesmo. Na terapia centrada na pessoa, o cliente identifica os seus problemas e a direção que a terapia deve tomar. Por exemplo, pode ser que a pessoa não queira falar da sua infância, mas, sim, dos problemas que enfrenta no trabalho; e o terapeuta pode então tentar ajudá-la a descobrir o papel que gostaria de desempenhar no trabalho. Rogers descreveu o processo como "solidário, e não restaurador"; o cliente não deve passar a depender do apoio do terapeuta, mas, sim, aprender a ter mais autoconsciência e autoconfiança, para se tornar independente e viver "a vida plena".

O legado de Rogers

Rogers foi um dos psicoterapeutas mais influentes do século XX. Sua terapia inovadora, centrada no cliente e não diretiva, marcou um momento decisivo no desenvolvimento da psicoterapia. Foi de vital importância para a filosofia dos grupos de apoio da década de 1960, que buscavam uma comunicação aberta entre indivíduos. Rogers foi responsável pela disseminação do aconselhamento profissional em outras áreas, como educação e assistência social, e pioneiro na tentativa de resolver conflitos internacionais por meio de uma comunicação mais eficaz. ∎

O processo da vida plena... significa lançar-se de cabeça no fluxo da vida.
Carl Rogers

TODO HOMEM DEVE SER O QUE PODE SER
ABRAHAM MASLOW (1908–1970)

CONTEXTO

ABORDAGEM
Psicologia humanista

ANTES
Anos 1920 Alfred Adler afirma que há uma única força motivadora subjacente a nosso comportamento e experiência: a busca pela perfeição.

1935 Henry Murray desenvolve o Teste de Apercepção Temática, para medir características da personalidade e motivação.

DEPOIS
Anos 1950 Kurt Goldstein define a autorrealização como uma tendência a realizar, tanto quanto possível, as capacidades individuais de um organismo, e afirma que pulsão da autorrealização é o único impulso determinante na vida de um indivíduo.

1974 Fritz Perls afirma que todo ser vivo "nasce com um único objetivo: realizar-se como si mesmo".

Ao longo da história, algumas perguntas recorrentes são por que estamos aqui e qual o propósito da vida. Por trás dessas questões está a necessidade de identificar o que pode realmente nos satisfazer, bem como a confusão a respeito de como fazê-lo. Os psicanalistas defenderiam que a realização das nossas pulsões biológicas inatas nos traria satisfação, e os behavioristas destacariam a importância de satisfazer nossas necessidades fisiológicas com comida, sono e sexo. A nova onda de pensamento psicoterapêutico da primeira metade do século XX, porém, concluiu que o caminho para a satisfação interna era muito mais complexo.

Um dos principais defensores dessa nova abordagem à questão foi o psicoterapeuta Abraham Maslow, considerado um dos fundadores do movimento humanista na psicologia. Maslow analisava a experiência humana investigando as coisas mais importantes para nós: amor, esperança, fé, espiritualidade, individualidade e existência. De acordo com um dos aspectos fundamentais das suas teorias, para atingir o estado mais desenvolvido de consciência e realizar todo o seu potencial, o indivíduo precisa descobrir qual o seu verdadeiro propósito na vida e sair em busca dele. Maslow define esse estado máximo de ser como autorrealização.

Rumo à autorrealização
Maslow criou um plano bem estruturado para explicar o trajeto da motivação humana, definindo os passos necessários para alcançarmos a autorrealização. Sua famosa Hierarquia das Necessidades, geralmente representada como uma pirâmide, dispõe na base as necessidades mais básicas e agrupa em camadas, sobre ela, as outras demandas essenciais a uma vida de realizações.

A hierarquia de Maslow divide-se em duas seções distintas: na base, estão os quatro estágios que constituem as necessidades "motivadas por deficiência", e todas precisam ser satisfeitas antes de a pessoa ser capaz de buscar maior satisfação intelectual, por meio das necessidades "motivadas por crescimento". As necessidades motivadas por deficiência são simples e elementares: abrangem as necessidades fisiológicas (como comida, água e sono), de segurança (estar a salvo e fora de perigo), de amor e pertencimento (de proximidade e de ser aceito pelos outros) e de autoestima (de ter conquistas na vida e de ser

PSICOTERAPIA 139

Veja também: Alfred Adler 100–01 ■ Erich Fromm 124–29 ■ Carl Rogers 130–37 ■ Rollo May 141 ■ Martin Seligman 200–01

A hierarquia das necessidades

A hierarquia das necessidades elaborada por Maslow elenca as qualidades que ele observou em indivíduos bem-sucedidos que tinham ambições grandiosas, mas não impossíveis.

Motivadas por crescimento:

- **Autotranscendência** — Ajudar os outros, ligar-se a algo além de nós mesmos
- **Autorrealização** — Alcançar o seu potencial pessoal
- **Estética** — Ordem, beleza, simetria
- **Cognitiva** — Conhecer, compreender

Motivadas por deficiência:

- **Autoestima** — Conquista, reconhecimento, respeito, competência
- **Amor e pertencimento** — Aceitação, amizade, intimidade, relacionamentos
- **Segurança** — Segurança, estabilidade, saúde, abrigo, dinheiro, emprego
- **Fisiológica** — Ar, comida, bebida, sono, calor, exercício

Abraham Maslow

Abraham Maslow foi o mais velho de sete irmãos de uma família do Brooklyn, Nova York. Seus pais eram imigrantes judeus que trocaram a Rússia pelos Estados Unidos para fugir da confusa situação política russa. Nutriam grandes expectativas para Maslow e o forçaram a estudar direito — um domínio paterno que prosseguiu até 1928, quando Maslow decidiu tomar as rédeas de sua própria vida e estudar psicologia. No mesmo ano, desobedeceu novamente os pais e casou-se com sua prima Bertha Goodman, com quem teria dois filhos. Transferiu-se para a Universidade de Wisconsin, onde trabalhou sob a tutela de Harry Harlow, psicólogo behaviorista reconhecido por seu trabalho com primatas. Mais tarde, na Universidade de Columbia, Maslow encontrou um mentor na figura do psicanalista e antigo colega de Freud, Alfred Adler.

Principais trabalhos

1943 *A theory of human motivation*
1954 *Motivation and personality*
1962 *Introdução à psicologia do ser*

reconhecido). No topo, as necessidades motivadas por crescimento são de ordem cognitiva (o ímpeto de conhecer e compreender), estética (o desejo por ordem e beleza) e, por fim, duas necessidades que definem o objetivo da vida e conduzem a uma intensa realização espiritual e psicológica: autorrealização e a autotranscendência. A autorrealização é o desejo de autossatisfação, e a autotranscendência é a necessidade de se superar e se conectar a algo maior — como Deus — ou ajudar outros a alcançarem seus potenciais. De acordo com Maslow, cada um de nós tem também um propósito individual para o qual está singularmente talhado, e parte do caminho para se realizar é identificar e buscar esse propósito. Se alguém não está fazendo aquilo para o qual foi talhado na vida, não fará a menor diferença se todas as suas outras necessidades forem satisfeitas; essa pessoa ficará eternamente inquieta e insatisfeita. Cada um de nós precisa descobrir seu potencial e vivenciar experiências que lhe permitam exercê-lo — "Todo homem deve ser o que pode ser", proclamou Maslow. ■

CONVICÇÕES RACIONAIS PRODUZEM CONSEQUÊNCIAS EMOCIONAIS SAUDÁVEIS
ALBERT ELLIS (1913–2007)

CONTEXTO

ABORDAGEM
Terapia Racional Emotivo-Comportamental

ANTES
1927 Alfred Adler afirma que o comportamento de uma pessoa é fruto das suas ideias.

Anos 1940 O papel da percepção na criação da realidade é popularizado pelo movimento da Gestalt.

1950 Karen Horney nos estimula a fugir da "tirania dos deveres".

DEPOIS
Anos 1960 Aaron Beck declara que a depressão é causada por opiniões fantasiosas e negativas acerca do mundo.

1980 O psiquiatra americano David Burns nomeia distorções cognitivas, tais como: conclusões precipitadas, tudo ou nada, onipotência, sobre generalização, amplificação.

O filósofo grego Epiteto proclamou, em 80 d.C., que "não são os acontecimentos que perturbam os homens, mas, sim, como estes os enxergam". Esse princípio é a base da Terapia Racional Emotivo-Comportamental (TREC), criada pelo dr. Albert Ellis, em 1955, segundo a qual não são as experiências em si que causam reações emocionais no indivíduo; mas, sim, as suas convicções sistemáticas.

Quando praticou psicanálise, nos anos 1940 e 1950, Ellis notou que muitos pacientes conseguiam obter conhecimento sobre si mesmos e suas infâncias, mas seus sintomas

Veja também: Alfred Adler 100–01 ▪ Karen Horney 110 ▪ Erich Fromm 124–29 ▪ Carl Rogers 130–37 ▪ Aaron Beck 174–77 ▪ Martin Seligman 200–01

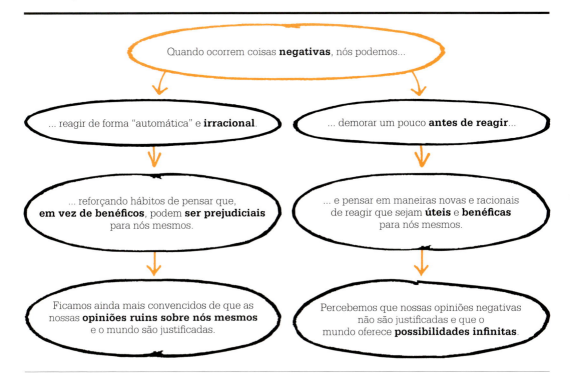

infelizmente continuavam. Quando um problema era solucionado, parecia que o paciente colocava outro em seu lugar. Ellis concluiu que isso era resultado do raciocínio do indivíduo (sua cognição) e que, para ser alterado, era preciso mais do que simples conhecimento.

Pensamento irracional
Ellis começou a denominar seu método de trabalho de terapia racional porque entendeu que a maioria dos problemas emocionais de longa permanência deve-se, na maioria das vezes, a pensamentos irracionais. Uma das formas mais corriqueiras de irracionalidade, segundo ele, é a tendência a tirar conclusões extremadas, sobretudo negativas, de tudo o que acontece. Por exemplo, para um homem dado a pensamentos irracionais, perder o emprego não é apenas um fato lamentável, mas algo terrível. Ele fica certo de não ter nenhum valor porque foi despedido e acha que jamais encontrará outro emprego. Ellis disse que o pensamento irracional é ilógico, extremado, prejudicial e autodestrutivo porque traz consequências emocionais doentias.

O pensamento racional produz o efeito oposto e, segundo Ellis, é útil ao indivíduo. Tem como base a tolerância e a capacidade de suportar aflições, não tira conclusões negativas ou catastróficas e fundamenta-se numa opinião positiva sobre o potencial humano. Isso não significa fechar os olhos para fatores negativos em prol de convicções positivas inocentes — o pensamento racional reconhece sentimentos razoáveis de dor, culpa e frustração. O pensador racional pode perder seu emprego; pode até ser culpado por isso, mas sabe que não é imprestável. Pode ficar chateado consigo mesmo, mas sabe que racionalmente tem possibilidade de encontrar outro trabalho. O pensamento racional é equilibrado e sempre abre espaço para o otimismo e novas possibilidades; cria resultados emocionais saudáveis.

A ideia de pensamento irracional de Ellis foi influenciada pelo conceito de "tirania dos deveres" de Karen Horney — isto é, uma preocupação com a ideia de que algo deveria (magicamente) ser diferente do que é. »

ALBERT ELLIS

> As pessoas e as coisas não nos aborrecem. Em vez disso, nós nos aborrecemos ao acreditar que elas têm o poder para isso.
> **Albert Ellis**

A luta para harmonizar esses pensamentos com a realidade é dolorosa e sem fim. O pensamento racional, por outro lado, tem como foco a aceitação; mantém um senso equilibrado de que por vezes ocorrem coisas das quais não gostamos, mas que fazem parte da vida.

Resposta condicionada

Ficamos tão acostumados às nossas reações a pessoas e acontecimentos que elas nos parecem automáticas; nossas reações tornam-se ligadas de modo insolúvel ao acontecimento em si. Ellis, no entanto, queria ensinar às pessoas que um acontecimento pode contribuir para um sentimento, mas não é causa direta dele. Nossa resposta emocional depende do significado que atribuímos ao ocorrido, o que, por sua vez, pode ser governado pelo pensamento racional ou pelo pensamento irracional.

Como o próprio nome diz, a Terapia Racional Emotivo-Comportamental trata tanto da reação emocional (um processo cognitivo) quanto do comportamento. A relação entre os dois é ambivalente: é possível mudar o jeito de pensar alterando o comportamento, assim como se pode modificar o comportamento mudando o jeito de pensar. De acordo com Ellis, para mudar o jeito de pensar, a pessoa primeiro deve ser capaz de reconhecer suas convicções irracionais e só depois contestá-las, com base em pensamentos racionais.

Contestando opiniões

Durante a terapia, o indivíduo é incentivado a pensar se tem opiniões sobre si mesmo e sua situação na vida que estimulem reações irracionais. Esse processo é

Uma pessoa sem sorte no amor pode se sentir triste e rejeitada; entretanto, há uma diferença entre sentir tais emoções e permitir que se transformem em convicções sistemáticas.

conhecido por "debate". Por exemplo, um indivíduo acredita ser "a única pessoa em quem se pode realmente confiar", ou "que é uma pessoa fadada a ser sempre sozinha no mundo". Na terapia, ele é estimulado a encontrar em sua história pessoal as racionalizações para essas convicções sistemáticas. Alguém que passou por várias separações amorosas pode ter a impressão de que "está destinado" a ficar sozinho ou que é de algum modo "impossível de ser amado". A TREC incentiva as pessoas a aceitar

Albert Ellis

Albert Ellis nasceu em Pittsburgh, na Pensilvânia, Estados Unidos. Seu pai viajava constantemente a negócios e sua mãe sofria de transtorno bipolar; por isso Ellis muitas vezes cuidava dos três irmãos menores. Iniciou carreira nos negócios e começou a escrever sobre sexualidade, fato que o levou a estudar psicologia clínica na Universidade de Columbia, em 1942. Inicialmente, praticou psicanálise, tendo sido influenciado por Sigmund Freud, Alfred Adler e Erich Fromm. Mas sua terapia racional — considerada responsável pela mudança de rumo da psicologia em direção à terapia cognitivo-comportamental — afastou-o da teoria psicanalítica. Ellis é reconhecido como um dos psicólogos mais influentes dos Estados Unidos. Publicou mais de setenta livros e seguiu escrevendo e ensinando até sua morte, aos 93 anos.

Principais trabalhos

1957 *How to live with a neurotic*
1961 *A guide to rational living*
1962 *Reason and emotion in psychotherapy*
1998 *Optimal aging*

a dor, a perda ou a solidão e a avaliar de maneira lógica os fatores que as levaram a isso; e desencoraja a crença de que uma ou duas ocorrências significam que algo vai acontecer sempre e, portanto, é impossível ser feliz.

Uma das dificuldades inerentes ao pensamento irracional é a tendência a perpetuar-se, porque quando se pensa, por exemplo, "nada de bom acontece comigo", sente-se pouca ou nenhuma motivação para buscar oportunidades de acontecerem coisas boas. "Sim, eu tentei e sei que coisas boas jamais acontecerão comigo" é uma racionalização que reforça a crença sistemática.

O pensamento irracional é "preto ou branco" e impede o indivíduo de ver que há todo um espectro de experiências possíveis. É um sistema de convicções equivocadas que nos faz interpretar as situações sempre de maneira negativa e, dessa forma, anular a possibilidade de experiências positivas. Embora seja costume dizer que é preciso "ver para crer", na verdade, vemos aquilo em que cremos.

Teoria construtivista

A Terapia Racional Emotivo-Comportamental é uma teoria construtivista segundo a qual construímos nossas próprias convicções e realidade, embora tenhamos preferências influenciadas por nossa criação e cultura. Como terapia, seu objetivo é revelar os pensamentos, sentimentos e atitudes inflexíveis e absolutos das pessoas e auxiliá-las a ver que estão optando por "se agredir", como dizia Ellis. A TREC sugere formas de pensar e como escolher caminhos mais saudáveis, e também como internalizar e habituar-se a ter convicções mais

benéficas. Ao fazer isso, o terapeuta torna-se obsoleto — quando o paciente aprende a tomar decisões conscientes e a escolher de maneira diferente de como costumava, o terapeuta não é mais necessário.

Uma terapia ativa

As teorias de Albert Ellis desafiaram a metodologia vagarosa da psicanálise e produziram o primeiro modelo de terapia cognitivo-comportamental — uma abordagem hoje bastante popular. Ellis foi um terapeuta ativo e assertivo que, em vez de um processo de psicanálise passivo e de longo prazo, punha o trabalho diretamente nas mãos do cliente, numa abordagem que antecipava a abordagem proposta por Carl Rogers. Ellis também costumava enfatizar que teorizar não é suficiente — "é preciso apoiar a

Os melhores anos de sua vida são aqueles em que você decide assumir seus problemas e percebe que controla seu destino.
Albert Ellis

teoria com ação, ação, ação", dizia. A TREC tornou-se uma das teorias mais populares dos anos 1970 e 1980 e teve grande influência no trabalho de Aaron Beck, que definiu Ellis como um "terapeuta, teórico e professor investigativo e revolucionário". ∎

A FAMÍLIA É A "FÁBRICA" ONDE AS PESSOAS SÃO FEITAS
VIRGINIA SATIR (1916–1988)

CONTEXTO

ABORDAGEM
Terapia familiar

ANTES
1942 Carl Rogers publica *Psicoterapia e consulta psicológica*, em que enfatiza a importância do respeito e de evitar uma abordagem crítica no tratamento da saúde mental.

DEPOIS
1953 O psiquiatra americano Harry Stack Sullivan publica *The interpersonal theory of psychiatry*, segundo a qual as pessoas são produto do meio em que vivem.

1965 O psiquiatra argentino Salvador Minuchin impulsiona a terapia familiar na Clínica de Orientação Infantil da Filadélfia.

1980 A psiquiatra italiana Mara Selvini Palazzoli e seus colegas publicam artigos sobre a abordagem sistêmica de terapia familiar da "Escola de Milão".

Aprendemos a reagir de determinadas maneiras aos nossos familiares.

↓

Essas reações **moldam um papel** que adotamos, sobretudo quando estamos sob estresse.

↓

Esse papel **pode subjugar o nosso autêntico "eu"** e nos acompanhar até a idade adulta.

↓

A família é a "fábrica" onde as pessoas são feitas.

O papel assumido por nós em nossa "família de origem" (a família em que crescemos) em geral é a semente da qual brota o adulto. A psicóloga americana Virginia Satir observou a importância da família para moldar uma personalidade e as diferenças entre uma família funcional saudável e uma família disfuncional. Satir interessou-se particularmente pelos papéis adotados como compensação pelas pessoas quando não existem dinâmicas saudáveis entre os familiares.

Uma vida familiar saudável demanda demonstrações de afeto abertas e recíprocas e que cada um veja os demais com um olhar amoroso e positivo. Mais do que qualquer terapeuta antes dela, Satir enfatizava a força dos relacionamentos compassivos e estimulantes para o desenvolvimento de psiques bem ajustadas.

Encenando papéis

Na visão de Satir, quando os membros de uma família perdem a capacidade de expressar afeição e emoções abertamente, personalidades "encenadas" emergem no lugar de identidades autênticas. Satir observou cinco papéis mais comumente adotados por familiares, sobretudo em momentos de estresse. São eles:

Veja também: Carl Rogers 130–37 ▪ Lev Vygotsky 270 ▪ Bruno Bettelheim 271

Os cinco papéis familiares

Distraidor **Computador** **Nivelador** **Acusador** **Apaziguador**

Cinco papéis distintos são comumente adotados por familiares para encobrir questões emocionais difíceis, segundo Satir.

aquele que sempre encontra alguma falha e crítica ("o acusador"); o intelectual distante ("o computador"); o que faz alvoroço para desviar o foco de questões emocionais ("o distraidor"); o que sempre pede desculpas e deseja agradar a todos ("o apaziguador"); e o que se comunica de maneira honesta, direta e aberta ("o nivelador").

Apenas os niveladores, cuja comunicação com os outros familiares corresponde ao que de fato sentem interiormente, mantêm uma posição coerente e saudável. Os demais adotam papéis porque a pouca autoestima os torna temerosos de mostrar ou compartilhar seus verdadeiros sentimentos. Os apaziguadores têm medo de não receber aprovação; os acusadores atacam os demais para ocultar sentimentos de desmerecimento; os computadores procuram refúgio em seu intelecto para não admitir seus próprios sentimentos; e os distraidores — geralmente os mais jovens da família — acreditam que só serão amados se forem fofos e inofensivos.

Pode ser que esses papéis ajudem a família a funcionar, mas pode ser também que destruam a capacidade dos indivíduos de serem eles mesmos. Satir acreditava que, para nos livrarmos dessas falsas identidades, seja em criança ou na vida adulta, devemos aceitar o nosso próprio valor como um patrimônio. Só assim será possível trilhar uma existência de fato gratificante. Comprometer-se com uma comunicação honesta, aberta e direta é o início desse processo.

A necessidade de estabelecer relacionamentos emocionais básicos positivos está na raiz do trabalho pioneiro de Satir. No seu entender, amor e aceitação são as forças mais potentes para curar qualquer família disfuncional. Criando vínculos complacentes e próximos com seus pacientes, ela simulava aquilo que os incentivava a praticar. ■

Curando a família, eu curo o mundo.
Virginia Satir

Virginia Satir

Virginia Satir nasceu numa fazenda em Wisconsin, Estados Unidos, e reza a lenda que, aos seis anos de idade, resolveu que seria uma "detetive dos pais das pessoas". Perdeu a audição por dois anos, devido a uma enfermidade, o que fez dela uma atenta observadora da comunicação não verbal e lhe deu um sensível conhecimento do comportamento humano. Seu pai era alcoólatra, e ela conheceu na prática as dinâmicas de cuidar, culpar e agradar que permearam sua infância.

Satir estudou para ser professora, mas, devido a seu interesse por problemas de autoestima infantil, fez mestrado em trabalho social. Organizou o primeiro programa de treinamento formal em terapia familiar nos Estados Unidos. O "modelo Satir" exerce até hoje enorme influência sobre a psicologia organizacional e pessoal.

Principais trabalhos

1964 *Conjoint family therapy*
1972 *Peoplemaking*

LIGUE-SE, SINTONIZE-SE E CAIA FORA
TIMOTHY LEARY (1920–1996)

CONTEXTO

ABORDAGEM
Psicologia experimental

ANTES
Anos 1890 William James diz que o indivíduo possui quatro camadas: a material, a social, a espiritual e o ego puro.

1956 Abraham Maslow afirma que precisamos ter "experiências culminantes" para atingir a autorrealização.

DEPOIS
Anos 1960 O psiquiatra britânico Humphry Osmond cunha o termo "psicodélico" para descrever os efeitos emocionais do LSD e da mescalina.

1962 Em sua "Experiência da Sexta-Feira Santa", o psiquiatra e teólogo americano Walter Pahnke investiga se as drogas podem aprofundar experiências religiosas.

1972 O psicólogo Robert E. Ornstein afirma, em *The psychology of consciousness*, que apenas a experiência pessoal é capaz de abrir as portas do inconsciente.

O psicólogo americano Timothy Leary tornou-se ícone da contracultura dos anos 1960 e cunhou a expressão talvez mais utilizada e representativa da era: "Ligue-se, sintonize-se e caia fora".

A ordem em que Leary desejava que fizéssemos as três ações, porém, não era essa. Leary acreditava que a sociedade estava maculada por política e infestada de comunidades genéricas e estéreis que não estimulavam os sentidos mais profundos de que as pessoas verdadeiras necessitavam. A primeira coisa que deveríamos fazer é "cair fora", ou seja, afastarmo-nos das nossas conexões artificiais e confiar em nossos pensamentos e atos. Infelizmente, a expressão "caia fora" foi erroneamente interpretada como um incentivo para que as pessoas parassem de produzir, o que jamais foi a intenção de Leary.

Ele nos aconselha em seguida a "nos ligar", ou a mergulhar em nosso inconsciente e "encontrar um sacramento que nos leve de volta ao templo do Senhor: o nosso próprio corpo". É um comando para explorarmos as camadas mais profundas da realidade, assim como a diversidade de camadas da experiência e consciência. Drogas eram uma maneira de fazer isso; e Leary, que era professor de Harvard, começou a fazer experiências com a droga alucinógena LSD.

Para "entrar em sintonia", Leary pede que regressemos à sociedade com uma nova visão, buscando novos padrões de comportamento que reflitam nossa transformação e transmitam aos outros o que descobrimos. ■

O movimento psicodélico dos anos 1960 foi fortemente influenciado pelo chamado de Leary para explorar o inconsciente, descobrir as verdadeiras emoções e necessidades e, com isso, criar uma sociedade melhor.

Veja também: William James 38–45 ■ Abraham Marlow 138–39

PSICOTERAPIA 149

VER DEMAIS PODE LEVAR À CEGUEIRA
PAUL WATZLAWICK (1921–2007)

CONTEXTO

ABORDAGEM
Terapia breve

ANTES
Anos 1880 Surge a terapia psicodinâmica, também conhecida por terapia de *insight*. Seu foco são os processos inconscientes que se manifestam no comportamento presente da pessoa.

1938 B. F. Skinner introduz o behaviorismo radical, teoria contrária à ideia de que pensamentos, percepções ou qualquer outro tipo de atividade emocional não observável possa provocar padrões de comportamento.

DEPOIS
1958 O psiquiatra americano Leopold Bellak funda uma clínica de terapia breve que limita as sessões de terapia a um máximo de cinco.

1974 O psicoterapeuta americano Jay Haley publica *Uncommon therapy*, no qual descreve as técnicas de terapia breve de Milton Erickson.

A psicoterapia em geral fundamenta-se no conhecimento que o paciente adquire de si mesmo, de sua história e de seu comportamento. A base disso é a convicção de que, para combater o sofrimento emocional e modificar comportamentos, é preciso compreender quais são as raízes dos nossos padrões emocionais. O psicólogo austríaco-americano Paul Watzlawick chama esse processo de *insight*. Por exemplo, um homem que sofre por um período descomunal após ser deixado pela companheira pode dar-se conta de que tem graves dificuldades com a questão porque foi abandonado pela mãe quando era criança. Alguns terapeutas, porém, chegaram à conclusão de que o *insight* pode não ser necessário para minorar o sofrimento emocional; e outros, entre eles Watzlawick, acreditavam que podia piorar ainda mais o estado do paciente.

Watzlawick fez uma célebre afirmação, na qual dizia que não conseguia se lembrar de uma única pessoa que tivesse mudado de comportamento apenas porque passou a se conhecer melhor. A noção de que entender eventos passados ajuda a esclarecer problemas presentes tem como base uma visão "linear" de causa e efeito. Watzlawick era mais propenso à ideia de que o comportamento humano tem uma causalidade circular, segundo a qual as pessoas tendem a repetir incessantemente as mesmas atitudes.

Para Watzlawick, ver demais pode levar à cegueira, tanto em relação ao problema em si quanto à sua solução potencial. Advogava, portanto, a terapia breve, com alvo em problemas específicos, para assim obter resultados mais rápidos. Mas acreditava também que o relacionamento compassivo com o paciente em terapia era fundamental para ser bem-sucedido. ■

Qualquer um pode ser feliz, mas se tornar infeliz é algo que requer aprendizado.
Paul Watzlawick

Veja também: B. F. Skinner 78–85 ■ Elizabeth Loftus 202–07 ■ Milton Erickson 336

A LOUCURA NEM SEMPRE É CAOS, PODE SER TAMBÉM TRANSFORMAÇÃO
R. D. LAING (1927–1989)

CONTEXTO

ABORDAGEM
Antipsiquiatria

ANTES
1908 O psiquiatra suíço Eugen Bleuler cunha o termo "esquizofrenia" para se referir a uma cisão nas funções mentais.

1911 Sigmund Freud propõe que a esquizofrenia é uma questão apenas psicológica, embora não possa ser tratada por psicanálise.

1943 O filósofo francês Jean-Paul Sartre introduz a distinção entre o "verdadeiro eu" e o "falso eu".

1956 O cientista social britânico Gregory Bateson define um dilema emocionalmente estressante, no qual todas as potenciais resoluções levam a consequências negativas como uma "dupla amarra".

DEPOIS
1978 Tomografias revelam diferenças físicas no cérebro dos esquizofrênicos crônicos.

As enfermidades mentais **não são biológicas**; são desenvolvidas devido a **interações sociais dificultosas**.

A psicose é uma válida e compreensível **expressão de angústia**.

A psiquiatria erroneamente **estigmatiza** as enfermidades mentais porque essas **não se ajustam** às normais sociais.

As doenças mentais deveriam ser valorizadas como experiências **catárticas e transformadoras**.

A loucura nem sempre é caos, pode ser também transformação.

No final do século XIX, a noção de que a doença mental era diferente em intensidade — e não em espécie — do sofrimento psicológico passou a ser aceita. Para Sigmund Freud, neurose e normalidade estão na mesma balança e qualquer pessoa pode sucumbir à perturbação mental em circunstâncias calamitosas. Foi dentro desse contexto que R. D. Laing tornou-se um ícone proeminente de uma nova cultura.

Biologia e comportamento

Assim como Freud, Laing desafiou os valores fundamentais da psiquiatria, rejeitando o foco na doença mental como fenômeno biológico e destacando a importância das influências sociais, culturais e familiares que modulam a experiência

PSICOTERAPIA 151

Veja também: Emil Kraepelin 31 ▪ Sigmund Freud 92–99 ▪ David Rosenhan 328–29

individual. Embora jamais tenha negado a triste realidade das doenças mentais, sua visão era conflitante em relação às vigentes bases médicas e à prática de psiquiatria.

O trabalho de Laing questionou a validade do diagnóstico psiquiátrico, baseado no fato de que o processo de diagnóstico aceito para desordens mentais não segue os modelos médicos tradicionais. Médicos fazem exames e testes para diagnosticar doenças mentais, enquanto diagnósticos psiquiátricos são baseados em comportamento. De acordo com Laing, há também um problema elementar ao diagnosticar uma enfermidade mental com base em conduta, mas tratá-la de forma biológica, com remédios. Se um diagnóstico tem como base o comportamento, o tratamento também deveria fazê-lo. O argumento de Laing é que os remédios também prejudicam a capacidade de pensar e, consequentemente, interferem no processo natural de cura.

Abordagem da esquizofrenia

O principal trabalho de Laing centrou-se no entendimento e tratamento da esquizofrenia — um sério distúrbio mental caracterizado por severas perturbações no funcionamento psicológico — e na tentativa de explicar a doença para o leigo. A esquizofrenia, dizia ele, não é algo herdado, mas uma reação compreensível a situações impossíveis de serem vividas. Laing utilizou a teoria da "dupla amarra" do cientista social Gregory Bateson, na qual a pessoa é colocada em situações em que enfrenta expectativas conflitantes e qualquer ato leva a consequências negativas e resulta em grave angústia mental.

Doença como transformação

Laing foi revolucionário ao enxergar o comportamento anormal e a fala confusa dos esquizofrênicos como expressões válidas de angústia. Para ele, episódios psicóticos representam tentativas de comunicar preocupações e deveriam ser vistos como experiências catárticas e transformadoras que podem levar a importantes revelações pessoais. Laing admitiu que são expressões difíceis de compreender, mas explicou que isso acontece apenas porque vêm embaladas na linguagem do simbolismo pessoal, que só tem significado do ponto de vista interno da pessoa. A psicoterapia sem remédios de Laing tentou entender o simbolismo do paciente, prestando atenção no que ele diz, com um espírito atento e empático. A base disso é a crença de que as pessoas são saudáveis em seus estados naturais e as chamadas doenças mentais constituem uma tentativa de regressar a esse estado. ∎

O rei Lear de Shakespeare é um exemplo icônico de um homem levado à loucura por circunstâncias difíceis. Na visão de Laing, a loucura de Lear é uma tentativa de retornar ao seu estado de saúde natural e saudável.

R. D. Laing

Ronald David Laing nasceu em Glasgow, Escócia. Após estudar medicina na Universidade de Glasgow, tornou-se psiquiatra das Forças Armadas Britânicas e interessou-se em trabalhar com pessoas mentalmente perturbadas. Mais tarde, fez treinamento na Clínica Tavistock, em Londres. Em 1965, criou, com um grupo de colegas, a Associação da Filadélfia e deu início a um projeto radical de psiquiatria no centro comunitário Kingsley Hall, em Londres, onde os pacientes e terapeutas moravam juntos.

O comportamento errático de Laing e suas preocupações espirituais posteriores levaram ao declínio de sua reputação. Como foi incapaz de desenvolver uma alternativa viável ao tratamento médico convencional, suas ideias geralmente não são aceitas pelo sistema psiquiátrico. No entanto, suas contribuições para o movimento da antipsiquiatria, sobretudo no campo da terapia familiar, tiveram um impacto duradouro. Laing morreu de ataque cardíaco em 1989.

Principais trabalhos

1960 O "eu" dividido
1961 O "eu" e os outros
1964 Sanity, madness and the family
1967 The politics of experience

NOSSA HISTÓRIA NÃO DETERMINA O NOSSO DESTINO
BORIS CYRULNIK (1937–)

CONTEXTO

ABORDAGEM
Psicologia positiva

ANTES
Anos 1920 Freud diz que os traumas da primeira infância têm impacto negativo no cérebro de uma criança e podem transcender qualquer fator de resiliência genético, social ou psicológico.

1955-95 Um estudo longitudinal que acompanhou crianças traumatizadas até a vida adulta, realizado pela psicóloga Emmy Werner, sugere que um terço da população é propenso à resiliência.

1988 John Bowlby pede que se faça um estudo da resiliência.

DEPOIS
2007 O governo do Reino Unido inicia o seu Programa de Resiliência em escolas.

2012 A Associação Americana de Psicologia monta uma força-tarefa para tratar da resiliência psicológica.

Há pessoas que ficam totalmente arrasadas diante de uma tragédia. Incapazes de reunir forças para lidar com o que aconteceu, caem em profunda depressão ou prostração, por vezes perdendo toda e qualquer esperança e a vontade de seguir em frente. Pode ser que fiquem totalmente obcecadas com tragédia e sofram com pesadelos, *flashbacks* e ataques de ansiedade. Outras pessoas, porém, reagem de modo diferente. Conseguem administrar não só os altos e baixos naturais da vida, mas também as perdas e traumas potencialmente devastadores. Em vez de ficar deprimidas e incapazes de lidar com a situação, essas pessoas conseguem, de alguma forma, elaborar as circunstâncias dolorosas e seguir em frente.

Boris Cyrulnik teve grande interesse nessa diferença entre as reações. Para descobrir por que algumas pessoas são afetadas de maneira tão profunda, enquanto outras aparentemente conseguem reagir, dedicou sua carreira ao estudo da resiliência psicológica. Descobriu que resiliência não é uma característica inerente à pessoa, mas algo construído por meio de um processo natural. De acordo com Cyrulnik, "sozinha, uma criança não tem resiliência... trata-se de uma interação, um relacionamento". Construímos a resiliência estabelecendo

PSICOTERAPIA 153

Veja também: Sigmund Freud 92–99 ▪ John Bowlby 274–77 ▪ Charlotte Bühler 336 ▪ George Kelly 337 ▪ Jerome Kagan 339

Boris Cyrulnik

Boris Cyrulnik nasceu em uma família judia, em Bordeaux, França, logo após a deflagração da Segunda Guerra Mundial. Em 1944, quando o regime de Vichy controlava o sul da França desocupado, em conluio com os nazistas, sua casa foi invadida e seus pais, levados para o campo de concentração em Auschwitz. Eles o haviam deixado, por medida de segurança, com uma família adotiva que, poucos dias depois, o entregou às autoridades em troca de uma pequena recompensa. Cyrulnik conseguiu escapar enquanto esperava ser transferido para um campo de concentração e trabalhou em fazendas até os dez anos de idade, quando foi levado para um orfanato. Cresceu na França, sem conhecer nenhum parente. Autodidata em larga medida, Cyrulnik foi estudar medicina na Universidade de Paris. Ao perceber que queria reavaliar a sua própria vida, começou a estudar psicanálise e, mais tarde, neuropsiquiatria. Dedica sua carreira ao trabalho com crianças traumatizadas.

Principais trabalhos

1992 *O nascimento do sentido*
2004 *O murmúrio dos fantasmas*
2009 *Resilience*

Após desastres como tsunamis, os psicólogos têm testemunhado a formação de comunidades resilientes, caracterizadas pela determinação dos moradores de superar a adversidade.

por ela, e utilizar essa força para ousadamente seguir adiante. Com apoio adequado, as crianças são capazes de se recuperar plenamente de um trauma. Cyrulnik demonstrou que o cérebro humano é maleável e pode se recuperar se lhe derem espaço para isso. O cérebro de uma criança traumatizada apresenta uma diminuição de tamanho dos ventrículos e do córtex, mas se, após o trauma, a criança recebe apoio e amor, imagens de ressonância magnética já mostraram que, dentro de um ano, o cérebro consegue restaurar a normalidade.

Cyrulnik ressaltou a importância de não rotularmos as crianças vítimas de trauma nem as classificar como donas de um futuro sem esperança. O trauma é composto de dois aspectos: o dano e a representação do dano. Muitas vezes a experiência pós-traumática que mais prejudica a criança são as humilhantes interpretações dos adultos acerca do evento. Rótulos, disse Cyrulnik, podem ser mais prejudiciais e condenatórios do que o trauma em si. ∎

relações. Estamos sempre "tecendo" a nós mesmos a partir de pessoas e situações que encontramos, das palavras que trocamos e dos sentimentos que emergem. Podemos pensar que, se uma "trama" se perder, toda a nossa vida será desfeita. Na verdade, "se apenas um único ponto ficar firme, poderemos começar tudo de novo".

Emoções positivas e humor são fatores essenciais na resiliência. As pesquisas de Cyrulnik demonstraram que as pessoas mais aptas a lidar com obstáculos e traumas da vida são aquelas que conseguem encontrar sentido nas dificuldades, vendo-as como as experiências úteis e enriquecedoras e achar inclusive motivos para rir. As pessoas resilientes sempre conseguem achar que as coisas podem melhorar no futuro, ainda que o presente seja doloroso.

Respondendo aos desafios

No passado, pensava-se que as pessoas mais resilientes eram no geral menos emotivas, mas Cyrulnik acredita que a dor não é mais branda para os resilientes; é uma questão de como decidem usá-la. A dor pode prosseguir, até mesmo pela vida toda, mas, para essas pessoas, ela significa um desafio que optam por enfrentar. O desafio é superar o que aconteceu, tirar forças da experiência, em vez de se deixar derrotar

A resiliência é a capacidade da pessoa de crescer diante de problemas terríveis.
Boris Cyrulnik

PSICOLO
COGNIT
O CÉREBRO PERSPICAZ

GIA
VA

INTERROMPER UMA TAREFA AUMENTA BASTANTE AS CHANCES DE NOS LEMBRARMOS DELA
BLUMA ZEIGARNIK (1901–1988)

CONTEXTO

ABORDAGEM
Estudo da memória

ANTES
1885 Hermann Ebbinghaus publica um livro pioneiro: *Memory: a contribution to experimental psychology*.

1890 William James faz uma distinção entre a memória primária (de curto prazo) e a memória secundária (de longo prazo), em *Os princípios da psicologia*.

DEPOIS
1956 "The magical number seven, plus or minus two", de George Armitage Miller, reacende o interesse pelo estudo da memória.

1966 Jerome Bruner ressalta a importância da organização e da categorização no processo de aprendizado.

1972 Endel Tulving diferencia a memória episódica (de eventos específicos) da memória semântica (de informações factuais, sem relação com um evento ou uma situação).

Enquanto pesquisava para o seu doutorado em Berlim, a psicóloga russa Bluma Zeigarnik ouviu seu professor Kurt Lewin relatar uma observação que fizera: os garçons conseguiam recordar melhor os detalhes dos pedidos que ainda não haviam sido pagos do que os que já tinham sido encerrados. Isso levou Zeigarnik a se perguntar se tarefas inacabadas têm um status diferente na memória e são lembradas mais facilmente do que as já concluídas. Planejou, portanto, uma experiência em que os participantes recebiam simples enigmas ou tarefas para resolver. Quando estavam aproximadamente no meio dessas tarefas, eram interrompidos. Mais tarde, quando perguntaram aos participantes até que ponto se lembravam das atividades executadas, ficou evidente que a probabilidade de recordarem detalhes das tarefas interrompidas era duas vezes maior. Zeigarnik concluiu que isso poderia ser ocasionado pelo fato de a tarefa ficar sem finalização, o que levava a um armazenamento diferente e mais eficiente da lembrança.

Tal fenômeno, que ficou conhecido mais tarde como "efeito Zeigarnik", tinha importantes implicações. Os estudantes, sobretudo as crianças, poderiam reter melhor as informações se tivessem intervalos frequentes durante o estudo. Mas pouca atenção foi dada às suas ideias até a memória voltar a ser tema central de estudo, nos anos 1950. Desde então, a teoria de Zeigarnik foi acolhida como um passo fundamental para a compreensão da memória e teve aplicações práticas não apenas em educação, mas também na propaganda e indústria da mídia. ■

Uma demonstração do "efeito Zeigarnik" é o fato de um garçom conseguir lembrar muito mais detalhes de um pedido que ainda não foi pago do que detalhes de um pedido que ele já encerrou.

Veja também: Hermann Ebbinghaus 48–49 ▪ Jerome Bruner 164–65 ▪ George Armitage Miller 168–73 ▪ Endel Tulving 186–91 ▪ Daniel Schacter 208–09

PSICOLOGIA COGNITIVA

QUANDO O BEBÊ OUVE PASSOS, UMA ASSEMBLEIA É ESTIMULADA
DONALD HEBB (1904–1985)

CONTEXTO

ABORDAGEM
Neuropsicologia

ANTES
1890 William James levanta uma teoria sobre as redes neurais no cérebro.

1911 Segundo a Lei do Efeito, de Edward Thorndike, as conexões entre estímulos e respostas são "impressas" e criam uma ligação ou associação neural.

1917 O estudo de Wolfgang Köhler com chimpanzés mostra que o aprendizado por *insight* tem duração mais longa do que o aprendizado por tentativa e erro.

1929 Karl Lashley publica *Brain mechanisms and intelligence*.

DEPOIS
Anos 1970 George Armitage Miller cunha o termo "neurociência cognitiva".

Anos 1980 Neurocientistas descobrem técnicas de imagem que permitem mapear as funções cerebrais.

Na década de 1920, muitos psicólogos buscaram na neurociência respostas para questões sobre a aprendizagem e a memória. Entre eles, destacou-se Karl Lashley, pioneiro na investigação do papel desempenhado pelas conexões neurais; mas foi um aluno seu, o psicólogo canadense Donald Hebb, quem formulou uma teoria para explicar o que realmente acontece durante o processo de aprendizagem associativa.

De acordo com Hebb, quando são ativadas simultânea e repetidamente, as células nervosas associam-se; as sinapses, ou conexões, que as ligam ficam mais fortes. Experiências repetidas levavam à formação de "assembleias neuronais", ou grupos de neurônios conectados, dentro do cérebro — teoria muitas vezes resumida pela frase "células ativadas em conjunto ficam juntas". De maneira análoga, assembleias neuronais distintas também podem se interligar, formando uma "sequência de fase", que reconhecemos como um processo de pensamento.

Esse processo associativo, descobriu Hebb, é especialmente visível no aprendizado infantil, quando novas assembleias neuronais e sequências de fase estão sendo formadas. No livro *The organization of behavior* (1949), de sua autoria, há o exemplo de um bebê que ouve passos, os quais estimulam uma série de neurônios em seu cérebro; se a experiência é repetida, forma-se uma assembleia neuronal. Dessa maneira, "quando o bebê ouve passos, uma assembleia é estimulada; enquanto isso está sendo ativado, ele vê um rosto e sente mãos pegando-o no colo, o que estimula outras assembleias — de modo que a 'assembleia dos passos' conecta-se à 'assembleia do rosto' e à 'assembleia de estar sendo carregado'. Após isso acontecer, quando o bebê ouvir passos, todas as três assembleias serão estimuladas". No caso dos adultos, porém, a aprendizagem geralmente envolve o remanejamento de assembleias neuronais e sequências de fase já existentes, em vez de formar novas estruturas.

A teoria de assembleia celular de Hebb é um marco da neurociência moderna e sua teoria da aprendizagem neuronal, que se tornou conhecida como aprendizagem hebbiana, continua sendo o modelo aceito vigente. ∎

Veja também: Edward Thorndike 62–65 ▪ Karl Lashley 76 ▪ Wolfgang Köhler 160–61 ▪ George Armitage Miller 168–73 ▪ Daniel Schacter 208–09

SABER É UM PROCESSO, E NÃO UM PRODUTO
JEROME BRUNER (1915–)

Aprendemos as coisas por meio de **experiências ativas**.

Instruir alguém não é simplesmente dizer-lhe algo, mas, **sim, incentivá-lo a participar**.

↓

Adquirimos conhecimento por meio do raciocínio, **construindo sentido** a partir da informação.

↓

Essa é uma forma de **processar informação**.

↓

Saber é um processo, e não um produto.

CONTEXTO

ABORDAGEM
Desenvolvimento cognitivo

ANTES
Anos 1920 Lev Vygotsky desenvolve uma teoria afirmando que o desenvolvimento cognitivo é um processo tanto social quanto cultural.

1936 Jean Piaget publica suas teorias sobre o desenvolvimento no livro *O nascimento da inteligência na criança*.

DEPOIS
Anos 1960 O programa de ensino "Man: a course of study [Homem: uma rota de estudo], conhecido por MACOS e baseado nas teorias de Bruner, é adotado em escolas dos Estados Unidos, Reino Unido e Austrália.

1977 Albert Bandura publica *Social learning theory*, que investiga o desenvolvimento com base numa mistura de aspectos comportamentais e cognitivos.

O campo da psicologia do desenvolvimento foi dominado durante a maior parte do século XX por Jean Piaget, que explicava o processo de desenvolvimento e amadurecimento do pensamento da criança em estágios, como resultado de uma curiosidade natural para explorar o ambiente. A teoria de Lev Vygotsky, que foi traduzida para o inglês pouco depois dos trabalhos de Piaget, também afirmava que as crianças descobrem o sentido por meio da experiência, mas ampliava o significado da palavra "experiência" para abarcar também o seu aspecto cultural e social. As crianças, dizia ele, aprendem sobretudo pela interação com outras pessoas.

Nessa altura da década de 1960, a "revolução cognitiva" ganhava força; os processos mentais eram cada vez mais explicados pela analogia do cérebro como um "processador de informação". Jerome Bruner era figura central entre os

PSICOLOGIA COGNITIVA

Veja também: Jean Piaget 262–69 ▪ Lev Vygotsky 270 ▪ Albert Bandura 286–91

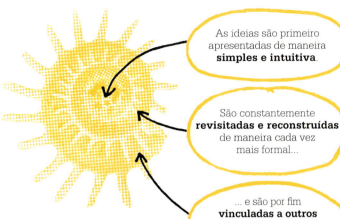

As ideias são primeiro apresentadas de maneira **simples e intuitiva**.

São constantemente **revisitadas e reconstruídas** de maneira cada vez mais formal...

... e são por fim **vinculadas a outros conhecimentos**, visando à obtenção de um amplo domínio sobre o assunto.

Um currículo em espiral seria a melhor opção para as escolas, segundo Bruner. Isso requer revisitações constantes às ideias, acrescentando-se informações de forma gradual até que a criança atinja um nível mais alto de entendimento.

Jerome Bruner

Filho de imigrantes poloneses estabelecidos em Nova York, Jerome Seymour Bruner nasceu cego, mas recuperou a visão aos dois anos de idade, após ser submetido a algumas operações de catarata. O pai morreu de câncer quando Bruner tinha doze anos, e a mãe, sofrendo com a viuvez, mudou-se com a família diversas vezes durante os anos escolares do filho. Bruner estudou psicologia na Universidade Duke, na Carolina do Norte, e depois em Harvard, onde concluiu o doutorado em 1941, ao lado de Gordon Allport e Karl Lashley.

Durante a Segunda Guerra Mundial, serviu no Escritório de Estudos Estratégicos (uma unidade de inteligência) do Exército americano e depois voltou a Harvard, onde trabalhou em colaboração com Leo Postman e George Armitage Miller. Em 1960, fundou em Harvard, juntamente com Miller, o Centro de Estudos Cognitivos e lá permaneceu até seu fechamento, em 1972. Durante os dez anos seguintes, lecionou em Oxford, até retornar aos Estados Unidos. Bruner continuou dando aulas até depois de completar noventa anos.

Principais trabalhos

1960 *O processo da educação*
1966 *Studies in cognitive growth*
1990 *Acts of meaning*

---

que adotavam essa abordagem. Bruner havia estudado anteriormente as maneiras pelas quais nossas necessidades e motivações influenciam a percepção e concluído que vemos o que precisamos ver. Interessado em investigar como a cognição se desenvolve, passou a estudar processos cognitivos em crianças.

A mente como um processador

Bruner deu início a suas investigações aplicando modelos cognitivos às ideias de Piaget e Vygotsky; estudou o desenvolvimento cognitivo, tirando a ênfase da construção do sentido e colocando-a no processamento da informação — os meios pelos quais adquirimos e armazenamos conhecimento. Tal qual Piaget, Bruner acreditava que a aquisição do conhecimento é um processo que se dá pela experiência; mas, assim como Vygostky, considerava esse processo uma atividade social, e não solitária. Para Bruner, a aprendizagem não pode ocorrer sem ajuda: algum tipo de instrução é essencial para o desenvolvimento da criança, mas "instruir... não é conseguir que uma pessoa aloque conhecimentos na mente. Mas, sim, ensiná-la a participar do processo". Para adquirir conhecimento, precisamos participar e raciocinar de maneira ativa, porque é isso que confere sentido ao que foi apreendido. A psicologia cognitiva vê o raciocínio como "o ato de processar informações", portanto, a aquisição de conhecimento deve ser vista como um processo, não como um produto ou um resultado final. Precisamos ser incentivados e orientados durante esse processo e, para Bruner, este é o papel do professor.

Em *O processo da educação* (1960), ele apresentou a ideia de que as crianças deveriam ser ativas no processo de educação. O livro foi paradigmático, alterando a política de educação dos Estados Unidos tanto no âmbito escola–professor quanto em termos governamentais. ∎

O NÚMERO MÁGICO SETE, MAIS OU MENOS DOIS

GEORGE ARMITAGE MILLER (1920–2012)

170 GEORGE ARMITAGE MILLER

CONTEXTO

ABORDAGEM
Estudos da memória

ANTES
1885 Hermann Ebbinghaus publica um livro pioneiro: *Memory: a contribution to experimental psychology*.

1890 William James distingue memória primária (de curto prazo) e memória secundária (de longo prazo), em *Os princípios da psicologia*.

1950 Teste realizado pelo matemático Alan Turing sugere que o computador pode ser considerado uma máquina de pensar.

DEPOIS
1972 Endel Tulving faz uma distinção entre a memória episódica e a memória semântica.

2001 Daniel Schacter apresenta uma lista das diferentes maneiras de cometer erros de memória em *Os sete pecados da memória*.

Antes de ser armazenada pela memória de longo prazo, a informação é processada pela **memória "de trabalho"**.

A memória "de trabalho" tem **capacidade limitada** — cerca de sete (mais ou menos dois) elementos.

Se "pedaços" isolados de informação são **organizados em "blocos"** (padrões com significado), é mais fácil armazená-los.

A memória "de trabalho" pode então armazenar **sete (mais ou menos dois)** desses blocos maiores de informação.

George Armitage Miller reclamou certa vez: "Meu problema é que tenho sido perseguido por um número inteiro. Por sete anos ele me seguiu". Essas são as primeiras palavras do seu hoje célebre artigo "The magical number seven, plus or minus two: some limits on our capacity for processing information". Miller prosseguiu: "Existe... uma espécie de padrão para a sua ocorrência. Ou há algo realmente esquisito com esse número ou estou sofrendo de mania de perseguição". Apesar da natureza excêntrica do título e da introdução do texto, o propósito de Miller era sério, e o artigo iria se tornar um marco na psicologia cognitiva e no estudo da memória "de trabalho" (isto é, a habilidade de recordar e utilizar informações por tempo limitado).

O trabalho de Miller foi publicado na *The Psychological Review*, em 1956, época em que o behaviorismo começava a ser superado pela psicologia cognitiva. Essa nova abordagem — que Miller abraçou de modo incondicional — tinha como foco o estudo de processos mentais, como memória e atenção. Ao mesmo tempo, os avanços em ciência da computação haviam aproximado da realidade a ideia de inteligência artificial. E, enquanto matemáticos, como Alan Turing, comparavam o processamento dos computadores ao cérebro humano, psicólogos cognitivos empenhavam-se no inverso: viam no computador um possível modelo para explicar o funcionamento do cérebro humano. Processos mentais eram descritos em termos de processamento de informação.

O principal interesse de Miller estava no ramo da psicolinguística, devido ao trabalho que havia desenvolvido na Segunda Guerra Mundial sobre percepção da fala, o qual serviu de base para sua tese de

PSICOLOGIA COGNITIVA 171

Veja também: Hermann Ebbinghaus 48–49 ▪ Bluma Zeigarnik 162 ▪ Donald Broadbent 178–85 ▪ Endvel Tulving 186–91 ▪ Gordon H. Bower 194–95 ▪ Daniel Schacter 208–09 ▪ Noam Chomsky 294–97 ▪ Frederic Bartlett 335–36

 A persistência com que este número me persegue indica algo muito maior do que um simples acidente aleatório.
George Armitage Miller

doutorado. Isso o levou a se interessar por comunicação — um campo em ascensão que o apresentou à teoria da informação. Miller sentiu-se especialmente inspirado pelo trabalho de Claude Shannon, um líder na área de comunicações que investigava formas eficazes de transformar mensagens em sinais eletrônicos. O modelo de comunicação elaborado por Shannon, que envolvia a tradução de ideias em códigos constituídos por "bits", ou "pedaços", é a base de toda a comunicação digital. Inspirado nesse conceito, Miller passou a analisar os processos mentais de modo similar, estabelecendo os fundamentos da moderna psicolinguística, em seu livro *Language and communication*, de 1951.

Sete categorias
Miller pegou emprestado o método de medir informações de Shannon e sua ideia de "capacidade de canal" (a quantidade de informação que pode ser processada por um sistema) e aplicou-os ao modelo da memória de curto prazo, vista como um processador de informações. Foi quando começou a ser "perseguido" pela reincidência e pelo possível significado do número sete, "às

vezes um pouco maior, às vezes um pouco menor do que o usual, mas nunca variando a ponto de não ser mais reconhecível".

A primeira ocorrência do número "mágico" ocorreu em experimentos para determinar o limiar de julgamento absoluto — a precisão com que conseguimos distinguir estímulos diferentes. Num dos experimentos citados por Miller em seu artigo, o físico especialista em acústica Irwin Pollack tocava notas musicais de diversas alturas para os participantes e pedia que designassem um número para cada nota. Quando um máximo de cerca de sete notas diferentes era tocado, os participantes não tinham dificuldades em atribuir números a cada uma delas com precisão; mas, quando o número de notas ultrapassava sete (mais ou menos

um ou dois), os resultados pioravam drasticamente.

Em outra experiência, realizada por Kaufman, Lord *et al*, em 1949, os pesquisadores projetavam sobre uma tela, diante dos participantes, quantidades variáveis de pontos coloridos que piscavam. Quando havia menos de sete pontos, os voluntários os contavam com exatidão; quando havia mais de sete, eles só conseguiam estimar o número de pontos. Isso sugeria que o limiar de atenção limitava-se a cerca de seis elementos e fez Miller se perguntar se um mesmo processo básico regeria os dois limiares, o de julgamento absoluto e o de atenção.

Para Miller, notas e pontos são "estímulos unidimensionais" (objetos que se diferenciam uns dos outros em apenas um aspecto); mas o que o »

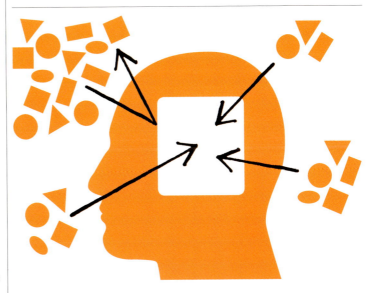

Uma experiência sobre o limiar de atenção apresentava aos participantes padrões aleatórios de pontos que piscavam numa tela por uma fração de segundo. Os participantes reconheciam imediatamente a quantidade de pontos piscando quando o número era menor que sete.

interessava era saber a quantidade de informação de fala e linguagem que podemos efetivamente processar, e palavras são "estímulos multidimensionais". Examinou estudos posteriores de Pollack, em que as notas puras e simples eram substituídas por notas que variavam de seis maneiras diferentes (em timbre, duração, volume, localização, entre outras). Surpreendentemente, apesar do que parecia ser uma quantidade maior de informação, os resultados continuavam a apontar para um limite diferencial de sete notas, mais ou menos duas. Havia uma única diferença: a precisão tinha um ligeiro declínio, conforme as variáveis eram acrescentadas. Segundo Miller, é isso que nos permite "analisar por alto diversas coisas ao mesmo tempo". Pode explicar também por que somos capazes de reconhecer e distinguir coisas complexas como palavras faladas e rostos, sem ter que processar cada som ou traço facial.

Miller encarou a mente humana como um sistema de comunicação: conforme a entrada de informação aumenta, a quantidade transmitida para o cérebro também aumenta a princípio, até se estabilizar no nível de "capacidade de canal" do indivíduo. Miller em seguida levou além essa ideia de capacidade de canal, aplicando-a ao modelo da memória de curto prazo. O conceito de memória de curto prazo foi proposto pela primeira vez por William James e fazia tempo que havia sido aceito como parte da concepção de cérebro como um processador de informações, situando-se num nível intermediário entre as vias sensoriais de informação e a memória de longo prazo. Hermann Ebbinghaus e Wilhelm Wundt haviam apontado inclusive que a memória de curto prazo tinha capacidade de lidar com cerca de sete itens (sete, de novo). Miller acreditava que aquilo que ele chamava de memória de trabalho tinha uma capacidade equivalente à do limiar de julgamento absoluto e à do limiar de atenção.

Pedaços e blocos

No que tange à nossa capacidade de processar informações, enquanto a memória "de trabalho" limita-se a cerca de sete elementos, possivelmente existe um obstáculo que restringe a quantidade de informação a ser armazenada na memória de longo prazo. Miller notou mais coincidências além do número sete, por mais mágico que ele parecesse. Podia-se considerar os estímulos multidimensionais dos experimentos anteriores como compostos por diversos "pedaços" de informações relacionados entre si, mas tratados como um único item. Miller acreditava que, segundo o mesmo princípio, a memória de trabalho

O processo de memorização pode consistir simplesmente na formação de blocos... até que haja um número suficiente de blocos para que possamos recordar todos os itens.
George Armitage Miller

organiza "pedaços" de informação em "blocos", para superar o obstáculo causado por nossos limiares de julgamento absoluto e de memória de curto prazo. Um bloco não é, porém, um simples agrupamento arbitrário, mas a codificação de pedaços em uma unidade dotada de significado; por exemplo, uma série de 21 letras equivale a 21 pedaços de informação, mas se for possível agrupá-los numa sequência de palavras de três letras, obtém-se sete blocos. Formar blocos depende da nossa habilidade de enxergar padrões e relações nos pedaços de informação. Para alguém que não fala o idioma, as sete palavras podem não ter significado,

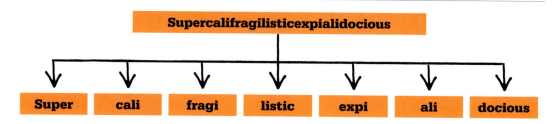

Segundo a teoria de formação de blocos de Miller, ao construir ou quebrar longas sequências de números ou letras e agrupá-los em blocos memorizáveis, aumentamos a quantidade de informação que podemos armazenar na memória "de trabalho".

PSICOLOGIA COGNITIVA

O código binário é uma maneira de registrar informações em parcelas cada vez mais compactadas (por meio da aritmética de multibase). De acordo com Miller, o nosso processo de formação de blocos funciona de maneira semelhante.

George Armitage Miller

George Armitage Miller nasceu em Charleston, Estados Unidos. Após graduar-se na Universidade do Alabama em 1941, com mestrado em patologia da fala, fez o doutorado em Harvard, no Laboratório de Psicoacústica de Stanley Smith Stevens, junto com Jerome Bruner e Gordon Allport. A Segunda Guerra Mundial estava no auge, e o laboratório foi convocado a colaborar com tarefas militares, tais como codificar transmissões de rádio.

Em 1951, Miller trocou Harvard pelo Instituto de Tecnologia de Massachusetts (MIT). Em 1955, voltou para Harvard, onde trabalhou próximo de Noam Chomsky. Em 1960, foi um dos fundadores do Centro de Estudos Cognitivos de Harvard. Foi depois professor de psicologia da Universidade Rockefeller, em Nova York, e da Universidade de Princeton. Em 1991, foi condecorado com a Medalha Nacional de Ciência.

Principais trabalhos

1951 Language and communication
1956 "The magical number seven, plus or minus two"
1960 *Plans and the structure of behavior* (com Eugene Galanter e Karl Pribram)

portanto não formariam sete blocos, mas, sim, 21 pedaços.

A teoria de Miller foi reforçada por experiências anteriores conduzidas por outros psicólogos. Em 1954, Sidney Smith realizou testes de memorização de sequências de dígitos binários — uma série de dígitos 1 e 0 sem sentido para quem não conhece esse sistema. Smith quebrou a série em blocos, primeiro em pares de dígitos, depois em grupos de três, quatro e cinco, e em seguida "recodificou-os", traduzindo os blocos binários em números decimais: 01 tornou-se 1, 10 tornou-se 2, e assim por diante. Ele descobriu que o sistema possibilitava memorizar e reproduzir com exatidão uma série de quarenta dígitos ou mais, desde que o número de blocos se limitasse à capacidade de retenção da memória de trabalho.

Como auxílio para memorizar grandes quantidades de informação, é evidente o benefício de se formar blocos e recodificar; mas esses processos representam bem mais do que meros truques mnemônicos. Miller ressalta que essa forma de recodificação é "uma arma extremamente poderosa para aumentar a quantidade de informação com que conseguimos lidar". Ela amplia de maneira efetiva o afunilamento informacional.

O estudo da memória

Miller distanciou-se do estudo da memória em suas pesquisas posteriores, mas sua teoria possibilitou que outros estudassem o assunto com mais precisão. Donald Broadbent descobriu que o verdadeiro limite da memória de trabalho era provavelmente menor que sete. O dado foi mais tarde confirmado pelos experimentos de Nelson Cowan, que apontaram para um limite de cerca de quatro blocos, variando segundo o comprimento e a complexidade deles e da idade do indivíduo em questão.

Na conclusão de seu artigo, Miller tratou com desdém o número que o levou a produzir o trabalho. Disse ele: "Talvez exista algo profundo e significativo por trás de todos esses setes... mas suspeito que tudo não passe de uma perniciosa e pitagórica coincidência". ■

O tipo de recodificação linguística que as pessoas fazem parece-me ser a força vital dos processos de pensamento.
George Armitage Miller

HÁ MAIS NA SUPERFÍCIE DO QUE NOSSO OLHAR ALCANÇA
AARON BECK (1921–)

CONTEXTO

ABORDAGEM
Terapia cognitiva

ANTES
Anos 1890 Sigmund Freud propõe uma abordagem analítica à psicoterapia.

Anos 1940 e 1950 Fritz Perls, juntamente com Laura Perls e Paul Goodman, elabora a Gestalt–terapia — uma abordagem cognitiva à psicoterapia.

1955 Albert Ellis apresenta a Terapia Racional Emotivo--Comportamental (TREC), quebrando a tradição analítica.

DEPOIS
1975 Martin Seligman define "desamparo aprendido" em *Helplessness: on depression, development, and death*.

Anos 1980 Uma união das ideias de Beck às terapias comportamentais de Joseph Wolpe resulta nas novas terapias cognitivo-comportamentais.

Após a psicologia ter se estabelecido como uma área do conhecimento distinta e independente, por volta do início do século XX, firmaram-se duas escolas principais de pensamento: o behaviorismo, originado dos experimentos de Ivan Pavlov, defendido com entusiasmo nos Estados Unidos e que dominava o campo da psicologia experimental; e a abordagem psicanalítica de Sigmund Freud e seus seguidores, que formava a base da psicologia clínica. As duas escolas tinham pouco em comum. Os behavioristas rejeitavam a abordagem introspectiva filosófica dos primeiros psicólogos e empenhavam-se em colocar o assunto numa perspectiva

PSICOLOGIA COGNITIVA 175

Veja também: Joseph Wolpe 86–87 ▪ Sigmund Freud 92–98 ▪ Fritz Perls 112–17 ▪ Albert Ellis 142–45 ▪ Martin Seligman 200–01 ▪ Paul Salkovskis 212–13

A terapia psicanalítica enfatiza a importância de mergulhar no **inconsciente** do analisado para solucionar os distúrbios correntes.

A terapia cognitiva enfatiza a importância de examinar a **percepção** das pessoas sobre suas experiências.

As provas de sucesso da terapia psicanalítica baseiam-se em **relatos pessoais**, em vez de fatos ou pesquisas.

Há **provas empíricas contundentes** sobre a eficácia da terapia cognitiva.

A chave para um **tratamento eficaz** não é o inconsciente, mas a observação de **como um distúrbio se manifesta** na percepção do paciente.

Há mais na superfície do que nosso olhar alcança.

Aaron Beck

Nascido em Providence, Rhode Island, Aaron Temkin Beck era filho de judeus russos imigrantes. Atlético e extrovertido em criança, tornou-se estudioso e introspectivo após ser acometido por uma grave doença aos oito anos de idade. Passou também a temer tudo que envolvia a medicina e, decidido a superar esse problema, resolveu tornar-se médico, formando-se em Yale, em 1946. Trabalhou então no Rhode Island Hospital, antes de se especializar em psiquiatria, em 1953. Desiludido com a abordagem psicanalítica da psicologia clínica, instigou o desenvolvimento da terapia cognitiva e, mais tarde, fundou o Beck Institute for Cognitive Therapy and Research na Filadélfia, hoje dirigido por sua filha, dra. Judith Beck.

Principais trabalhos

1972 *Depressão: causas e tratamento*
1975 *Cognitive therapy and the emotional disorders*
1980 *Depression: clinical, experimental, and theoretical*
1999 *Prisoners of hate: the cognitive basis of anger, hostility and violence*

mais científica, baseada em evidências. Os psicanalistas interessavam-se justamente por essas introspecções e, em vez de evidências, valiam-se de teorias para defender seus pontos de vista.

A revolução cognitiva
Em meados do século XX, as duas abordagens passavam por exames críticos. O behaviorismo estava sendo substituído no campo experimental pela psicologia cognitiva, mas a esfera clínica não contava com alternativas ao modelo psicanalítico. A psicoterapia havia evoluído para práticas diversas, mas as linhas gerais da psicanálise e a exploração do inconsciente estavam presentes em todas. Alguns psicólogos começavam a questionar a validade desse tipo de terapia, entre eles Aaron Beck.

Quando Beck se especializou em psiquiatria, em 1953, a psicologia experimental tinha como foco o estudo dos processos mentais — era o início da "revolução cognitiva". Contudo, a abordagem prática dos psicólogos cognitivos ainda era quase igual à dos behavioristas. Se havia alguma diferença, era o rigor ainda maior com que os psicólogos cognitivos procuravam estabelecer as evidências para suas teorias. Beck não era exceção. Havia estudado e praticado psicanálise, mas estava cada vez mais cético quanto à eficácia da abordagem como terapia. Não conseguia »

> Cheguei à conclusão de que a psicanálise é uma terapia que se baseia na fé.
> **Aaron Beck**

encontrar estudos confiáveis sobre o índice de sucesso da psicanálise — apenas provas circunstanciais de relatos de casos. Em sua própria experiência, apenas uma minoria dos pacientes apresentava melhora com o processo de análise, e o consenso entre terapeutas era de que alguns pacientes melhoravam, outros pioravam e um terceiro grupo continuava do mesmo jeito, em quantidades quase idênticas.

Especialmente preocupante era a resistência de muitos psicanalistas ao exame objetivo e científico. Comparada à psicologia experimental, ou à medicina, a psicanálise parecia em larga medida baseada na fé, com resultados muito diversos para cada praticante. A reputação profissional era muitas vezes determinada apenas pelo carisma de determinado analista. Beck concluiu que "a mística psicanalítica era irresistível... Um pouco como o movimento evangélico". Muitos psicanalistas entenderam a crítica às suas teorias como ataques pessoais, e Beck logo percebeu que qualquer questionamento sobre a validade da psicanálise seria enfrentado com críticas pessoais. Num dado momento, o Instituto Americano de Psicanálise rejeitou seu pedido de adesão, alegando que seu "desejo de conduzir estudos científicos indicava que fora analisado de maneira inadequada". Os que viam falhas no processo de análise, argumentavam alguns analistas, não tinham sido suficientemente analisados.

Beck considerou suspeita a circularidade presente na lógica desses argumentos, bem como a ligação que estabeleciam com a personalidade do próprio analista. Associando a isso a sua experiência pessoal como praticante de psicanálise, passou a examinar meticulosamente todos os aspectos da terapia, procurando maneiras de melhorá-la. Conduziu uma série de experimentos para avaliar as origens e o tratamento da depressão, um dos motivos mais frequentes de psicoterapia, e descobriu que, ao contrário de confirmar a ideia de que a doença podia ser tratada examinando-se as emoções e pulsões inconscientes, os resultados dos experimentos apontavam para uma interpretação muito diferente.

Alterando percepções

Ao descrever sua depressão, os pacientes de Beck quase sempre externavam ideias negativas sobre si mesmos, o futuro e a sociedade em geral, que lhes ocorriam de maneira involuntária. Esses "pensamentos automáticos", assim designados por Beck, fizeram-no concluir que a maneira pela qual seus pacientes percebiam suas experiências — a cognição que tinham delas — não era um mero sintoma da depressão, mas, sim, o caminho para se chegar a uma terapia eficiente. Essa ideia, que Beck teve na década de 1960, condizia com os desenvolvimentos que ocorriam ao mesmo tempo no campo da psicologia experimental — os quais haviam estabelecido o predomínio da psicologia cognitiva ao estudar processos mentais como a percepção.

Quando aplicou o modelo cognitivo ao tratamento de seus pacientes, Beck descobriu que auxiliá-los a reconhecer e avaliar em que medida suas percepções eram realistas ou distorcidas constituía o primeiro passo para vencer a depressão. Isso desafiava os princípios da psicanálise convencional, que procurava e analisava as pulsões, emoções e repressões que estavam supostamente subjacentes à doença. A "terapia cognitiva" considerava essa prática desnecessária e até contraproducente. A percepção do paciente deveria ser aceita como verdadeira, uma vez que, como ele gostava de observar, "há mais na superfície do que nosso olhar alcança".

Beck queria dizer com isso que as manifestações imediatas da depressão — os "pensamentos automáticos" negativos — forneciam toda a informação necessária à terapia. Se esses pensamentos fossem examinados e confrontados com uma perspectiva objetiva e racional da mesma situação, o paciente conseguiria reconhecer que sua percepção estava distorcida. Por exemplo, um paciente que recebeu uma oferta de promoção no trabalho pode expressar pensamentos negativos sobre isso, tais como "vou achar esse novo trabalho

Um espelho distorcido gera uma visão assustadora do mundo. De maneira similar, a depressão costuma provocar uma perspectiva negativa da vida, levando aqueles que sofrem com ela a se sentir desamparados.

PSICOLOGIA COGNITIVA 177

> Corrigindo crenças equivocadas, podemos minimizar reações exageradas.
> **Aaron Beck**

Algumas pessoas classificariam este copo como **"meio cheio"**.

Para outras, que veem sua situação de modo mais negativo, o copo está **"meio vazio"**.

A maneira como as pessoas avaliam as mesmas situações varia de acordo com seu temperamento. A terapia cognitiva de Beck ajuda os pacientes a questionar suas percepções, conduzindo-os para uma visão mais positiva.

muito difícil e falharei" — uma percepção que produz angústia e infelicidade. Uma maneira mais racional é ver a promoção como uma recompensa ou mesmo um desafio. Não é a situação que está causando a depressão, mas, sim, a percepção que o paciente tem dela. A terapia cognitiva poderia ajudá-lo a reconhecer que sua visão está distorcida e a encontrar uma forma mais realista ou abrangente de pensar sobre os fatos.

Evidências empíricas

A terapia cognitiva de Beck funcionava para uma grande parcela dos pacientes. Mais importante que isso, ele conseguiu demonstrar essa eficácia, aplicando métodos científicos para garantir provas empíricas de suas descobertas. Elaborou sistemas de avaliação para seus pacientes, para monitorar de perto seus progressos. Os resultados mostravam que a terapia cognitiva estava fazendo os pacientes se sentirem melhor e em um período mais curto do que ocorria na psicanálise tradicional. Sua insistência em fornecer evidências para cada defesa que fazia de sua terapia abriu-a ao escrutínio objetivo. Beck estava preocupado acima de tudo em não receber o mesmo *status* de guru de muitos psicanalistas bem-sucedidos e fazia questão de demonstrar que o sucesso era da terapia, e não do terapeuta.

Aaron Beck não foi o único e nem o primeiro psicólogo a se sentir insatisfeito com a psicanálise tradicional, mas a sua utilização do modelo cognitivo foi algo inovador. Em sua reação contra a psicanálise, foi influenciado pelo trabalho de Albert Ellis, que desenvolveu a Terapia Racional Emotivo-Comportamental (TREC) em meados da década de 1950, e não há dúvidas de que conhecia a obra dos behavioristas de outros países, como os sul-africanos Joseph Wolpe e Arnold A. Lazarus. Apesar da abordagem diferente, as terapias dos dois compartilhavam a metodologia rigorosamente científica de Beck e a descrença na importância de causas inconscientes para os distúrbios mentais e emocionais.

Uma vez estabelecido o sucesso da terapia cognitiva, a sua utilização no tratamento da depressão intensificou-se; e Beck concluiu depois que ela também poderia auxiliar a superar outras condições, como distúrbios de personalidade e esquizofrenia. Sempre aberto a novas ideias — desde que sua eficiência pudesse ser demonstrada —, Beck também incorporou à sua prática elementos da terapia comportamental, a exemplo de outros psicoterapeutas da década de 1980. Isso resultou em diversas formas de terapia cognitivo-comportamental que são utilizadas hoje pelos psicólogos.

O trabalho pioneiro de Beck foi um marco importante para a psicoterapia e de influência considerável. Além de trazer abordagem cognitiva para a psicologia clínica, Beck a disponibilizou ao escrutínio científico, expondo as falhas da psicanálise. Nesse processo, concebeu vários métodos para avaliar a natureza e a severidade da depressão que continuam a ser utilizados nos dias atuais. Entre eles, a Escala de Depressão de Beck (BDI, em inglês), a Escala de Desesperança de Beck, a Escala de Ideação Suicida de Beck (BSS, em inglês) e a Escala de Ansiedade de Beck (BAI, em inglês). ■

> Não confie em mim, teste-me.
> **Aaron Beck**

PODEMOS OUVIR APENAS UMA VOZ DE CADA VEZ

DONALD BROADBENT (1926–1993)

não ficaria satisfeito até ter evidências para servir de base à sua teoria; queria também que sua pesquisa tivesse aplicações práticas. A APU dedica-se à psicologia aplicada, o que, para Broadbent, não abrangia somente práticas terapêuticas, mas também aplicações que beneficiassem a sociedade como um todo. Broadbent tinha sempre em mente que sua pesquisa utilizava recursos públicos.

Uma voz de cada vez

Broadbent inspirou-se em seus conhecimentos de controle de tráfego aéreo para elaborar um dos seus experimentos mais importantes. A equipe em terra frequentemente precisava lidar com informações vindas de todos os lados, ao mesmo tempo, enviadas pelos aviões que decolavam e que pousavam; essas informações eram transmitidas aos operadores por rádio e captadas por fones de ouvido. Com base nessas informações, os controladores tinham de tomar decisões rápidas; e Broadbent notou que eles só conseguiam lidar de modo eficiente com uma mensagem por vez. O que o interessava era o processo mental em funcionamento para que pudessem

> Nossa mente é como um rádio que recebe muitas frequências ao mesmo tempo.
> **Donald Broadbent**

selecionar, dentre as diversas fontes de informação, qual a mensagem mais relevante. Deveria haver algum tipo de mecanismo no cérebro que processasse as informações e fizesse a seleção, julgava Broadbent.

O experimento arquitetado por ele, hoje conhecido por teste de escuta dicótica, foi um dos primeiros a contemplar o tema da atenção seletiva — isto é, os processos utilizados pelo cérebro para "filtrar" as informações irrelevantes, separando-as da massa de dados que recebemos permanentemente pelos sentidos.

Seguindo o modelo de controle do tráfego aéreo, Broadbent forneceu aos participantes da experiência informações auditivas (baseadas em som), por fones de ouvidos. O sistema foi concebido para que o cientista pudesse transmitir simultaneamente dois fluxos distintos de informação — um para o ouvido esquerdo, outro para o direito — e em seguida testar a capacidade de retenção de dados dos participantes.

Como Broadbent imaginava, as pessoas eram incapazes de reproduzir todas as informações que recebiam dos dois canais. Sua suspeita de que só conseguimos ouvir uma voz de cada vez havia sido confirmada, mas persistia a questão de como o participante escolhia reter uma parte da informação e desconsiderar a restante.

Lembrando seus estudos de engenharia, Broadbent propôs um modelo mecânico para explicar o que acreditava se passar no cérebro. Segundo ele, quando existem múltiplas fontes de informação, é possível que ocorra um "afunilamento", se o cérebro se vir incapaz de processar todas as informações que chegam; neste ponto, deve haver uma espécie de "filtro" que dá passagem a um canal de informação apenas. A analogia de Broadbent, como sempre, é bastante prática: ele descreve um tubo em forma de "y", para o qual são canalizados dois fluxos de bolas de pingue-pongue. No encontro das duas hastes do tubo, há uma trava que bloqueia ora um fluxo, ora outro; isso permite que as bolas do fluxo não bloqueado sigam para dentro do tubo.

Mas restava ainda outra questão: em qual etapa esse filtro entra em ação? Numa série de experimentos derivados do original sobre escuta dicótica,

Os controladores de tráfego aéreo têm que lidar com uma grande variedade de sinais simultâneos. Ao recriar essa questão em testes de escuta, Broadbent conseguiu identificar os processos da atenção.

Broadbent descobriu que a informação era recebida pelos sentidos e em seguida transportada em sua totalidade para uma espécie de depósito, o qual denominou armazém de memória de curto prazo. Era nesse ponto, acreditava ele, que a filtragem ocorria. A descrição de como e quando a informação é selecionada para o escopo da atenção é conhecida como "Modelo de Filtro de Broadbent", e foi uma abordagem inteiramente nova da psicologia experimental, não apenas por unir teoria e prática, mas também por assumir os mecanismos cerebrais como um meio de processamento de informação.

O problema do coquetel
Broadbent não foi o primeiro a tratar do problema da atenção seletiva. Outro cientista britânico, Colin Cherry, também havia investigado o assunto na década de 1950. Especializado em comunicação, e não em psicologia, Cherry propôs o que chamava de "problema do coquetel": em uma festa onde muitas pessoas estão conversando, como selecionamos a qual das múltiplas conversas dar atenção e a quais ignorar? E como é possível que nossa atenção concentrada na conversa "A" seja distraída pelo que se diz nas conversas "B" ou "C"?

Quando ouvimos duas vozes, selecionamos apenas uma, sem levar em conta se o que está sendo dito é correto, e ignoramos a outra voz.
Donald Broadbent

As nossas memórias de curto prazo são como um **tubo em forma de "y"**.

Informações provenientes de todos os sentidos vão para dentro deste tubo...

... o que cria um **"afunilamento"** onde a informação precisa ser filtrada...

... assim sendo, apenas **uma parte da informação** é processada.

Para responder essas questões, Broadbent começou a investigar a natureza do filtro do seu modelo. Qual é precisamente a informação que ele bloqueia e qual deixa passar? Prosseguindo com outra bateria de testes rigorosos, percebeu que a seleção não se dá em função do conteúdo da informação (o que está sendo dito), mas, sim, das características físicas das mensagens, como clareza e tom de voz. Isso sugere que, embora a informação seja armazenada na memória de curto prazo, ainda que por um breve momento, somente após a filtragem ela é processada para fazer sentido e ser de fato compreendida. Essa descoberta tinha implicações importantes quando aplicadas, por exemplo, no controle de tráfego aéreo, em que decisões podiam ser tomadas com base em informações irrelevantes ou equivocadas, em vez de serem priorizadas de acordo com seus significados e relevância.

Broadbent e Cherry trabalharam juntos em diversas experiências de escuta dicótica para testar o processo de filtragem. Concluíram que ela também era afetada pela expectativa. Em um dos experimentos, pediram aos participantes que ouvissem diferentes conjuntos de números transmitidos simultaneamente para os dois ouvidos. Em alguns casos, informavam aos participantes sobre qual ouvido (ou canal de informação) fariam questões primeiro; em outros casos, não forneciam nenhuma instrução. Os resultados mostraram que, quando sabiam sobre qual fluxo de informações recebido por um dos ouvidos teriam que responder primeiro, as pessoas se concentravam naquele ouvido, e a informação que entrava no outro nem sempre podia ser recuperada da memória com precisão. Em todos » os casos, as informações que as pessoas escolhiam ou eram instruídas a recordar primeiro pareciam ser processadas com mais exatidão do que o material posterior; pensava-se que talvez isso ocorresse porque uma parte da informação desaparecia do armazém da memória de curto prazo antes que o participante tentasse reavê-la. Em 1957, Broadbent escreveu: "Podemos ouvir apenas uma voz de cada vez, e as primeiras palavras que ouvimos são as que recordamos melhor".

Modificando o modelo
Em 1958, Broadbent publicou os resultados de sua pesquisa no livro *Perception and communication*, que definiu um modelo para o estudo da atenção, compreensão e memória. O momento era significativo, pois coincidia com o surgimento, nos Estados Unidos, de opiniões divergentes sobre a importância do behaviorismo; e, aos poucos, o livro começou a ser conhecido como um dos marcos do desenvolvimento da nova psicologia cognitiva. Por causa disso, Broadbent passou a ser reconhecido — por seus colegas, se não pelo público — como o primeiro grande psicólogo produzido pela Grã-Bretanha e foi recompensado no mesmo ano com o cargo de diretor da APU, em substituição a Bartlett.

Mas, sem se acomodar com louros, Broadbent viu no novo cargo uma oportunidade de continuar o seu trabalho sobre a atenção, ampliando o âmbito de sua pesquisa e refinando sua teoria. Partindo do modelo de filtragem, debruçou-se outra vez sobre o problema do coquetel, mais especificamente sobre um fenômeno identificado por Cherry, relativo à natureza da informação selecionada para atenção. Quando entreouvimos uma conversa que inclui informações com algum tipo de significado especial para nós — por exemplo, um nome —, nossa atenção se volta para essa nova conversa e abandona a anterior.

Experimentos de escuta dicótica realizados na APU corroboraram as descobertas de Cherry: a atenção é filtrada pelas características físicas, mas também pelo significado, com base em análises tiradas de armazéns de memórias, experiências passadas e expectativas. O som de uma sirene, por exemplo, desviaria a nossa atenção para esse fluxo de som. Isso leva a crer que a informação é compreendida de alguma forma antes mesmo de ser selecionada pela atenção.

Broadbent percebeu que seu modelo de filtragem precisava ser modificado e ficou satisfeito com isso, mais do que frustrado. Como cientista, era da opinião de que toda teoria científica é

Durante uma festa, as pessoas podem ouvir uma conversa, mas captar (ou mudar de foco) para outra, se esta incluir alguma informação com significado especial para elas.

> A qualidade de uma teoria psicológica, bem como de suas justificativas morais, deve ser definida por sua aplicação a causas práticas concretas.
> **Donald Broadbent**

Broadbent acreditava que a psicologia poderia tornar processos industriais complexos mais eficientes e tinha como missão produzir pesquisas verdadeiramente úteis.

temporária e baseada em evidências disponíveis no momento e, portanto, suscetível a mudanças quando confrontada com novas evidências; é assim que a ciência avança.

O trabalho da APU se concentrava na pesquisa de Broadbent sobre a atenção, e isso permitiu que as aplicações de sua teoria fossem constantemente ampliadas. Broadbent trabalhava de modo incansável para garantir que seu trabalho tivesse utilidade prática; analisava os efeitos que ruídos, calor e estresse tinham sobre a atenção em ambientes de trabalho e estava sempre revisando suas ideias. Durante o processo, ganhou ajuda do governo para suas ideias e o respeito de várias indústrias cujas práticas foram aperfeiçoadas como resultado de seu trabalho. Isso permitiu que Broadbent realizasse novas pesquisas e investigasse questões como as diferenças na atenção individual, os lapsos de atenção e suas causas. Os resultados dessas experiências sempre levavam a um refinamento de suas teorias. Em 1971, Broadbent publicou seu segundo livro, *Decision and stress*, em que descreve uma versão ampliada da sua teoria de filtragem. Tal qual o anterior, esse livro também se tornaria um clássico da psicologia cognitiva.

A abordagem cognitiva

Os livros de Broadbent não chegaram a alcançar o público leigo, mas fizeram sucesso entre cientistas de outras disciplinas. A comparação do funcionamento do cérebro humano ao das máquinas eletrônicas tornava-se cada vez mais relevante conforme aumentava o interesse em computação. O modelo de etapas do processamento humano de informações — aquisição, armazenamento, recuperação e uso — ecoava o trabalho realizado na época com inteligência artificial.

Broadbent foi fundamental para o estabelecimento do Conselho de Iniciativa Conjunta de Ciência Cognitiva e Interação Homem–Computador, que ajudou a moldar os avanços da ciência cognitiva. Seu trabalho também estabeleceu a psicologia aplicada como uma abordagem relevante para a resolução de problemas, com impactos mais abrangentes que os limites de laboratório. Figura crucial para a fundação da psicologia cognitiva, Broadbent construiu, com sua pesquisa sobre a atenção, os alicerces sobre os quais se sustentou uma nova linha de investigação que produz resultados interessantes até hoje. ∎

> Sua psicologia tinha como alvo a sociedade e seus problemas, não apenas os moradores de torres de marfim.
> **Fergus Craik e Alan Baddely**

O TEMPO DÁ UMA VOLTA COMPLETA

ENDEL TULVING (1927–)

ENDEL TULVING

Recordar é viajar no tempo mentalmente.
Endel Tulving

Eventos emocionais, como casamentos, trazem à tona memórias episódicas. São memórias armazenadas de tal maneira que a pessoa que recorda revive os eventos, como se estivesse "viajando no tempo".

As experiências de Tulving demonstraram que a organização de informação semântica, tais como listas de palavras, auxiliavam na eficiência da recordação, e isso também parecia valer para a memória episódica. Mas se as memórias semânticas são organizadas em categorias por temas com o mesmo significado, as memórias episódicas são ordenadas em relação ao período e às circunstâncias específicas em que foram originalmente armazenadas. Por exemplo: se determinada conversa ocorreu durante um jantar de aniversário, a memória do que foi dito seria armazenada associada à memória do evento. Assim como a categoria "cidade" pode fornecer uma dica para recuperar a memória semântica "Pequim", a menção "aniversário de quarenta anos" pode funcionar como dica para a recuperação do que foi dito durante aquele jantar. Quanto maior o elo entre essas memórias autobiográficas e a época e as circunstâncias em que ocorreram, maiores as possibilidades de acesso a elas. As "lembranças fotográficas", armazenadas quando ocorre um evento especialmente impactante — como os ataques terroristas de 11 de setembro —, são um exemplo extremo disso.

Tulving descrevia a recordação de lembranças episódicas como uma "viagem mental no tempo", pois nos faz revisitar o passado para acessar a lembrança. Em seus trabalhos posteriores, ressaltou que a noção subjetiva da passagem do tempo faz da memória episódica algo singular. Específica dos seres humanos, envolve não apenas a consciência do que houve, mas também do que pode haver. Essa habilidade única permite-nos refletir sobre a nossa vida, preocuparmo-nos com eventos futuros e fazer planos. É o que possibilita à humanidade "aproveitar plenamente os benefícios de ter consciência da sua existência continuada no tempo" e nos permitiu transformar

Endel Tulving

Filho de um juiz, Endel Tulving nasceu em Tartu, na Estônia. Foi educado em uma escola particular, para meninos, mas, embora fosse um aluno modelo, estava mais interessado em esportes do que em matérias acadêmicas. Quando a Rússia invadiu seu país, em 1944, Endel e o irmão fugiram para a Alemanha, para concluir os estudos, e só reencontraram os pais após a morte de Stálin, 25 anos mais tarde. Quando a Segunda Guerra Mundial terminou, Tulving trabalhou como tradutor para o Exército americano e cursou a faculdade de medicina por um breve período, antes de mudar-se para o Canadá, em 1949. Aceito como aluno na Universidade de Toronto, formou-se em psicologia em 1953 e concluiu o mestrado em 1954. Transferiu-se depois disso para Harvard, onde recebeu o título de doutor por sua tese sobre a percepção visual. Em 1956, Tulving retornou à Universidade de Toronto, onde leciona até hoje.

Principais trabalhos

1972 *Organization of memory*
1983 *Elements of episodic memory*
1999 *Memory, consciousness and the brain*

o mundo natural em civilizações e culturas diversas. É a característica que permite "ao tempo dar uma volta completa".

Codificando informações

A teoria de Tulving acerca do "princípio de codificação específica" aplicava-se especialmente à memória episódica. As lembranças de eventos passados são codificadas de acordo com o período em que ocorreram, junto com outras memórias da época. Tulving notou que a dica mais eficiente para recuperar uma memória episódica específica é a que também tem relação com outras memórias da época, que estão armazenadas junto com a lembrança a ser reavivada. As dicas de recuperação são necessárias, mas nem sempre suficientes para acessar a memória episódica, porque às vezes a conexão não é próxima o bastante para provocar a lembrança, ainda que a informação esteja de fato armazenada e disponível na memória de longo prazo.

Diferentemente das teorias da memória anteriores, o princípio de codificação de Tulving faz uma distinção entre a memória disponível e a acessível. Quando alguém não

Relacionar o que sabemos sobre o comportamento da memória às suas estruturas neurais subjacentes não é nada óbvio. É ciência de verdade.
Endel Tulving

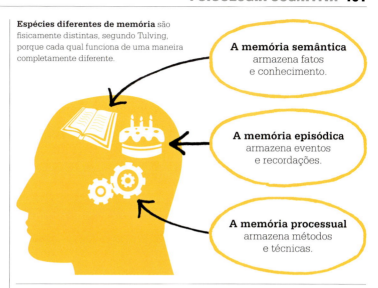

Espécies diferentes de memória são fisicamente distintas, segundo Tulving, porque cada qual funciona de uma maneira completamente diferente.

A memória semântica armazena fatos e conhecimento.

A memória episódica armazena eventos e recordações.

A memória processual armazena métodos e técnicas.

consegue recordar uma informação, isso não significa que ela foi "esquecida", isto é, não se apagou ou simplesmente esapareceu da memória de longo prazo; ela pode estar ainda armazenada e, portanto, acessível — a questão é a sua recuperação.

Examinando a memória

A pesquisa de Tulving sobre o armazenamento e a recuperação de memória abriu caminho para uma linha inteiramente nova de estudo psicológico. A publicação de suas descobertas, na década de 1970, coincidiu com a nova meta de muitos psicólogos cognitivos: encontrar confirmação para suas teorias na neurociência, utilizando técnicas de imagem cerebral que se tornaram disponíveis. Com auxílio dos neurocientistas, Tulving conseguiu mapear as áreas do cérebro que apresentavam atividade durante a codificação e a recuperação de memórias e descobriu que a memória episódica está associada ao lobo temporal medial e, mais especificamente, ao hipocampo.

Devido em parte à sua abordagem não ortodoxa e pouco formal, Tulving conseguiu fazer descobertas inovadoras que serviriam de inspiração a outros psicólogos, entre eles, alguns de seus antigos alunos, como Daniel Schacter. O trabalho de Tulving sobre o armazenamento e a recuperação da memória produziu um novo modo de pensar sobre o tema, mas talvez a sua contribuição mais importante tenha sido a distinção entre memória episódica e semântica. A partir dela, psicólogos posteriores puderam tornar o modelo ainda mais complexo, incluindo novos conceitos, como o de memória processual (lembrar como se faz algo), e a diferença entre memória explícita (da qual temos consciência) e memória implícita (da qual não temos consciência, mas que não obstante nos afeta). São tópicos que continuam a ter grande interesse para os psicólogos cognitivos atuais. ■

A PERCEPÇÃO É UMA ALUCINAÇÃO CONTROLADA EXTERNAMENTE
ROGER N. SHEPARD (1929–)

CONTEXTO

ABORDAGEM
Percepção

ANTES
1637 René Descartes afirma, em seu tratado *Discurso do método*, que, ainda que nossos sentidos possam ser ludibriados, somos seres pensantes, dotados de conhecimentos inatos.

Anos 1920 Teóricos da Gestalt estudam a percepção visual e descobrem que as pessoas tendem a ver os objetos comprimindo as partes que os compõem para formar um todo unificado.

1958 O livro *Perception and communication,* de Donald Broadbent, introduz uma perspectiva verdadeiramente cognitiva sobre a psicologia da percepção.

DEPOIS
1986 O psicólogo experimental americano Michael Kubovy publica *The psychology of perspective and renaissance art.*

O modo como a mente utiliza a informação que coleta no mundo exterior tem sido uma questão crucial para todos os filósofos e psicólogos da história. Como usamos a informação recolhida por nossos sentidos? No início da década de 1970, o psicólogo matemático e cognitivo Roger Shepard propôs novas teorias sobre o processamento de "dados sensoriais" do cérebro.

Para Shepard, o cérebro não apenas processa informações sensoriais, como faz também inferências sobre elas, baseado num modelo internalizado do mundo físico que nos permite visualizar objetos em três dimensões. A experiência que usou para provar isso, na qual os participantes precisavam determinar se duas mesas desenhadas — cada uma a partir de uma perspectiva — eram iguais, demonstrou que somos capazes de fazer o que Shepard chamou de "rotação mental", isto é, alterar a posição de uma das mesas em nossa imaginação, para poder comparar.

Shepard usou várias ilusões óticas (e auditivas) para mostrar que o cérebro interpreta dados sensoriais

A ilusão de ótica confunde o observador, demonstrando que não somente vemos, mas tentamos também encaixar dados sensoriais ao que já entendemos na imaginação.

usando tanto o conhecimento do mundo exterior quanto a visualização mental. A percepção, definiu Shepard, é uma "alucinação controlada externamente", e ele descreveu os processos de sonhar e alucinar como "percepção simulada internamente".

Sua pesquisa introduziu técnicas revolucionárias para identificar a estrutura oculta de processos e representações mentais. Seu trabalho sobre percepção visual e auditiva, imaginário mental e representação influenciou uma legião de psicólogos. ■

Veja também: René Descartes 20–21 ■ Wolfgang Köhler 160–61 ■ Jerome Bruner 164–65 ■ Donald Broadbent 178–85 ■ Max Wertheimer 335

PSICOLOGIA COGNITIVA 193

ESTAMOS SEMPRE À ESPERA DE CONEXÕES CAUSAIS
DANIEL KAHNEMAN (1934–)

CONTEXTO

ABORDAGEM
Teoria da perspectiva

ANTES
1738 O matemático holandês-suíço Daniel Bernoulli concebe a hipótese relativa à utilidade esperada para explicar as preferências relevantes em decisões que envolvem situações de risco.

1917 Wolfgang Köhler publica *The mentality of apes*, um estudo sobre a habilidade dos chimpanzés em resolver problemas.

Anos 1940 Os estudos sobre comportamento animal de Edward Tolman abrem um novo campo de pesquisa em motivação e tomada de decisão.

DEPOIS
1980 O economista americano Richard Thaler publica o primeiro artigo sobre economia comportamental: "Towards a positive theory of consumer choice".

Até recentemente, a nossa percepção de risco e a maneira como tomamos decisões eram consideradas mais da alçada da estatística e da probabilidade do que da psicologia. A psicologia cognitiva, porém, com sua ênfase em processos mentais, aproximou as noções de percepção e julgamento do campo da resolução de problemas, obtendo com isso resultados surpreendentes. No livro *Judgment under uncertainty: heuristics and biases* (1974),

Após ver a roleta parar diversas vezes em números vermelhos, a maioria das pessoas erroneamente acredita que o próximo deverá ser um número preto.
Daniel Kahneman e Amos Tversky

o israelense-americano Daniel Kahneman reviu, em parceria com Amos Tversky, diversas teorias sobre como tomamos decisões em momentos de incerteza. Eles concluíram que a difundida tese de que as pessoas se decidem com base em estatísticas e probabilidade não era verdadeira na prática. As pessoas fundamentam suas decisões em "regras gerais", exemplos específicos ou pequenas amostras. Por consequência, os julgamentos podem ser muitas vezes equivocados, pois se baseiam em informações que ocorrem à mente com facilidade, e não de acordo com probabilidades reais.

Kanehman e Tversky perceberam que esse método de resolver problemas com base em experiência tinha um padrão: tendemos a superestimar a probabilidade de coisas que tem pouca chance de acontecer (como um acidente de avião) e a subestimar a probabilidade do que tem muita chance de ocorrer (como bater o carro quando se dirige alcoolizado).

Esses achados fomentaram a teoria da perspectiva de Kanehman e Tversky, divulgada em 1979, e levaram à criação de um campo de estudo associado à psicologia: a economia comportamental. ■

Veja também: Edward Tolman 72–73 ▪ Wolfgang Köhler 160–61

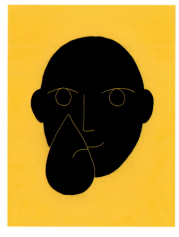

EMOÇÕES SÃO UM TREM DESGOVERNADO
PAUL EKMAN (1934–)

CONTEXTO

ABORDAGEM
Psicologia das emoções

ANTES
Anos 1960 O estudo realizado pela antropóloga americana Margaret Mead, com comunidades tribais isoladas, sugere que as expressões faciais são específicas de cada cultura.

Anos 1960 O psicólogo americano Silvan Tomkins (mentor de Ekman) propõe sua Teoria dos Afetos, distintas das pulsões básicas freudianas de sexo, medo e vontade de viver.

Anos 1970 Gordon H. Bower investiga e define as ligações entre estados emocionais e memória.

DEPOIS
Anos 2000 As descobertas do estudo de Ekman sobre as expressões faciais e seus disfarces são incorporadas aos procedimentos de segurança dos sistemas públicos de transportes.

As emoções — e, mais especificamente, os distúrbios emocionais — desempenharam desde o início um grande papel na psicoterapia, mas eram vistas mais como sintomas a serem tratados do que algo a ser examinado por si só. Um dos primeiros psicólogos a concluir que as emoções mereciam tanta atenção quanto os processos de raciocínio, as pulsões e o comportamento foi Paul Ekman, que se interessou pelo tema graças a seus estudos sobre comportamento não verbal e expressões faciais. Quando Ekman iniciou sua pesquisa, na década de 1970, pensava-se que aprender a expressar fisicamente as emoções baseava-se em um conjunto de convenções sociais que diferiam conforme a cultura. Ekman viajou o mundo todo, fotografando primeiro pessoas em "países desenvolvidos", como Japão e Brasil, e depois pessoas em locais remotos e sem conexão com o resto do mundo, sem acesso a rádio ou televisão, como as florestas de Papua-Nova Guiné. Descobriu que os habitantes das tribos eram tão capazes de interpretar expressões faciais quanto aqueles do mundo globalizado,

As emoções podem começar, e com frequência o fazem, **antes que a mente tenha consciência delas**.

As emoções podem **suplantar** algumas das nossas pulsões mais **poderosas** (o nojo pode ser maior que a fome).

Portanto, é muito **difícil controlar** o que nos provoca emoção.

As emoções são poderosas e difíceis de controlar, como um trem desgovernado.

PSICOLOGIA COGNITIVA 197

Veja também: William James 38–45 ▪ Sigmund Freud 92–99 ▪ Gordon H. Bower 194–95 ▪ Nico Frijda 324–25 ▪ Charlotte Bühler 336 ▪ René Diatkine 338 ▪ Stanley Schachter 338

As seis emoções básicas

Raiva

Repulsa

Medo

Alegria

Tristeza

Surpresa

depreendendo, de tal constatação, que expressões faciais são produtos universais da evolução humana.

Emoções básicas

Ekman definiu seis emoções básicas — raiva, repulsa, medo, alegria, tristeza e surpresa — e, devido à ubiquidade de todas, concluiu que deviam ser importantes para a nossa constituição psicológica. Ele notou que as expressões faciais relacionadas a essas emoções são involuntárias — reagimos automaticamente a coisas que provocam essas respostas emocionais — e que as reações muitas vezes ocorrem antes que a nossa consciência tenha tempo de registrar a causa da emoção.

Ekman deduziu que o rosto não apenas revela o estado emocional interno, mas que as emoções responsáveis por essas expressões involuntárias são mais poderosas do que os psicólogos pensavam anteriormente.

Em *A linguagem das emoções*, Ekman afirmou que as emoções podem ser mais fortes do que as pulsões freudianas de sexo, fome e até a vontade de viver. Por exemplo, a vergonha ou o medo podem sobrepujar a libido, prejudicando uma vida sexual saudável. Uma tristeza extrema pode superar a vontade de viver. A força de "trem desgovernado" das emoções convenceu Ekman de que compreender melhor a questão poderia ajudar a superar alguns distúrbios mentais. Podemos ser incapazes de controlar nossas emoções, mas somos capazes de modificar aquilo que as despertam e o comportamento que provocam.

Paralelamente a seu trabalho sobre emoções, Ekman foi um pioneiro ao investigar os disfarces e métodos para tentar ocultar os sentimentos. Ele identificou pequenos sinais reveladores, os quais denominou "microexpressões", detectáveis quando alguém está consciente ou inconscientemente ocultando algo. Esse conhecimento provou-se útil para elaborar medidas de segurança contra o terrorismo. ▪

Paul Ekman

Paul Ekman nasceu e passou sua primeira infância em Newark, Nova Jérsei. Com o início da Segunda Guerra Mundial, mudou-se com a família para o estado de Washington, na costa oeste e, em seguida, para Oregon e, por fim, para o sul da Califórnia. Com apenas quinze anos de idade, ingressou na Universidade de Chicago, onde entrou em contato com as teorias freudianas e a psicoterapia, dando continuidade aos seus estudos ao fazer um doutorado em psicologia clínica, na Universidade de Adelphi, em Nova York. Após um breve período servindo no Exército americano, transferiu-se para a Universidade da Califórnia em San Francisco (UCSF), onde iniciou sua pesquisa sobre comportamentos não verbais e expressões faciais. Esse trabalho o levou a realizar estudos sobre o disfarce de emoções em expressões faciais, o que, por sua vez, o fez aprofundar-se no então inexplorado território da psicologia das emoções. Ekman tornou-se professor de psicologia da UCSF em 1972, onde lecionou até se aposentar, em 2004.

Principais trabalhos

1985 *Como detectar mentiras*
2003 *A linguagem das emoções*
2008 *Consciência emocional*

EXTASIAR-SE É ENTRAR EM UMA REALIDADE ALTERNATIVA
MIHÁLY CSÍKSZENTMIHÁLYI (1934–)

CONTEXTO

ABORDAGEM
Psicologia positiva

ANTES
1943 Em *A theory of human motivation*, Abraham Maslow constrói as bases da psicologia humanista.

1951 Carl Rogers publica *A pessoa como centro*, em que descreve uma abordagem humanista da psicoterapia.

Anos 1960 Aaron Beck apresenta a terapia cognitiva como uma alternativa à psicanálise.

Anos 1990 Martin Seligman troca o "desamparo aprendido" e a depressão pela "psicologia positiva".

DEPOIS
1997 Csíkszentmihályi trabalha no projeto GoodWork [Bom Trabalho] com William Damon e Howard Gardner, que resulta na publicação de *Trabalho qualificado: quando a excelência e a ética se encontram* e de *Gestão qualificada: a conexão entre felicidade e negócio*, em 2002.

Durante a "revolução cognitiva", os psicólogos clínicos começaram a se distanciar cada vez mais da ideia de ver os pacientes apenas em função de seus distúrbios e aproximaram-se de uma perspectiva mais holística e humanista. Psicólogos como Erich Fromm, Abraham Maslow e Carl Rogers começaram a refletir sobre o que constituía uma vida feliz e plena, em vez de se limitar a aliviar as dores da depressão e da angústia. Desse cenário surgiu um movimento chamado "psicologia positiva", cujo enfoque é encontrar meios de conquistar essa vida plena e feliz.

O conceito de "fluxo", criado por Mihály Csíkszentmihályi na década

---

Quando estamos concentrados em uma **tarefa que apreciamos** e que desafia as nossas habilidades...

⬇

... ficamos absortos na tarefa e atingimos **um estado de "fluxo"** no qual...

⬇

| ... ficamos totalmente **focados**. | ... temos uma sensação de **serenidade**. | ... temos a sensação de que o **tempo não existe**. | ... temos uma sensação de **clareza** interior. |

⬇

Acima de tudo, **perdemos a consciência de nós mesmos** e do mundo ao nosso redor.

⬇

Esse fluxo é semelhante a um **estado de êxtase**.

PSICOLOGIA COGNITIVA

Veja também: Erich Fromm 124–29 ▪ Carl Rogers 130–37 ▪ Abraham Maslow 138–39 ▪ Aaron Beck 174–77 ▪ Martin Seligman 200–01 ▪ Jon Kabat-Zinn 210

Um bom jazzista entra praticamente em transe quando está tocando. Tomado pela sensação extática de "fluxo", é totalmente absorvido pela música e pela performance.

de 1970 e explicado em seu livro *A descoberta do fluxo*, de 1990, foi o ponto básico dessa nova psicologia. A ideia surgiu a partir de entrevistas, feitas por Csíkszentmihályi, com pessoas que pareciam aproveitar muito a vida, fosse em seus empregos ou em suas atividades de lazer — não apenas profissionais criativos, como artistas e músicos, mas de todo tipo, inclusive cirurgiões e empresários, e pessoas que tinham prazer com esportes e jogos. Csíkszentmihályi notou que todas descreviam uma sensação semelhante, quando estavam totalmente imersas em uma tarefa de que gostavam e podiam desempenhar bem. Todas relatavam alcançar um estado mental em que não tinham consciência de si e durante o qual as coisas simplesmente vinham até elas — um sentimento de "fluxo". Tudo começa, explicou Csíkszentmihályi, "restringindo-se a atenção em um objetivo claramente definido. Sentimo-nos envolvidos, concentrados, absortos. Sabemos o que deve ser feito e obtemos um *feedback* imediato do nosso bom desempenho". Um músico sabe no ato se as notas que está tocando estão soando como deveriam; um tenista sabe que a bola que rebateu chegará aonde deseja.

Estado de êxtase

As pessoas que experimentam o fluxo descrevem também sentimentos de atemporalidade, clareza e serenidade, o que levou Csíkszentmihályi a compará-lo a um estado de êxtase (em seu sentido mais verdadeiro, do grego *ekstasis*, "estar fora de si mesmo"). Parte fundamental do júbilo proveniente do fluxo é a sensação de estar fora da realidade cotidiana, completamente alheio aos deveres e preocupações da vida comum. O fluxo, dizia Csíkszentmihályi, é crucial para otimizar a fruição de qualquer atividade e, por consequência, para ter uma vida plena.

Mas como alcançar o fluxo? Csíkszentmihályi analisou casos de pessoas que atingiam esse estado "extático" regularmente e concluiu que o fluxo sempre acontecia quando o desafio proposto por determinada atividade era compatível com as aptidões do indivíduo; a tarefa não só era exequível, mas também ampliava sua capacidade e demandava concentração absoluta. Só um equilíbrio razoável entre habilidade e dificuldade levava ao estado de fluxo. Se as habilidades do indivíduo não estavam à altura da tarefa, surgia a angústia; se a tarefa era muito fácil de ser realizada, tédio e apatia entravam em cena.

O conceito de fluxo de autoria de Csíkszentmihályi foi adotado com entusiasmo por outros defensores da psicologia positiva e tornou-se parte integral dessa nova abordagem otimista. Csíkszentmihályi, por sua vez, abordou o fluxo como um elemento essencial a todos os tipos de atividade, julgando-o especialmente importante para tornar a vida profissional mais gratificante e significativa. ∎

Mihály Csíkszentmihályi

Mihály Csíkszentmihályi nasceu em Fiume, Itália (atual Rijeka, na Croácia), para onde seu pai, um diplomata húngaro, fora enviado. A família exilou-se em Roma quando a Hungria foi tomada pelos comunistas, em 1948.

Na adolescência, Csíkszentmihályi assistiu a uma palestra ministrada por Carl Jung, na Suíça, o que o levou a estudar psicologia. Obteve uma bolsa de estudos e foi para a Universidade de Chicago, nos Estados Unidos; formou-se em 1959 e concluiu o doutorado em 1965. Quando ainda era estudante, casou-se com a escritora Isabella Selenga e tornou-se cidadão americano em 1968. Csíkszentmihályi permaneceu de 1969 a 2000 na Universidade de Chicago, lecionando e aprimorando suas ideias sobre o "fluxo". Em 2000, tornou-se professor de psicologia e gestão da Universidade de Graduação de Claremont, na Califórnia.

Principais trabalhos

1975 *Beyond boredom and anxiety*
1990 *A descoberta do fluxo*
1994 *The evolving self*
1996 *Creativity*

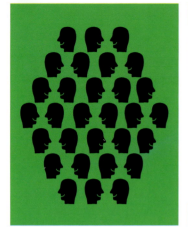

PESSOAS FELIZES SÃO MUITO SOCIÁVEIS

MARTIN SELIGMAN (1942–)

CONTEXTO

ABORDAGEM
Psicologia positiva

ANTES
Anos 1950 Carl Rogers cria o conceito e a prática da terapia centrada no cliente.

1954 Abraham Maslow usa o termo "psicologia positiva" pela primeira vez, em seu livro *Motivation and personality*.

Anos 1960 Aaron Beck expõe as falhas da terapia psicanalítica tradicional e propõe uma terapia cognitiva.

DEPOIS
1990 Mihály Csíkszentmihályi publica *A descoberta do fluxo*, com base em suas pesquisas sobre a ligação entre a alegria e as atividades instigantes e significativas.

1994 *Wherever you go, there you are*, de Jon Kabat-Zinn, introduz a ideia da "meditação de atenção plena", utilizada no combate ao estresse, à angústia, à dor e à doença.

Há três tipos de vida feliz.

A vida plena: buscar o crescimento pessoal e atingir o "fluxo".

A vida significativa: colocar-se a serviço de uma tarefa mais importante do que si próprio.

A vida agradável: socializar-se e buscar prazer.

Elas **proporcionam uma felicidade duradoura**, mas tal felicidade não pode ser conquistada na ausência de relações sociais.

Relações sociais não são garantia de felicidade, mas esta parece impossível de existir sem elas.

Se a psicologia experimental do pós-guerra havia ficado totalmente envolvida com os processos cognitivos do cérebro, a psicologia clínica continuava a investigar maneiras de tratar distúrbios como depressão e angústia. As novas terapias cognitivas continuavam mais preocupadas em aliviar condições desfavoráveis do que em criar e promover situações mais felizes. Martin Seligman, cuja teoria de "desamparo aprendido" (isto é, o desenvolvimento crescente de atitudes pessimistas que ocorre em doenças como a depressão) produzira na década de 1980

PSICOLOGIA COGNITIVA 201

Veja também: Erich Fromm 124–29 ▪ Carl Rogers 130–37 ▪ Abraham Maslow 138–39 ▪ Aaron Beck 174–77 ▪ Mihály Csíkszentmihályi 198–99 ▪ Jon Kabat-Zinn 210

Tal qual comida e regulação térmica, bons relacionamentos sociais são importantes para o estado de espírito dos seres humanos.
Martin Seligman

Martin Seligman

Nascido em Albany, Nova York, Martin Seligman formou-se primeiro em filosofia na Universidade de Princeton em 1964. Voltou-se em seguida para a psicologia, concluindo o doutorado na Universidade da Pensilvânia, em 1967. Lecionou na Universidade de Cornell, em Nova York, por três anos, até retornar à Pensilvânia, em 1970, onde é professor de psicologia desde 1976.

Sua pesquisa sobre depressão, realizada na década de 1970, deu origem à teoria do "desamparo aprendido" e a um método de defesa contra o pessimismo intenso a ela associado. Mas, após um acidente envolvendo sua filha, que trouxe à tona o seu próprio pessimismo inato, Seligman convenceu-se de que o enfoque nas forças positivas, e não nas fraquezas negativas, era fundamental para a felicidade. Visto como um dos fundadores da psicologia positiva, Seligman instigou a criação do Centro de Psicologia Positiva da Universidade da Pensilvânia.

Principais trabalhos

1975 *Desamparo*
1991 *Aprenda a ser otimista*
2002 *Felicidade autêntica*

---

tratamentos mais bem-sucedidos, acreditava que a psicologia oferecia algo importante, mas que poderia oferecer mais. Sua opinião era que a terapia deveria "interessar-se tanto pela força quanto pela fraqueza; preocupar-se tanto com a construção de coisas boas na vida quanto em reparar as ruínas". Por ter estudado filosofia, comparou a sua "psicologia positiva" ao conceito aristotélico de busca da *eudaemonia* — "a vida feliz". Assim como seus antecessores filósofos, Seligman achava que o mais importante não era aliviar ou suprimir o que nos traz infelicidade, mas, sim, estimular o que nos traz felicidade — e, primeiro, precisava descobrir que coisas eram essas.

Vidas "felizes"

Seligman percebeu que os indivíduos mais felizes e realizados costumavam relacionar-se com outras pessoas e gostar de companhia. Pareciam praticar o que ele denominava uma "vida agradável", um dos três tipos diferentes de vida "feliz" que identificou, sendo os outros dois "a vida plena" e a "vida significativa". A vida agradável, isto é, buscar o máximo de prazer possível, parecia trazer felicidade, embora de pouca duração. De maneira menos óbvia, a vida plena, isto é, ser bem-sucedido em relações sociais, trabalho e lazer, produzia uma felicidade mais profunda e duradoura. Da mesma forma, a vida significativa — dedicar-se aos outros ou a algo maior que o próprio indivíduo — acarretava em grande satisfação e sensação de dever cumprido.

Seligman notou também que tanto o estilo de vida plena quanto o de vida significativa envolviam atividades consideradas por seu colega Mihály Csíkszentmihályi como geradoras do "fluxo", um profundo envolvimento mental. Na vida agradável, era evidente a ausência do "fluxo", mas Seligman observou que todas as "pessoas muito felizes" estudadas eram também muito sociáveis e tinham um relacionamento. Concluiu então que "as relações sociais não são garantia de felicidade, mas parece que a felicidade não ocorre sem elas". Uma vida plena e significativa pode trazer a *eudaemonia*, mas ter também uma vida agradável intensificará o grau de felicidade alcançada. ■

Pode ser que participar de eventos sociais e desfrutar da companhia de outros não ofereça uma satisfação intelectual ou emocional muito profunda, mas Seligman notou que são atividades essenciais à felicidade.

ALGO EM QUE ACREDITAMOS PIAMENTE NÃO É NECESSARIAMENTE VERDADE

ELIZABETH LOFTUS (1944–)

CONTEXTO

ABORDAGEM
Estudos da memória

ANTES
1896 Sigmund Freud apresenta o conceito de afeto recalcado.

1932 Frederic Bartlett afirma, em *Remembering*, que a memória está sujeita a elaboração, omissão e distorção.

1947 Gordon Allport e Leo Postman realizam experiências que demonstram diversos tipos de falhas involuntárias de relato.

DEPOIS
1988 O livro de autoajuda para vítimas de abuso sexual *The courage of healing*, de Ellen Bass e Laura Davis, contribui para a popularização da terapia de recuperação de memória, na década de 1990.

2001 Em *Os sete pecados da memória*, Daniel Schacter descreve sete tipos de falha da memória.

No final do século XIX, Sigmund Freud afirmou que a mente sabe se defender de pensamentos e impulsos inaceitáveis ou dolorosos, valendo-se de um mecanismo inconsciente que ele chamou de "recalque", para mantê-los ocultos da consciência. Freud depois transformaria seu raciocínio em uma teoria mais abrangente de desejos e emoções recalcados. Contudo, a ideia de que a memória de um evento traumático poderia ser reprimida e armazenada fora do alcance da memória consciente foi aceita por muitos psicólogos.

No século XX, o surgimento de vários tipos de psicoterapia focados na noção de repressão e na possibilidade de recuperar lembranças reprimidas associou-as de tal modo à psicanálise que até Hollywood explorou a relação em seus filmes. A memória de maneira geral foi tema popular também entre psicólogos experimentais, sobretudo após o declínio do behaviorismo, no final da Segunda Guerra Mundial, e o aparecimento da "revolução cognitiva", com propostas de novos modelos para explicar como o cérebro processava a informação na memória. Quando Elizabeth iniciou seus estudos, a memória de longo prazo era uma área de pesquisa de grande interesse; e a memória reprimida e recuperada estava prestes a se tornar o assunto do momento, uma vez que diversos casos de abuso infantil bastante divulgados chegaram aos tribunais nos anos 1980.

> A memória humana não funciona como um gravador ou uma filmadora.
> **Elizabeth Loftus**

Memória sugestionável

Durante seu processo de pesquisa, Loftus chegou a ficar cética quanto à possibilidade de recuperar lembranças reprimidas. Estudos anteriores realizados por Frederic Bartlett, Gordon Allport e Leo Postman já haviam demonstrado que, até no funcionamento normal do cérebro humano, a habilidade de recuperar informações da memória pode

Elizabeth Loftus

Nascida Elizabeth Fishman, em Los Angeles, Estados Unidos, em 1944, Loftus fez sua primeira graduação na Universidade da Califórnia, com a intenção de tornar-se professora de matemática do ensino médio. Começou, porém, a frequentar aulas de psicologia quando ainda estudava na UCLA e, em 1970, concluiu o doutorado em psicologia na Universidade de Stanford. Foi lá que começou a se interessar pela questão da memória de longo prazo, e conheceu e casou-se com um colega de sala, Geoffrey Loftus, do qual mais tarde se divorciaria. Lecionou na Universidade de Washington, em Seattle, por 29 anos, tornando-se professora de psicologia e professora adjunta de direito. Foi nomeada professora honorária da Universidade da Califórnia, em 2002, e a mulher mais bem colocada numa listagem, baseada em dados científicos, dos psicólogos mais importantes do século XX.

Principais trabalhos

1979 *Eyewitness testimony*
1991 *Witness for the defence*
1994 *The myth of repressed memory* (com Katherine Ketchman)

PSICOLOGIA COGNITIVA 205

Veja também: Sigmund Freud 92–99 ▪ Bluma Zeigarnik 162 ▪ George Armitage Miller 168–73 ▪ Endel Tulving 186–91 ▪ Gordon H. Bower 194–95 ▪ Daniel Schacter 208–09 ▪ Frederic Bartlett 335–36

não inspirar confiança. Loftus supôs que isso também deveria valer para eventos tão traumáticos que têm suas lembranças reprimidas — talvez ainda com mais intensidade, dado seu teor emocional.

Loftus começou a pesquisar a falibilidade das lembranças no começo da década de 1970, por meio de uma série de experimentos simples, concebidos para testar a veracidade do relato de testemunhas oculares. Os participantes assistiam a cenas gravadas de acidentes de carro e depois respondiam perguntas sobre o que tinham visto. Loftus descobriu que a formulação das questões tinha uma influência significativa sobre a forma como as pessoas relatavam os eventos. Por exemplo, quando se pedia que estimassem a velocidade dos carros em questão, as respostas variavam muito, de acordo com as palavras escolhidas pelo autor da questão para descrever a colisão — "bater", "colidir" ou "se chocar". Os participantes também precisavam responder se o acidente tinha resultado em algum vidro quebrado, e, mais uma vez, as respostas relacionavam-se à maneira de formular a pergunta sobre a velocidade. Em versões posteriores do experimento, as pessoas recebiam informações verbais falsas sobre alguns detalhes do acidente (como a existência de placas de trânsito no local da batida), e essas informações surgiam como lembranças em muitos relatos dos participantes.

Implicações legais

Ficou evidente para Loftus que as lembranças podem ser distorcidas por sugestões ou questões sugestivas posteriores ao evento. A informação »

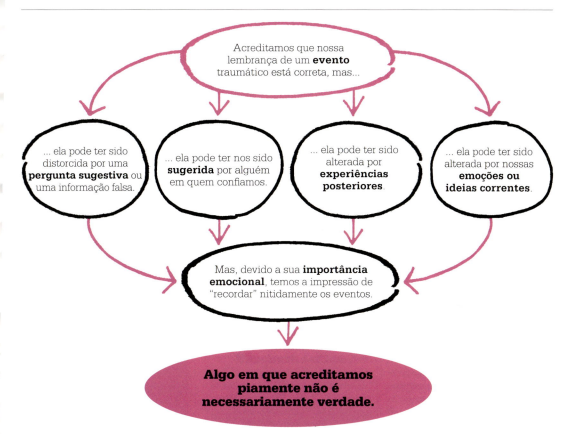

OS SETE PECADOS DA MEMÓRIA
DANIEL SCHACTER (1952–)

CONTEXTO

ABORDAGEM
Estudos da memória

ANTES
1885 Hermann Ebbinghaus descreve a "curva de esquecimento", em *Memory*.

1932 Frederic Bartlett elenca sete maneiras de cometermos equívocos ao relembrar uma história, em seu livro *Remembering*.

1956 George Armitage Miller publica seu artigo "The magical number seven, plus or minus two".

1972 Endel Tulving diferencia a memória semântica da memória episódica.

DEPOIS
1995 Elizabeth Loftus estuda a memória retroativa em *The formation of false memories*.

2005 A psicóloga americana Susan Clancy estuda supostas lembranças de abdução alienígena.

Segundo Daniel Schacter, o esquecimento é uma função essencial da memória humana, porque faz com que ela funcione com mais eficiência. Parte das nossas experiências e das informações que nos chegam talvez precise ser lembrada, mas há muita coisa irrelevante que ocuparia preciosos "espaços de armazenamento" da memória e que, portanto, é "deletada" — para fazer uma analogia com a linguagem dos computadores, tão cara à psicologia cognitiva. Algumas vezes, porém, o processo de seleção falha. O que deveria ser marcado como informação útil e armazenado para uso futuro é removido da memória e esquecido; ou, então, ocorre o contrário, informações inúteis ou indesejadas que deveriam ser removidas se alojam na memória.

O armazenamento não é a única função da memória suscetível a falhas. O processo de recuperação pode gerar confusão de dados, produzindo recordações distorcidas. Schacter listou sete falhas da memória: transitoriedade, distração, bloqueio, atribuição equivocada, sugestionabilidade, distorção e persistência. Em alusão aos sete pecados capitais e ao "número mágico sete", de George Armitage Miller, Schacter denomina essas falhas como os "sete pecados da memória". Os três primeiros são, nas palavras de Schacter, "pecados de omissão", ou de esquecimento; e os quatro últimos, "pecados de comissão", ou de lembrança. Cada pecado conduz a um tipo de erro na recuperação de dados.

O primeiro pecado, a transitoriedade, relaciona-se com a deterioração da memória ao longo do tempo, sobretudo da episódica (que envolve eventos). Ocorre por dois fatores: recordamos melhor eventos recentes do que fatos do passado distante; e, cada vez que rememoramos determinado evento (recuperamos a lembrança que temos dele), ele é reprocessado no cérebro e ligeiramente alterado.

A distração, pecado que se manifesta em esquecer compromissos ou perder as

Não queremos uma memória que armazene todos os detalhes de todas as nossas experiências. Ficaríamos sobrecarregados de entulho e fatos inúteis.
Daniel Schacter

PSICOLOGIA COGNITIVA

Veja também: Hermann Ebbinghaus 48–49 ▪ Bluma Zeigarnik 162 ▪ George Armitage Miller 168–73 ▪ Endel Tulving 186–91 ▪ Gordon H. Bower 194–95 ▪ Elizabeth Loftus 202–07 ▪ Frederic Bartlett 335–36

chaves de casa, não é exatamente um erro de memória, mas de seleção para o armazenamento. Às vezes não prestamos atenção suficiente no momento em que fazemos algo (como guardar as chaves), levando o cérebro a considerar a informação trivial e, portanto, não armazená-la para uso futuro. O oposto disso é o pecado do bloqueio, que ocorre quando uma memória armazenada não pode ser recuperada, em geral porque outra memória está bloqueando o processo. Um bom exemplo disso é quando uma palavra parece estar "na ponta da língua", isto é, quando quase conseguimos lembrar uma palavra que conhecemos bem, mas não conseguimos.

Pecados de comissão

Os "pecados de comissão" são um pouco mais complexos, mas não menos comuns. Quando ocorre uma atribuição equivocada, a informação é lembrada corretamente, mas o equívoco está na fonte da informação. O efeito é bem semelhante ao da sugestionabilidade, em que as lembranças são influenciadas pelo modo como são rememoradas: por exemplo, quando se responde uma pergunta sugestiva. O pecado da distorção também altera a lembrança; ocorre quando as opiniões e os sentimentos do indivíduo no momento em que rememora o evento influenciam a sua lembrança. Há, por fim, o pecado da persistência, cujo exemplo é a memória que funciona bem demais. Ocorre quando uma informação inquietante ou incômoda guardada na memória — que pode envolver desde pequenos constrangimentos a lembranças muito angustiantes — vem à tona de maneira intrusiva e persistente. Schacter insistiu que, apesar de tudo, os pecados não são falhas. É o preço que pagamos por um sistema complexo que funciona excepcionalmente bem durante a maior parte do tempo. ■

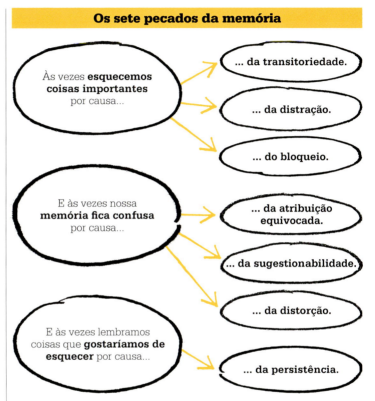

Daniel Schacter

Daniel Schacter nasceu em Nova York, em 1952. Um curso que fez no ensino médio acendeu seu interesse pela psicologia, tema que continuou estudando na Universidade da Carolina do Norte. Após se formar, trabalhou durante dois anos no laboratório de percepção e memória do Hospital Durham para veteranos de guerra, observando e testando pacientes com distúrbios orgânicos na memória. Em seguida, iniciou seus estudos de pós-graduação na Universidade de Toronto, no Canadá, sob a supervisão de Endel Tulving, cujo trabalho sobre as diferenças entre memória episódica e semântica foi alvo de um grande debate à época. Em 1981, Schacter fundou, junto com Tulving e Morris Moscovitch, uma unidade de distúrbios da memória, em Toronto. Dez anos mais tarde, assumiu o cargo de professor de psicologia em Harvard, onde montou o Schacter Memory Laboratory.

Principais trabalhos

1982 *Stranger behind the engram*
1996 *Searching for memory*
2001 *Os sete pecados da memória*

NÃO SOMOS APENAS OS NOSSOS PENSAMENTOS
JON KABAT-ZINN (1944–)

CONTEXTO

ABORDAGEM
Meditação de atenção plena

ANTES
c.500 a.C. Siddhartha Gautama (o Buda) define a atenção plena como o sétimo passo entre os oito que compõem o Nobre Caminho Óctuplo para acabar com o sofrimento.

Anos 1960 O monge budista vietnamita Thich Nhat Hanh populariza a meditação de atenção plena nos Estados Unidos.

DEPOIS
Anos 1990 Zindel Segal, Mark Williams e John D. Teasdale desenvolvem a terapia cognitiva baseada em atenção plena para o tratamento de depressão, inspirados na abordagem de Kabat-Zinn.

1993 A terapia comportamental dialética faz uso da atenção plena dissociada da meditação para casos de distúrbios que impedem o indivíduo de alcançar o estado mental necessário.

Após a Segunda Guerra Mundial, aumentou de forma crescente o interesse por filosofias orientais em toda a Europa e nos Estados Unidos, com a subsequente inclusão de ideias, como meditação, no contexto da cultura dominante. Os benefícios medicinais da meditação atraíram a atenção do psicólogo e biólogo americano Jon Kabat-Zinn, autor de uma abordagem pioneira conhecida como Redução de Estresse, baseada na Atenção Plena (MBSR, em inglês), que incorporava meditação à prática da terapia cognitiva.

Praticando a atenção plena
A atenção plena é uma ideia central no trabalho de Kabat-Zinn. Nesse tipo de meditação, o objetivo é observar os pensamentos e os processos mentais (bem como os físicos ou corporais) de maneira distante, descentralizada e sem julgamentos; "ficar dentro do próprio corpo e ver o que ocorre na mente, aprendendo a não rejeitar nem correr atrás das coisas, mas apenas deixá-las existir e seguir seu caminho".

Na meditação de atenção plena, aprendemos a observar com calma os processos de pensamento, sem nos identificarmos com eles, e a perceber que a mente tem vida própria. A ideia de fracasso, por exemplo, é vista na mente apenas como um acontecimento, e não como algo que leva à conclusão "eu sou um fracassado". Com prática podemos aprender a ver a mente e o corpo como uma totalidade: um "todo". Segundo Kabat-Zinn, somos mais que apenas um corpo e os pensamentos que perpassam nossa mente. ■

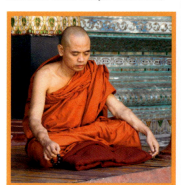

A meditação budista estimula a prática da atenção plena há mais de 2 mil anos, mas seus benefícios à saúde física e mental só foram clinicamente testados e comprovados no início da década de 1990.

Veja também: Joseph Wolpe 86–87 ■ Fritz Perls 112–17 ■ Erich Fromm 124–29 ■ Aaron Beck 174–77 ■ Neal Miller 337 ■ John D. Teasdale 339

PSICOLOGIA COGNITIVA 211

TEMEMOS QUE A BIOLOGIA MENOSPREZE O QUE TEMOS DE MAIS SAGRADO
STEVEN PINKER (1954–)

CONTEXTO

ABORDAGEM
Psicologia evolutiva

ANTES
1859 O biólogo Charles Darwin diz que emoção, percepção e cognição são adaptações evolucionárias.

Anos 1960 Noam Chomsky afirma que nossa capacidade de linguagem é uma habilidade inata.

1969 John Bowlby defende que a ligação entre recém-nascidos e suas mães é geneticamente programada.

1976 Em *O gene egoísta*, o biólogo inglês Richard Dawkins afirma que as tendências comportamentais evoluem pela interação com os outros ao longo do tempo.

DEPOIS
2000 Em *A mente seletiva*, o psicólogo evolutivo americano Geoffrey Miller afirma que a inteligência humana é determinada pela seleção sexual.

A discussão sobre quais aspectos do nosso comportamento são inatos (congênitos) e quais podem ser atribuídos à ação do ambiente ocorre há milhares de anos. Alguns psicólogos cognitivos afirmaram que não apenas herdamos certas características psicológicas, mas que elas estão, também sujeitas à mesma seleção natural que nossas características físicas. Eles nos recordam que a mente é produto do cérebro e que o cérebro é determinado pela genética.

Este novo campo da psicologia evolutiva encontrou forte oposição, mas um de seus maiores defensores é o psicólogo canadense Steven Pinker, que identificou quatro temores subjacentes à relutância em aceitar a psicologia evolutiva, a despeito de suas evidências empíricas. O primeiro deles relaciona-se à desigualdade: se a mente é uma "tábula rasa" quando nascemos, significa que nascemos todos iguais. Mas se herdamos traços mentais, algumas pessoas têm uma vantagem natural. O segundo temor é que se certas imperfeições são inatas, elas não podem ser modificadas, e reformas sociais visando ajudar os desfavorecidos são totalmente inúteis.

O terceiro medo diz respeito ao fato de podermos abdicar da responsabilidade por nossas más condutas, justificando-as com base na constituição genética, se o comportamento for determinado pelos genes. O último temor, segundo Pinker, é o principal. Se aceitarmos que somos moldados pela psicologia evolucionária, nossos "sentimentos mais nobres" — percepções, motivações e emoções — serão reduzidos a meros processos da nossa evolução genética, e a biologia "menosprezará o que temos de mais sagrado". ■

A Tábula Rasa... prometia tornar o racismo, o sexismo e o preconceito de classe factualmente impossíveis.
Steven Pinker

Veja também: Francis Galton 28–29 ■ Konrad Lorenz 77 ■ John Bowlby 274–77 ■ Noam Chomsky 294–97

RITUAIS DE COMPORTAMENTO COMPULSIVO SÃO TENTATIVAS DE CONTROLAR PENSAMENTOS INOPORTUNOS
PAUL SALKOVSKIS (anos 1950–)

CONTEXTO

ABORDAGEM
Terapia cognitivo-comportamental

ANTES
Anos 1950 Joseph Wolpe aplica noções behavioristas à psicologia clínica, usando técnicas como dessensibilização sistemática.

1952 O teórico do comportamento e da personalidade Hans J. Eysenck causa polêmica ao afirmar que a psicoterapia não tem efeitos benéficos.

1955 Albert Ellis oferece uma alternativa à psicoterapia tradicional, com sua Terapia Racional Emotivo-Comportamental (TREC).

Anos 1960 Aaron Beck questiona a eficiência da terapia psicanalítica e desenvolve a terapia cognitiva.

DEPOIS
Anos 2000 A terapia cognitivo-comportamental passa a ser padrão de tratamento para angústia, ataques de pânico e outros distúrbios.

A segunda metade do século XX foi marcada por uma profunda mudança na psicologia clínica. A psicanálise era considerada nada científica por muitos psicólogos e, na década de 1960, foi substituída no tratamento de alguns distúrbios pelas terapias comportamentais ou pela nova linha cognitiva de Aaron Beck. As combinações dessas abordagens, reunidas sob o termo genérico "terapia cognitivo-comportamental" (TCC), evoluíram ao longo da década de 1980, capitaneadas por Paul Salkovskis, na Grã-Bretanha. A TCC, segundo ele, era especialmente bem-sucedida no tratamento de transtorno obsessivo-compulsivo (TOC); no ponto em que a psicanálise falhara por não conseguir encontrar a raiz do distúrbio em traumas passados ou reprimidos, Salkovskis explicou o problema à luz da psicologia cognitiva e ofereceu um tratamento cognitivo e comportamental.

Pensamentos obsessivos

Salkovskis aventou que o transtorno obsessivo-compulsivo relaciona-se aos pensamentos indesejados e inoportunos que nos ocorrem de vez em quando — a ideia de que algo horrível acontecerá, ou que iremos sofrer ou causar algum dano terrível. Na maioria das vezes, podemos afastar esses pensamentos da mente e dar continuidade à rotina, mas às vezes eles são mais resistentes. Em situações extremas, os pensamentos tornam-se obsessivos e trazem consigo um sentimento de temor e responsabilidade. Pessoas com predisposição a pensamentos obsessivos têm dificuldade em avaliá-los de modo racional e superestimam não apenas os riscos de dano, mas também o controle necessário para reprimi-los. Pensamentos obsessivos relacionados a contrair ou contaminar alguém com uma doença mortal, por exemplo, podem resultar em limpar ou

Atividades compulsivas, como lavar as mãos repetidamente, podem ser uma tentativa de controlar pensamentos intrusivos. Lady Macbeth, de Shakespeare, é motivada pela culpa a lavar as mãos compulsivamente.

Veja também: Joseph Wolpe 86–87 ▪ Fritz Perls 112–17 ▪ Albert Ellis 142–45 ▪ Aaron Beck 174–77

Todos nós temos pensamentos **intrusivos indesejados**.

↓

Mas algumas pessoas têm dificuldade para se livrar deles, e os pensamentos tornam-se **excessivamente importantes e obsessivos**.

↓

Elas superestimam o tamanho da **ameaça** representada por esses pensamentos.

Sentem-se **responsáveis** por quaisquer danos relacionados a esses pensamentos intrusivos.

↓

Elas então se sentem obrigadas a agir para barrar as ameaças e controlar esses pensamentos.

↓

Os rituais do comportamento compulsivo são uma tentativa de controlar pensamentos intrusivos.

---

lavar as mãos compulsivamente. Há também um sentimento de responsabilidade em relação ao ato, mesmo que este seja desproporcional ao risco. Os resultantes atos compulsivos podem tornar-se padrões ritualísticos de comportamento, praticados repetidas vezes como uma tentativa de obter controle sob uma suposta ameaça.

A terapia cognitivo-comportamental usa uma combinação de técnicas cognitivas e comportamentais para combater as causas e sintomas do TOC, com ótimos resultados. Primeiramente, a terapia cognitiva ajuda o paciente a reconhecer a natureza obsessiva dos pensamentos em questão e a fazer uma avaliação mais racional do risco e, o mais importante, da sua responsabilidade na prevenção da ameaça. A abordagem cognitiva ajuda a reduzir a angústia do paciente. Ao mesmo tempo, técnicas de terapia comportamental, como dessensibilização (exposição gradual à suposta ameaça), ajudam o paciente a controlar seu comportamento compulsivo. Salkovskis utiliza técnicas da terapia cognitivo-comportamental para tratar com sucesso problemas relacionados a angústia, ataques de pânico e fobias. ■

Paul Salkovskis

Formado pelo Instituto de Psiquiatria de Londres, em 1979, Paul Salkovskis assumiu um cargo na Universidade de Oxford, em 1985, com o intuito de estudar distúrbios do pânico. Seu interesse na aplicação da teoria cognitiva para tratar distúrbios de angústia resultou em uma indicação ao posto de associado sênior e, mais tarde, ao cargo de professor de psicologia cognitiva.

Em Oxford, concentrou seu trabalho no tratamento de casos de transtorno obsessivo-compulsivo por meio da terapia cognitivo-comportamental. Em 2000, tornou-se professor de psicologia clínica e ciências aplicadas do Instituto de Psiquiatria e diretor clínico do Centro de Tratamento de Traumas e Distúrbios de Ansiedade. Desde 2010, Salkovskis vem desenvolvendo seu trabalho na Universidade de Bath, onde está montando um centro de tratamento e pesquisa especializado em terapia cognitivo-comportamental.

Principais trabalhos

1998 *Panic disorder*
1999 *Understanding and treating obsessive-compulsive disorder*
2000 *Causing harm and allowing harm* (com A. Wroe)

PSICOLOGIA SOCIAL
ESTAR NO MUNDO COM OS OUTROS

GIA

SÓ COMPREENDEMOS UM SISTEMA QUANDO TENTAMOS TRANSFORMÁ-LO
KURT LEWIN (1890–1947)

CONTEXTO

ABORDAGEM
Teoria do campo

ANTES
Início dos anos 1900
Sigmund Freud e outros psicólogos defendem que o comportamento humano é resultado de experiências passadas.

Anos 1910 Wolfgang Köhler e outros psicólogos da Gestalt acham que as pessoas devem ser compreendidas de maneira holística, levando-se em conta todos os seus elementos e a interação com o ambiente que as cerca.

DEPOIS
1958 Em *The dynamics of planned changes*, Ronald Lippitt, Jeanne Watson e Bruce Westley elaboram uma teoria da transformação em sete passos, centrada no papel do agente transformador, e não na evolução da mudança em si.

Os behavioristas acreditavam que o comportamento era ditado apenas pelo ambiente, mas, na década de 1920, Kurt Lewin defendeu que o comportamento era resultado tanto do indivíduo quanto do ambiente. Suas ideias revolucionárias desenvolveram-se e evoluíram para o estudo de dinâmicas de grupo, hoje de valor inestimável para as organizações.

A partir de sua investigação sobre o comportamento humano, Lewin criou a teoria do campo, que explora as forças e os fatores que influenciam qualquer situação. O "campo" referido é o meio psicológico no qual o indivíduo ou grupo coletivo estão inseridos em um momento específico; e Lewin notou que duas forças opostas estão presentes em qualquer campo: as forças de atração, que impulsionam as pessoas em direção aos seus objetivos, e as de repulsão, que inibem seu movimento nessa direção.

O modelo de mudança de Lewin

A teoria do campo fundamentava o modelo de mudança proposto por Lewin, o qual oferecia um guia valioso para uma transformação bem-sucedida, tanto para indivíduos quanto para organizações. O modelo mostra que, para que o processo de mudança seja bem-sucedido, a pessoa ou o líder da organização deve levar em conta as diversas influências em jogo, tanto as que estão na mente dos indivíduos quanto as presentes no ambiente em questão.

Ao explicar o modelo de mudança, Lewin salientou que se deve considerar a totalidade da situação, incluindo todos os detalhes pessoais e ambientais relevantes, pois focar em fatos isolados pode resultar em uma visão distorcida das circunstâncias. Para mudar uma situação, não basta apenas ter dela um entendimento completo e holístico; mas,

Quando entende que o seu destino depende do destino do grupo inteiro, o sujeito sente vontade de assumir uma parte da responsabilidade pelo bem-estar geral.
Kurt Lewin

Para uma mudança de comportamento acontecer, deve-se levar em consideração todos os detalhes, tanto **do indivíduo quanto do ambiente**.

Conforme a mudança ocorre, **as qualidades e os valores** centrais de um sistema vão se revelando.

Portanto, o **próprio processo de mudança** fornece informações importantes sobre o sistema.

Só compreendemos um sistema quando tentamos transformá-lo.

PSICOLOGIA SOCIAL 221

Veja também: Sigmund Freud 92–99 ▪ Wolfgang Köhler 160–61 ▪ Leon Festinger 166–67 ▪ Max Wertheimer 335 ▪ Elton Mayo 335

As mudanças organizacionais bem-sucedidas são motivadas por um diagnóstico singular das pessoas e das forças envolvidas na situação e pelo entendimento da interação que existe entre todos os fatores.

como esse entendimento se aprofunda ao longo do processo de mudança, decorre que "só compreendemos um sistema quando tentamos transformá-lo".

O modelo de Lewin descreve um processo de três etapas para a conquista de uma transformação pessoal ou organizacional.

O primeiro passo — denominado "descongelamento" — envolve a preparação, em que se reconhece a necessidade de mudança e abre-se mão das velhas crenças e atitudes. A mudança ocorre na segunda etapa, geralmente acompanhada de confusão e agonia motivadas pelo desmantelamento da antiga mentalidade ou sistema. O terceiro e último estágio, o "congelamento", ocorre quando a nova mentalidade se cristaliza e há uma sensação de conforto e estabilidade ocasionada por essa nova condição. O processo é difícil, porque envolve um doloroso desaprender e uma difícil reconstrução de pensamentos, sentimentos, atitudes e percepções.

Descongelando nossas crenças

A etapa de descongelamento talvez seja a mais complexa de todas, pois as pessoas resistem naturalmente a alterações em sua mentalidade e rotina já estabelecidas. É uma etapa que requer preparação cuidadosa: muitas tentativas de mudanças organizacionais fracassam apenas porque os funcionários não passam por preparação adequada, tornando-os ainda mais resistentes a mudanças e aumentando as chances de não se adaptarem ao novo sistema. A preparação pode incluir, por exemplo, a criação de uma visão empolgante da mudança para deixar os funcionários animados, comunicando-a de forma efetiva, desenvolvendo uma sensação de urgência e necessidade de transformação e permitindo que os funcionários participem ativamente do processo.

Na esfera individual, essa etapa pode deixar as pessoas na defensiva, relutantes em abandonar a zona de conforto e a passar pelo desafio de aprender novas habilidades ou aceitar todo um novo conjunto de crenças. Essa resistência natural pode ser superada ajudando-se o indivíduo a perceber que a mudança é necessária, válida e que trará bons resultados, e fornecendo-lhe segurança psicológica.

Lewin demonstrou o efeito positivo de criar um ambiente de segurança psicológica durante a etapa de descongelamento (e permitir participação ativa no processo de mudança) em seus esforços para convencer as donas de casa americanas a servir órgãos de animais nas refeições familiares, durante a Segunda Guerra Mundial. Os miúdos, historicamente, só estavam presentes na mesa de famílias de baixa renda, mas o governo americano não queria que alimentos nutritivos fossem descartados durante aquela fase de escassez de comida, sobretudo rins, fígado e coração, que têm muita proteína. O Departamento de Agricultura dos Estados Unidos convocou Lewin para ajudar a convencer as donas de casa a incluir essas carnes nas refeições familiares. Durante entrevistas com essas mulheres, Lewin percebeu que »

Nós precisamos uns dos outros. Esse tipo de interdependência é o maior desafio imposto à maturidade do indivíduo e do funcionamento do grupo.
Kurt Lewin

> A aprendizagem é mais efetiva quando é um processo ativo, não passivo.
> **Kurt Lewin**

havia forças tanto atrativas quanto repulsivas em jogo. As forças de atração, isto é, o incentivo a uma mudança de visão das donas de casa, eram o alto valor nutricional das carnes. As forças de repulsão, isto é, as barreiras para a mudança, estavam centradas na opinião das mulheres de que aquela comida era inapropriada para elas e suas famílias e de que o gosto não seria bom.

Lewin iniciou um estudo com dois grupos de donas de casa, para investigar a melhor maneira de motivar a mudança. O primeiro grupo ouviu repetidas vezes que a ingestão de miúdos seria benéfica para elas, enquanto o outro grupo participou de uma pequena discussão sobre como a escassez de comida poderia ser contornada se mulheres como elas fossem convencidas a participar de um programa de incentivo ao uso de carnes menos nobres, como fígado, rins e coração. Um terço das mulheres que participaram da discussão em grupo depois serviu miúdos a seus familiares, e Lewin concluiu que aumentar o nível de envolvimento das pessoas colabora para aumentar a probabilidade de mudar suas atitudes e seu comportamento. Fazer discursos para o primeiro grupo provou ser uma atitude ineficiente, mas a discussão em grupo criou um ambiente em que as mulheres se sentiram psicologicamente seguras para expressar suas ideias e preocupações. Explorando tanto as convicções das mulheres quanto o dado real da escassez de alimento, Lewin conseguiu estimulá-las a mudar de opinião sobre quais carnes eram boas para comer e levá-las a ter uma nova convicção: que é aceitável comprar miúdos e preparar refeições com eles.

Fazendo a mudança
Na segunda etapa proposta por Lewin — o processo de mudança em si — as pessoas têm de enfrentar a intimidante e desconcertante tarefa de implementar um novo sistema. Precisam abrir mão das rotinas e práticas conhecidas e adquirir novas habilidades (o que já é suficiente para gerar incerteza e medo de fracassar). Numa organização, o novo sistema é definido pela liderança e costuma envolver decisões relativas a tecnologia, estrutura, procedimentos e cultura. Nesse estágio, é importante oferecer bastante apoio aos funcionários e assegurar que todos os obstáculos serão eliminados.

Quanto às transformações de âmbito pessoal, não se pode dar às pessoas um sistema de crenças, portanto é preciso que elas o descubram e o aceitem por conta própria. Quando se prova que uma velha convicção é equivocada ou ineficaz, tendemos naturalmente a substituir o antigo conjunto de valores

por um novo e, com isso, a preencher o incômodo vazio deixado pelo processo de descongelamento. Fazemos isso de diversas maneiras: confiando em nossas sensações instintivas, analisando modelos de conduta e observando de forma mais ampla o vasto leque de informações disponíveis. Esperamos com isso descobrir alguma nova informação capaz de resolver o problema. Quando fazemos essa descoberta, aceitamos e firmamos uma nova mentalidade.

No caso das donas de casa americanas durante a Segunda Guerra Mundial, Lewin forneceu-lhes a nova informação quando as instruiu sobre o sabor e valor nutricional dos miúdos (substituindo com isso a velha convicção de que era uma carne inferior) e as convenceu que, tendo em vista a realidade da escassez alimentar nos períodos de guerra, não era nenhuma vergonha servir miúdos nas refeições familiares (substituindo com isso a convicção pré-guerra dessas mulheres, de que seriam vistas como pertencentes a uma classe inferior, se comessem miúdos).

O estágio de congelamento
Após ser implementada em uma organização, a mudança precisa começar a fazer parte da cultura da empresa (ou "congelada") para ter sucesso a longo prazo. Os novos processos de pensamento, as práticas e os comportamentos adotados durante a transição devem se tornar rotina. Para consolidar as mudanças, a gerência pode contribuir divulgando os benefícios trazidos para a empresa e cultivando sentimentos positivos nos funcionários em relação ao que mudou, o que pode ser feito distribuindo-se recompensas

Aprender a usar novas tecnologias e deixar as velhas de lado pode ser mais fácil se intensificarmos as forças de impulsão — por exemplo, a possibilidade de se conectar com amigos e familiares no mundo todo, sem gastar tempo nem dinheiro.

PSICOLOGIA SOCIAL

Durante a Segunda Guerra Mundial, as donas de casa americanas foram estimuladas a mudar muitas convicções, do tipo de comida e roupa que consideravam aceitáveis à capacidade de executarem "trabalhos de homem".

por práticas de novas habilidades e processos. Na década de 1990, por exemplo, a companhia aérea Continental declarou falência. Para manter o negócio funcionando, a gerência promoveu grandes mudanças: alterou a estratégia da empresa, substituindo o enfoque na redução de custos para a oferta de um serviço de qualidade, compatível com as demandas de consumidores exigentes. Decidiu recompensar os funcionários que adotassem as novas políticas e práticas (para assegurar a implementação de novas prioridades), oferecendo-lhes um bônus de 65 dólares caso o Departamento de Transportes dos Estados Unidos avaliasse a Continental como uma das cinco melhores companhias áreas do país. A utilização do modelo de mudança de Lewin foi crucial para a evolução da Continental, que, de pior empresa do ramo, foi eleita a Companhia Aérea do Ano.

No âmbito individual, o estágio do congelamento é um período em que as novas convicções e práticas são testadas por tentativa e erro; isso reforça as transformações ou resulta em um novo ciclo de mudança. Por exemplo, após uma semana servindo miúdos, a dona de casa da época de guerra podia avaliar se a carne estava fazendo sucesso entre os membros da sua família e se o julgamento de outras famílias sobre sua opção alimentar era positivo ou negativo. Caso a resposta para essas perguntas fosse positiva, ela continuaria servindo miúdos no jantar. Se, entretanto, seus filhos não lhe parecessem tão saudáveis quanto na época em que comiam frango ou bife, ou se as outras mulheres criticassem a sua escolha, ela talvez decidisse abandonar os miúdos e procurasse outras formas de alimentar a família, dando início a um novo processo de mudança e descongelamento.

O trabalho experimental pioneiro de Lewin sobre sistemas sociais fez com que fosse considerado por muitos como o fundador da psicologia social. Lewin foi o primeiro psicólogo a analisar de forma metódica as "dinâmicas de grupo" e o desenvolvimento organizacional. Aplicou os preceitos de uma ciência social rigorosa para produzir transformações sociais úteis, e seu trabalho teve grande influência sobre as áreas de psicologia experimental e social. ∎

Nada é mais prático que uma boa teoria.
Kurt Lewin

Kurt Lewin

O psicólogo germano-americano Kurt Lewin nasceu em 1890, em uma família de classe média de Mogilno, na Polônia (antiga Prússia). Em 1905, a família mudou-se para Berlim, onde Lewin estudou medicina na Universidade de Freiburg, transferindo-se depois para o curso de biologia da Universidade de Munique. Serviu no exército alemão durante a Primeira Guerra Mundial, mas um ferimento de guerra o fez retornar a Berlim, onde concluiu o doutorado. Trabalhou no Instituto de Psicologia da cidade, de 1921 a 1933, quando as restrições à população judia o obrigaram a pedir demissão do cargo e buscar abrigo nos Estados Unidos. Começou trabalhando na Universidade de Cornell e depois transferiu-se para a Universidade de Iowa, onde tornou-se professor. Em 1944, assumiu o cargo de diretor do Centro de Dinâmica de Grupo, do Instituto de Tecnologia de Massachusetts. Morreu de um ataque cardíaco apenas três anos depois.

Principais trabalhos

1935 *Teoria dinâmica da personalidade*
1948 *Resolving social conflicts*
1951 *Field theory in social science*

QUÃO FORTE É O IMPULSO À CONFORMIDADE SOCIAL?
SOLOMON ASCH (1907–1996)

CONTEXTO

ABORDAGEM
Conformismo

ANTES
Anos 1880 Hyppolyte Bernheim, médico francês, usa a hipnose para demonstrar o conceito de "sugestionabilidade".

1935 O experimento sobre conformismo de Muzafer Sherif motiva Asch a desenvolver o Paradigma de Asch.

DEPOIS
1963 As experiências sobre obediência de Stanley Milgram mostram que as pessoas obedecem a figuras de autoridade, a despeito de sentirem um conflito moral ao fazê-lo.

1976 Serve Moscovici defende que uma minoria bem organizada pode ter grande influência sobre o grupo.

1979 Knud S. Larsen, psicólogo dinamarquês, mostra que a conformidade pode ter relação com o ambiente cultural.

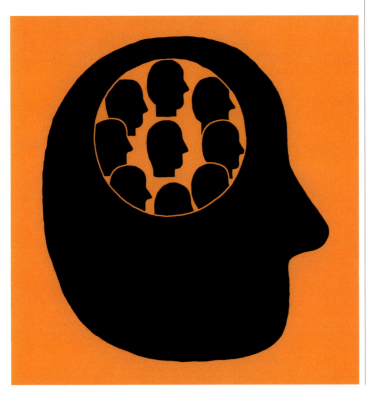

O psicólogo social Solomon Asch desafiou nossa autoimagem como seres autônomos, elaborando uma experiência para demonstrar nossa tendência à conformidade. Seu famoso experimento mostrou que, quando confrontadas por uma opinião dominante, a tendência das pessoas à conformidade pode ser mais forte do que o comprometimento com suas próprias noções de verdade. Asch relatou suas descobertas em um artigo de 1955, intitulado "Opiniões e a pressão social", em que discute as influências sociais que formam as convicções, os julgamentos e as práticas do sujeito. Asch queria investigar os efeitos da pressão de grupo sobre as decisões do indivíduo, e como e em que

PSICOLOGIA SOCIAL 225

Veja também: Serge Moscovici 238–39 ▪ Stanley Milgram 246–53 ▪ Philip Zimbardo 254–55 ▪ Max Wetheimer 335 ▪ Muzafer Sherif 337

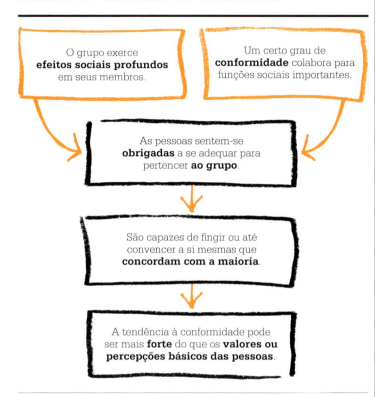

O grupo exerce **efeitos sociais profundos** em seus membros.

Um certo grau de **conformidade** colabora para funções sociais importantes.

As pessoas sentem-se **obrigadas** a se adequar para pertencer **ao grupo**.

São capazes de fingir ou até convencer a si mesmas que **concordam com a maioria**.

A tendência à conformidade pode ser mais **forte** do que os **valores ou percepções básicos das pessoas**.

Solomon Asch

Solomon Elliott Asch foi pioneiro no campo da psicologia social. Nasceu em 1907, em uma família judia da Varsóvia (então parte do Império Russo). Aos treze anos de idade emigrou para os Estados Unidos, onde estudou psicologia. Concluiu o doutorado em 1932, na Universidade de Columbia, onde teve grande influência de Max Wertheimer.

Em 1947, Asch começou a dar aulas na Swarthmore College, onde trabalhou próximo a Wolfgang Köhler. Ocupou cargos de docente visitante no Instituto de Tecnologia de Massachusetts (MIT) e em Harvard, onde orientou a tese de doutorado de Stanley Milgram, antes de se transferir para a Universidade da Pensilvânia. Ganhou vários prêmios, entre eles o Distinguished Scientific Contribution Award da Associação Americana de Psicologia. Morreu aos 88 anos de idade.

Principais trabalhos

1951 *Effects of group pressure upon the modification and distortion of judgement*
1952 *Psicologia social*
1955 *"Opiniões e a pressão social"*
1956 *Studies of independence and conformity*

---

medida as atitudes individuais seriam influenciadas pelas forças sociais ao redor.

O psicólogo turco Muzafer Sherif buscou responder questões semelhantes, em 1935, usando uma ilusão visual denominada efeito autocinético, em que um ponto de luz fixo, observado em um ambiente escuro, parecia mover-se. Sherif dizia aos participantes do estudo que faria a luz se mover e depois indagava a eles qual fora a extensão do movimento. Nos testes em grupo, as estimativas dos participantes convergiam para um padrão do grupo, revelando que cada um utilizava as estimativas dos outros como referência para definir uma situação duvidosa. Sherif acreditou ter demonstrado os princípios da conformidade, mas Asch contestou-o, porque, segundo ele, como não havia uma resposta certa ou errada para a tarefa, não era possível tirar conclusões definitivas. A conformidade, julgava Asch, só podia ser medida com base na tendência do indivíduo de concordar com os membros do grupo que unanimemente dão uma resposta errada a uma tarefa cuja solução não é ambígua. Pensando em preencher essas condições, propôs uma tarefa perceptiva simples que se tornaria conhecida como o Paradigma de Asch.

O paradigma de Asch

A experiência foi realizada com 123 participantes do sexo masculino. Cada um deles foi colocado em um » grupo de cinco a sete "aliados" (pessoas que sabiam dos verdadeiros objetivos da experiência, mas também eram apresentadas como participantes). Mostrava-se ao grupo um cartão com o desenho de uma linha e, em seguida, outro cartão em que estavam desenhadas três linhas, denominadas A, B e C. Perguntava-se então aos participantes qual das três linhas tinha o mesmo comprimento que a linha do primeiro cartão.

A sala era sempre organizada de forma que o participante do experimento desse o último ou o penúltimo veredicto. Em um total de dezoito testes, os aliados eram instruídos a dar a resposta certa nos seis primeiros e, em seguida, dar respostas idênticas e incorretas nos doze experimentos seguintes. O objetivo era testar se o participante daria a mesma resposta que os aliados quando todos eles dessem a mesma — e incorreta — resposta.

Inicialmente, Asch supôs que apenas alguns participantes concordariam com a resposta dos aliados. Afinal, a tarefa era simples e a resposta, óbvia; no estudo piloto, sem a pressão de ter de ceder a um grupo equivocado, foram cometidos apenas três erros em um total de 720 testes. O resultado do estudo principal foi, porém, surpreendente. Quando rodeados por um grupo de pessoas que fornecia a mesma resposta errada, os participantes erravam a resposta em quase um terço (32%) das questões, e 75% deles responderam incorretamente pelo menos uma questão. Uma pessoa concordou com a opinião equivocada do grupo em onze de doze testes. Por ser uma tarefa simples e ter uma solução absolutamente clara, os dados indicavam um alto nível de conformidade dos participantes. No entanto, nenhum deles cedeu em todos os testes enganosos, e treze dos cinquenta participantes (26%) não obedeceram nem uma vez ao grupo.

> Todos os participantes que cederam à pressão subestimaram a quantidade de vezes que cederam.
> **Solomon Asch**

Os resultados mostraram que os participantes eram indivíduos bastante íntegros. Aqueles que discordavam do grupo e davam respostas independentes não sucumbiam à opinião da maioria em nenhuma das diversas tentativas; enquanto aqueles que haviam escolhido conforme a maioria pareciam incapazes de quebrar esse padrão.

Explicações

Para entender melhor os resultados, Asch entrevistou os participantes e procurou descobrir por que haviam dado as respostas erradas. Alguns afirmaram ter buscado se comportar conforme o que supunham ser o desejo do cientista e tentado não perturbar o desenrolar da experiência. Uns poucos acharam que talvez estivessem com algum problema de visão ou vendo o cartão de um ângulo desfavorável. Outros negaram saber que estavam dando respostas erradas. Mais tarde, alguns admitiram saber que suas respostas estavam erradas e explicaram que não queriam se destacar dos outros ou parecer diferentes e bobos; eles queriam pertencer ao grupo.

Asch conversou também com os participantes que sustentaram respostas corretas e independentes, e descobriu que eles não haviam ficado imunes à opinião da maioria, mas que tinham conseguido superar a dúvida para dar uma resposta honesta daquilo que tinham visto.

Na experiência do Paradigma de Asch, aplicava-se um teste visual nos participantes. Eles tinham que decidir qual linha do segundo cartão tinha o mesmo tamanho da linha do primeiro. Cada questão equivalia a um "teste", de um total de dezoito.

Asch conduziu variações desse experimento para verificar se o tamanho do grupo de aliados tinha algum efeito sob os níveis de conformidade do grupo. Constatou que, quando havia apenas um aliado, os participantes praticamente não se deixavam influenciar; já dois aliados exerciam uma influência pequena, e, a partir de três, os aliados produziam uma tendência estável à conformidade. A unanimidade nas respostas dos aliados era um fator ainda mais poderoso; mas bastava uma única pessoa oferecer uma resposta alternativa à da maioria para aumentar a probabilidade de os participantes produzirem uma resposta independente (e correta). Essas evidências expuseram o poder que até uma minúscula minoria dissidente poderia ter. Além disso, Asch descobriu que, se permitisse que os participantes fornecessem suas respostas em reservado, por escrito, havia uma queda brusca na conformidade, e isso acontecia mesmo se os aliados continuassem a dar suas opiniões em voz alta.

O senador americano Joseph McCarthy lançou uma campanha de caça aos comunistas na década de 1950, gerando um ambiente de medo, com alto nível de conformidade social e política.

Normas culturais

Alguns psicólogos levantaram a hipótese de as descobertas de Asch refletirem o ambiente cultural dos Estados Unidos na década de 1950, dominado pelo macarthismo, que julgava a dissidência uma atitude antiamericana e aprisionava pessoas por suas opiniões. Estudos posteriores relataram variações nos níveis de conformidade. Por exemplo, uma pesquisa realizada no início da década de 1970 (época de ideias liberais e progressistas nos Estados Unidos) obteve taxas muito mais baixas de conformidade ao coletivo. Um estudo realizado no final da mesma década, porém, voltou a revelar números mais altos.

As taxas de conformidade em outras culturas do mundo variam também. Pesquisadores observaram que culturas individualistas como as dos Estados Unidos, Reino Unido e outros países europeus ocidentais, onde opções individuais e conquistas pessoais são valorizadas, apresentaram níveis mais baixos de conformidade do que culturas mais coletivistas, como as do Japão, Fiji e países africanos, onde pertencer a um grupo é muito valorizado.

Psicólogos criticaram a metodologia de Asch, alegando que ele se baseara numa versão muito esquemática de comportamento em grupo, na qual não havia interação entre os participantes, e que ficara mais concentrado no comportamento dos indivíduos dentro do grupo do que na dinâmica de grupo. Outros acharam que Asch talvez tivesse superestimado o poder da maioria sobre a minoria. Destaca-se, entre estes, Serge Moscovici, que não concordava com as conclusões de Asch, rebatendo que uma minoria ativa poderia influenciar a maioria e promover mudanças. Moscovici acabou elaborando seus próprios testes para demonstrar como uma minoria consistente poderia afetar a mentalidade da maioria.

Asch reconhecia que a vida social requer certo grau de consenso, mas ressaltava que era mais produtiva quando os indivíduos contribuíam com suas experiências e visões independentes. O consenso não deve ser motivado por medo ou conformismo, segundo ele; a forte tendência para se conformar à maioria, mesmo entre pessoas inteligentes, levantou questões importantes sobre valores sociais e a qualidade da educação.

As conclusões de Asch apontaram o poder (e o perigo) da influência da sociedade sobre as convicções e o comportamento individual. Se algo torna-se normal para um grupo, a pressão social garante que todos irão se adaptar. Inspirado na teoria de Asch, a experiência de Stanley Milgram sobre obediência mostrou que pessoas normais são capazes de realizar atos de crueldade quando pressionadas a se adaptar.

No entanto, a maioria dos participantes do estudo de Asch, mesmo aqueles que se submeteram à pressão, afirmou ter apreço pelo raciocínio independente, deixando Asch mais otimista em relação à humanidade. ■

O membro de uma tribo de canibais aceita o canibalismo como algo adequado e digno.
Solomon Asch

A VIDA É UMA REPRESENTAÇÃO DRAMÁTICA
ERVING GOFFMAN (1922–1982)

CONTEXTO

ABORDAGEM
Gerenciamento de impressões

ANTES
1890 William James faz pela primeira vez uma distinção entre o eu-sujeito privado e o eu-obj eto público.

1902 O sociólogo americano Charles Cooley postula a teoria do "eu do espelho", segundo a qual o indivíduo se vê refletido nas reações das outras pessoas.

DEPOIS
1990 Os psicólogos americanos Mark Leary e Robin Kowalski elencam três formas de gerenciamento de impressões para aumentar o nosso bem-estar: pertencimento, autocrescimento e compreensão de si.

1995 Segundo a psicóloga Sarah Hampson, o nosso comportamento muda dependendo da companhia do momento, e pessoas diferentes fazem vir à tona aspectos diferentes da nossa personalidade.

A interação social pode ser comparada a uma peça de teatro.

- Tal qual os atores, as pessoas tentam criar uma **impressão favorável** de si mesmas, definindo roteiro, cenário, figurino, habilidades e adereços.
- Há **o "palco"**, onde atuam nossas personas públicas, e os **bastidores**, onde se desenrola nossa vida privada.
- Existe uma **plateia** que assiste ao espetáculo.

A vida é uma representação dramática.

Elaborada por Erving Goffman, a teoria de gerenciamento de impressões descreve como criamos, mantemos e intensificamos nossas identidades sociais. Um aspecto central da interação social, segundo Goffman, é tentarmos — consciente ou subconscientemente — manipular e controlar a maneira como os outros nos enxergam. Sempre que interagimos com os outros, apresentamos uma imagem pública de nós mesmos. Em algumas situações, podemos tentar influenciar determinada pessoa (um potencial empregador, por exemplo); em outras, podemos tentar apenas manter uma imagem favorável de nós mesmos. Em seu livro de 1959, *A representação do "eu" na vida cotidiana*, Goffman traça um paralelo entre o gerenciamento de

PSICOLOGIA SOCIAL

Veja também: William James 38–45 ▪ William Glasser 240–41 ▪ Stanley Milgram 246–53 ▪ David C. McClelland 322–23 ▪ Walter Mischel 326–27

impressões e o teatro, mostrando como nos expomos ao mundo real de modo muito semelhante às atuações de atores teatrais. Cada interação social é motivada tanto pelo efeito que almejamos ter sobre uma plateia específica quanto por um desejo sincero de autoexpressão. Na verdade, segundo a teoria de Goffman, nossa personalidade é a soma dos diversos papéis que desempenhamos. Isso implica que o "verdadeiro eu" não é um fenômeno privado ou interno, mas, sim, o efeito dramático das formas pelas quais o sujeito se apresenta em público. "A vida é uma representação dramática", afirmou Goffman; criar uma boa impressão requer bom cenário, adereços, figurino, talento, bem como de uma compreensão consensual daquilo que significa estar no palco (na esfera pública) e nos bastidores (na esfera pessoal e privada).

Talentos performáticos

Goffman acreditava que, na vida real, cada um tem capacidade de escolher seu próprio palco, adereços e figurinos para se apresentar à plateia. O principal objetivo do ator, tanto o social quanto o profissional, é manter uma coerência em suas interações com outros atores. Isso só pode ocorrer quando todos estão de acordo quanto aos "contornos da situação" e às características, expectativas e limitações de determinada apresentação ou interação, indicando uns aos outros as maneiras apropriadas de reagir e se encaixar no cenário social.

Para que a interação seja harmônica, é preciso haver um consenso quanto às identidades pessoais, o contexto social e as expectativas coletivas de comportamento dentro daquele contexto. Por exemplo, celebridades que comparecem a uma festa de elite partilham do entendimento implícito de que são "celebridades em uma festa de elite"; cada qual aceitará o papel que lhe cabe na situação e incentivará os outros atores e observadores (ou membros da plateia) a também aceitar o que está posto. Contudo, se determinada característica da situação cai por terra — por exemplo, se for servida pizza na festa, em vez de algo refinado, ou se há convidados comuns —, as pessoas tendem a fingir que nada mudou, estimulando com isso uma credibilidade artificial para evitar constrangimentos e manter a paz.

Conta-se que Goffman gostava de testar os limites das regras que servem de padrão às interações em restaurantes, teatros e filas de cinema. ■

A equipe de um hotel está no "palco" quando interage com o público. O comportamento dos membros pode mudar, adotando um tom menos formal, quando fora de cena, nos "bastidores".

Erving Goffman

Erving Goffman, sociólogo e escritor canadense, nasceu em Mannville, Alberta. Seus antepassados eram judeus ucranianos que emigraram para o Canadá. Goffman completou o bacharelado em sociologia e antropologia na Universidade de Toronto e depois concluiu o mestrado e o doutorado em sociologia na Universidade de Chicago. Em 1962, tornou-se professor da Universidade da Califórnia e, em 1969, já tinha publicado sete livros importantes. Sofreu uma tragédia particular, em 1964, quando a primeira esposa suicidou-se; Goffman escreveu sobre essa experiência em um artigo de 1969, intitulado "The insanity of place". Em 1981, casou-se de novo e, um ano depois, assumiu — apesar da imagem de rebelde — a presidência da Associação Americana de Sociologia. Morreu de câncer no estômago poucos meses depois.

Principais trabalhos

1959 *A representação do "eu" na vida cotidiana*
1961 *Manicômios, prisões e conventos*
1971 *Relations in public*
1974 *Frame analysis*

QUANTO MAIS SE VÊ, MAIS SE GOSTA

ROBERT ZAJONC (1923–2008)

232 ROBERT ZAJONC

CONTEXTO

ABORDAGEM
Familiaridade

ANTES
1876 O psicólogo experimental alemão Gustav Fechner afirma que a familiaridade estimula sentimentos positivos em relação a objetos de arte, mas a "supersaturação" leva à aversão.

1910 Edward B. Titchener documenta o "efeito da mera exposição", descrevendo-o como uma "sensação de aconchego" diante de coisas familiares.

DEPOIS
1971 Os psicólogos T. T. Faw e D. Pien observam que adultos e crianças preferem desenhos e padrões desconhecidos àqueles que já conhecem.

1989 Robert Bornstein descobre que o "efeito da mera exposição" é mais forte quando estímulos desconhecidos são rapidamente apresentados.

A exposição repetida a um estímulo gera **familiaridade** em relação a ele.

A familiaridade produz uma **mudança de atitude** em relação ao estímulo...

... transformando-a em **preferência ou afeição**.

Essa preferência é emocional e forma-se em **nível subconsciente** antes que o indivíduo se dê conta.

Quanto mais se vê, mais se gosta.

Até a metade do século XX, cientistas sociais baseavam suas explicações sobre o comportamento humano em fatores ambientais. O psicólogo polonês Robert Zajonc, porém, achava que, para obter um entendimento mais completo, era preciso considerar também o funcionamento da mente. Zajonc interessava-se em especial pelo relacionamento entre sentimento e pensamento — a intersecção entre emoção e cognição — e devotou grande parte da sua carreira a investigar qual desses fatores teria maior influência sobre o comportamento. Com esse objetivo em mente, realizou um experimento decisivo em 1968, que o levou à descoberta do "efeito de mera exposição", possivelmente sua contribuição mais conhecida ao campo da psicologia social.

Experimentos sobre a familiaridade

A mera exposição, explicou Zajonc, refere-se tão somente à condição em que determinado estímulo é acessível à percepção do indivíduo, seja de modo consciente ou subconsciente. Os efeitos da mera exposição já haviam sido registrados pelo psicólogo Edward Titchener, que descreveu, em 1910, a "sensação de aconchego" e de intimidade que experimentamos na presença de algo familiar. A hipótese de Titchener foi rejeitada em sua época e relegada a certa obscuridade.

O interesse de Zajonc por esse efeito foi despertado por um artigo de jornal que descrevia uma experiência peculiar, realizada na Universidade Estadual do Oregon, em 1967. O artigo citava um "misterioso estudante" que frequentava as aulas havia dois meses, coberto por um saco preto. O professor, Charles Goetzinger, conhecia a identidade da pessoa, mas os alunos não faziam a menor ideia de quem se tratava. Goetzinger passou a observar os alunos, avaliando suas reações ao

PSICOLOGIA SOCIAL 233

Veja também: Leon Festinger 166–67 ▪ Edward B. Titchener 334 ▪ Stanley Schachter 338

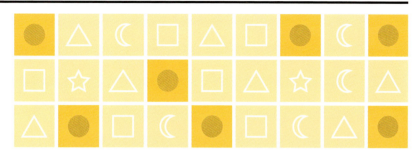

O experimento realizado por Zajonc, em 1968, testava o efeito de mera exposição, mostrando aos participantes *slides* de símbolos e repetindo a exposição de cada símbolo um número variado de vezes; quanto mais vezes uma pessoa via um símbolo, mais ela dizia gostar dele.

longo do tempo. De início, os estudantes tratavam o saco preto com hostilidade, mas isso se foi abrandando com o tempo, até que passaram a ter uma atitude amigável e até a proteger o encapuzado. Goetzinger reparou que a atitude dos alunos "em relação ao saco preto mudou gradualmente, passando de hostilidade a curiosidade, e chegando finalmente à amizade".

O artigo pioneiro de Zajonc, "Attitudinal effect of mere exposure", foi publicado no *The Journal of Personality and Social Psychology*, em 1968. Nele, Zajonc relata uma série de experiências em que mostrava aos participantes uma sequência de imagens aleatórias — formas geométricas, símbolos chineses, pinturas e fotos de pessoas —, expostas de maneira tão rápida que eles não conseguiam discernir quais eram mostradas repetidas vezes. Quando depois se pedia aos voluntários para dizer quais imagens preferiam, eles sempre apontavam as que haviam visto mais vezes, embora não estivessem cientes das repetições. Zajonc aparentemente descobrira que a familiaridade promove uma mudança de atitude, gerando afeição ou algum tipo de preferência pelo estímulo familiar. E isso aumenta conforme aumenta a exposição: quanto mais vezes você for exposto a algo, maior a afeição que sentirá por ele. Ou simplesmente, "quanto mais se vê, mais se gosta".

Pesquisadores do fenômeno de mera exposição posteriores a Zajonc e seus experimentos descobriram que inclusive é possível recriar o efeito utilizando-se som no lugar de imagens. Em 1974, o psicólogo social D. W. Rajecki usou ovos de galinha férteis como objeto de pesquisa, tocando notas de diferentes frequências para diferentes grupos de ovos antes que eles quebrassem, e depois tocando novamente essas notas para os grupos de pintinhos recém-nascidos. Todos eles, sem exceção, demonstraram preferir os sons que haviam escutado antes de sair do ovo.

As preferências não são racionais

As descobertas de Zajonc indicam que a preferência por coisas familiares baseia-se exclusivamente no histórico da exposição a elas, e que as crenças e atitudes pessoais do indivíduo não têm qualquer influência no processo. Isso vale mesmo quando a exposição acontece em nível subliminar, quando as pessoas não sabem que estão vendo um estímulo. Essa descoberta fez Zajonc afirmar que "as preferências prescindem de inferências", querendo dizer com isso que o sentimento de afeto não se baseia em um julgamento racional. Isso é o oposto do que a maioria de nós pensaria.

Em um artigo intitulado "Feeling and thinking", de 1980, Zajonc argumenta que os sentimentos e os pensamentos são totalmente independentes um do outro. Os sentimentos não só precedem os pensamentos na complexa operação de resposta a um estímulo, como são, também, o fator determinante mais significativo para a tomada de atitudes e decisões do indivíduo. O artigo suscitou muitos debates e contribuiu para trazer o estudo das emoções para a linha de frente da psicologia ocidental, em parte porque a teoria ali descrita tem implicações muito »

A novidade costuma ser associada à incerteza e ao conflito — termos que normalmente produzem efeitos mais negativos do que positivos.
Robert Zajonc

A indústria da propaganda sempre achou que a exposição tem um extraordinário potencial publicitário.
Robert Zajonc

A exposição repetida a uma marca pode criar apreço por ela, mesmo se for apresentada sem qualquer informação factual e não exigir uma tomada de decisão da pessoa que a vê.

importantes para o estudo dos processos de decisão. Ele sugere que, ao contrário do que se acredita, não é a razão ou a lógica que pautam as nossas decisões; na verdade, tomamos decisões rápidas, instintivas e baseadas em emoção antes de termos a chance de usar a cognição — julgamos sem ter informações. Se isso ocorre de fato, decorre daí que nosso raciocínio lógico serve apenas para justificar e conferir razão a decisões já tomadas,

O tipo de vivência que chamamos de "sentimento" está associado a todo tipo de cognição.
Robert Zajonc

em vez de prover informações a partir das quais fazemos escolhas.

Zajonc concluiu que "o afeto está sempre presente, acompanhando o pensamento, mas o contrário não ocorre na cognição". É impossível pensar em algo sem que haja um sentimento a ele atrelado; como exemplificou Zajonc, não vemos apenas "uma casa", vemos "uma casa bonita" ou "uma casa ostensiva". Todas as nossas percepções vêm acompanhadas de afeto ou sentimento. A primazia do afeto sobre a cognição também fica clara na memória, afirmou ele, como relatado por Frederic Bartlett em seu livro *Remembering*: "Quando se pede a alguém para recordar algo, geralmente a primeira coisa que surge é algo da natureza da atitude".

Atração interpessoal
O impacto da mera exposição vai além do domínio dos laboratórios, impondo-se sobre o campo da atração interpessoal. Nesse contexto, o fenômeno é denominado "efeito de proximidade", isto é, tendemos a constituir amizades ou relacionamentos românticos com as pessoas que vemos com regularidade. Uma possível explicação para isso vem do pensamento evolucionista: quando os animais veem algo pela primeira vez, costumam reagir com medo e violência, mas a exposição repetida — pela qual o animal percebe que a suposta ameaça não se concretiza — leva a uma redução das reações negativas. Zajonc aplicou esse conceito em humanos e concluiu que as pessoas tinham uma atitude muito negativa com relação a um grupo imaginário de pessoas desconhecidas, atribuindo-lhes características desagradáveis sem nenhum motivo a não ser o fato de serem desconhecidos. Entretanto, tal qual ocorre com formas e símbolos, a exposição repetida faz aumentar a confiança e a afeição.

Outra explicação para o efeito de proximidade refere-se aos diversos fatores em jogo na atração interpessoal, que incluem a familiaridade, a semelhança de atitudes, a atração física e o afeto recíproco. Interações frequentes entre pessoas podem fazer crescer não só o grau de

PSICOLOGIA SOCIAL

familiaridade, mas também a impressão de semelhança, criando com isso sentimentos positivos e, por fim, atração.

Exposição e publicidade

A propaganda é outra área em que o efeito de mera exposição tem grande importância, embora a situação aqui seja menos óbvia. Ao que tudo indica, segundo as pesquisas, a exposição repetida a uma marca ou nome faz com que as vendas aumentem, contudo, essa suposição evidentemente é simplista demais, uma vez que não considera outros efeitos possíveis de exposição frequente.

Um estudo usou *banners* publicitários de internet para testar o efeito da mera exposição em estudantes universitários. Os voluntários tinham de ler um artigo no computador enquanto os *banners* piscavam no topo da tela. Os resultados mostraram que os indivíduos expostos com mais frequência aos *banners* realmente tinham sentimentos mais favoráveis em relação a eles do que aqueles que os viram menos vezes, ou nenhuma. Entretanto, outra pesquisa mostrou que a familiaridade com uma marca pode suscitar um sentimento ambivalente em relação a ela. Isso talvez aconteça porque as pessoas associam empresas conhecidas tanto a coisas ruins quanto a coisas boas, e todas as associações vêm à mente com a exposição repetida, o que provoca uma ambivalência ainda maior. Por isso, não é claro se a familiaridade apenas, criada pela repetição de uma propaganda, é boa para as vendas.

Traços familiares

Zajonc percebeu que a exposição não influencia apenas nossos sentimentos em relação a alguém, mas também a fisionomia das pessoas. Juntamente com outros colegas, ele realizou um estudo para verificar se as feições de cônjuges ficavam mais parecidas após 25 anos de casamento. Compararam as fotos do casal em seu primeiro ano juntos com fotos tiradas 25 anos mais tarde e descobriram que os indivíduos estavam mais parecidos uns com os outros depois de tantos anos de convivência. Após eliminar outras explicações possíveis, os pesquisadores concluíram que a causa mais provável era a empatia. O tempo aumentara a empatia do casal e, uma vez que as emoções humanas são comunicadas por expressões faciais, é possível que um tenha começado a imitar as expressões do outro durante o processo de empatia, o que, com o tempo, resultou em padrões de rugas semelhantes.

Reconhecido pela amplitude do seu trabalho sobre os processos básicos do comportamento social, Zajonc contribuiu para criar o campo moderno da psicologia social. Usou o conhecimento adquirido ao estudar a relação entre sentimento e pensamento para investigar temas como racismo, genocídio e terrorismo, na esperança de que sua pesquisa ajudasse a evitar guerras e sofrimento humano. ∎

Casais começam a parecer um com o outro com o passar do tempo porque expressam empatia espelhando as expressões faciais um do outro, o que resulta na formação de linhas faciais semelhantes.

Robert Zajonc

Robert Zajonc nasceu em Lodz, Polônia. Quando tinha dezesseis anos de idade, sua família fugiu para a Varsóvia, durante a invasão nazista ao país. Duas semanas depois, o prédio em que moravam foi bombardeado, e os pais de Zajonc morreram. Robert ficou seis meses recuperando-se no hospital e, quando saiu, foi preso por soldados nazistas e enviado a um campo de trabalho alemão. Junto com outros dois prisioneiros, conseguiu fugir e andou 320 km até a França, onde foi capturado e preso novamente. Mas Zajonc fugiu de novo, dessa vez para o Reino Unido.

Após a Segunda Guerra Mundial, mudou-se para os Estados Unidos, onde se firmou como psicólogo de destaque. Obteve o título de doutor em psicologia pela Universidade de Michigan, onde trabalhou até se aposentar, em 1994, quando foi nomeado professor emérito da Universidade de Stanford. Zajonc morreu de câncer no pâncreas aos 85 anos de idade.

Principais trabalhos

1968 *Attitudinal effects of mere exposure*
1975 *Birth order and intellectual development*
1980 *Feeling and thinking*

QUEM GOSTA DE MULHERES COMPETENTES?
JANET TAYLOR SPENCE (1923–2015)

CONTEXTO

ABORDAGEM
Estudos de gênero

ANTES
1961 Albert Bandura desenvolve a teoria da aprendizagem social, afirmando que meninos e meninas comportam-se de maneira diferente porque recebem tratamento diferente.

1970 Robert Helmreich e Elliot Aronson publicam um estudo mostrando que os homens têm mais apreço por homens competentes do que pelos incompetentes.

DEPOIS
1992 A psicóloga americana Alice Eagly constata que as mulheres são avaliadas de forma negativa quando demonstram liderança por meio de gestos tradicionalmente masculinos.

2003 Simon Baron-Cohen diz que o cérebro feminino é programado predominantemente para a empatia, enquanto o masculino é programado para a compreensão de sistemas.

Antes do movimento da libertação feminina ganhar fôlego, na década de 1970, as pesquisas de Janet Taylor Spence tratavam sobretudo da questão da angústia. No entanto, após ler um estudo de dois colegas sobre a relação de competência e empatia entre os homens, a psicóloga americana resolveu dedicar-se a questões de gênero. Como o estudo citado não considerava o gênero feminino, decidiu realizar uma pesquisa semelhante, focada unicamente em mulheres. O artigo resultante, intitulado "Who likes competent women?", foi publicado em 1972.

Trabalhando em parceria com Robert Helmreich, Taylor Spence resolveu verificar se as pessoas preferiam mulheres competentes ou incompetentes. Os dois psicólogos suspeitavam que só quem acreditasse na igualdade de sexos preferiria mulheres competentes. Para testar a hipótese, desenvolveram a Escala de Atitude para com as Mulheres, que avaliava as atitudes em relação aos papéis e direitos femininos por meio de questões sobre educação, casamento, vida profissional, hábitos, liderança intelectual e independência socioeconômica. Contrariando as expectativas dos pesquisadores, os participantes não só preferiam as mulheres mais competentes, como avaliavam melhor as mulheres competentes em áreas consideradas masculinas.

Esse estudo pioneiro foi seminal para estabelecer a pesquisa de gênero como uma subcategoria da psicologia social. ■

Até mesmo os mais conservadores avaliaram melhor as mulheres competentes em áreas consideradas masculinas.
Janet Taylor Spence

Veja também: Sigmund Freud 92–99 ▪ Guy Corneau 155 ▪ Eleanor E. Maccoby 284–85 ▪ Albert Bandura 286–87 ▪ Simon Baron-Cohen 298–99

MEMÓRIAS FOTOGRÁFICAS SÃO PROVOCADAS POR EVENTOS DE ALTO TEOR EMOCIONAL
ROGER BROWN (1925–1997)

CONTEXTO

ABORDAGEM
Estudos da memória

ANTES
1890 William James faz uma distinção entre a memória de curto prazo (primária) e a memória de longo prazo (secundária).

1932 Os estudos de Frederic Bartlett mostram que recordar não é uma simples questão de recuperar memórias; é uma reconstrução ativa de eventos passados.

DEPOIS
1982 O psicólogo americano Ulric Neisser afirma que as lembranças fotográficas não fazem uso de um mecanismo especial e podem ser imprecisas, devido aos diversos "ensaios" posteriores ao evento.

1987 Em *Autobiographical memory*, o psicólogo americano David Rubin afirma que recordamos os eventos marcantes que nos definem como indivíduos.

No final da década de 1970, professor da Harvad, Roger Brown foi coautor de um artigo chamado "Flashbulb memories", que se tornou um estudo clássico sobre o fenômeno da memória. Brown e seu colega James Kulik cunharam o termo que dá título ao artigo para se referir a um tipo específico de memória autobiográfica que permite às pessoas fazer um relato extraordinariamente detalhado e vívido do momento em que ficaram sabendo algo de grande impacto para elas.

Nesse artigo, afirmaram que eventos significativos para a cultura como um todo ou para a pessoa, como o assassinato de John F. Kennedy ou de Martin Luther King, desencadeiam um mecanismo biológico especial da memória ("gravar agora"), que cria um registro permanente do evento e das circunstâncias em que nos encontrávamos quando o vivenciamos. Como num *flash* fotográfico, somos capazes de rever o local onde estávamos, com quem e o que fazíamos quando ouvimos as notícias impactantes — como a destruição das torres gêmeas, em 11 de setembro. Brown e Kulik afirmaram que essas memórias são vívidas, precisas e

O assassinato do presidente John F. Kennedy, em 1963, foi um acontecimento chocante, de grande impacto cultural. Segundo Brown, esse tipo de evento produz lembranças "fotográficas".

duradouras. Entretanto, pesquisadores como Ulric Neisser vêm contestando a teoria do mecanismo especial e defendem que a durabilidade dessas memórias decorre do fato de serem relembradas (isto é, ensaiadas) repetidamente após o evento, tanto pelo indivíduo quanto pelo resto do mundo, e por isso são reforçadas na memória continuamente. ∎

Veja também: William James 38–45 ▪ Jerome Bruner 164–65 ▪ Endel Tulving 186–91 ▪ Frederic Bartlett 335–36 ▪ Ulric Neisser 339

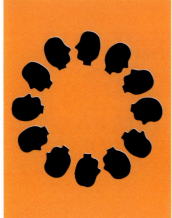

O OBJETIVO NÃO É DESENVOLVER O CONHECIMENTO, MAS ESTAR A PAR DAS NOVIDADES
SERGE MOSCOVICI (1925–2014)

CONTEXTO

ABORDAGEM
Construtivismo social

ANTES
1807 O filósofo alemão Georg Hegel afirma que as ideias e os valores são construídos pelo *zeitgeist*, ou espírito do tempo, que muda constantemente, reconciliando visões opostas.

1927 O "Princípio da Incerteza", do médico alemão Werner Heisenberg, revela que o observador afeta o observado.

1973 O psicólogo americano Kenneth Gergen escreve *Social psychology as history*, que marca a emergência do construtivismo social.

DEPOIS
1978 Em sua teoria da zona de desenvolvimento proximal, Lev Vygotsky defende a ideia de que a aprendizagem é fundamentalmente uma atividade mediada pela sociedade.

Escutamos algo que **desperta a nossa curiosidade**.

Isso **se funde** com outras coisas que sabemos ou experimentamos.

Conversamos sobre isso com outros e **compartilhamos nossos pensamentos**.

Todo mundo anseia transmitir conhecimento e **conquistar um espaço no círculo de conversa**.

Os **diálogos coletivos** continuam, permitindo que todos aprendam mais.

Organizam-se comportamentos e **estabelecem-se valores**.

A sociedade começa a utilizar novas expressões e imagens que descrevem um **senso comum coletivo**.

O objetivo não é desenvolver o conhecimento, mas estar a par das novidades.

PSICOLOGIA SOCIAL 239

Veja também: Friedrich Herbart 24–25 ▪ Kurt Lewin 218–23 ▪ Solomon Asch 224–27 ▪ Lev Vygotsky 270

No final da década de 1960, alguns psicólogos sociais, conhecidos como construtivistas sociais, sustentavam que a voz do povo não estava mais sendo ouvida pela pesquisa psicológica. De acordo com eles, os indivíduos estariam sendo erroneamente retratados como meros observadores de seus mundos sociais, e não como construtores desse mundo. Para contrapor essas tendências preocupantes, o psicólogo social Serge Moscovici realizou uma pesquisa que se tornaria depois um estudo clássico sobre como as pessoas absorvem ideias e compreendem o mundo.

Em sua obra *Psychoanalysis: its image and its public*, publicada na França em 1961, Moscovici investigou a crença de que todo pensamento e compreensão têm como base o funcionamento das "representações sociais" — que são conceitos, declarações e justificativas criados durante as interações e comunicações do dia a dia das pessoas. São elas que nos orientam em nossos mundos sociais e materiais e que nos provêm os meios para nos comunicarmos dentro da comunidade. São, com efeito, o "senso comum" coletivo — uma versão compartilhada da realidade — construído pela mídia de massa, pela ciência, pela religião e pela interação entre grupos sociais.

Para testar sua teoria, Moscovici estudou como a França havia absorvido os conceitos da teoria psicanalítica desde o início da Segunda Guerra Mundial. Analisou publicações de largo alcance midiático e realizou entrevistas em busca de subsídios sobre o tipo de informação que circulava na consciência coletiva. Descobriu que a teoria psicanalítica espalhara-se tanto na "alta cultura" quanto no senso comum popular: as pessoas refletiam e discutiam complexos conceitos psicanalíticos com toda a naturalidade, mas, de modo geral, usando versões bastante simplificadas.

Formando o senso comum

A tradução de conceitos intrincados para uma linguagem mais acessível e mais fácil de ser transmitida não é problemática, argumentou Moscovici, porque "o objetivo não é desenvolver conhecimento, mas estar a par dele"; isto é, ser um participante ativo no circuito coletivo. O processo permite que o desconhecido se torne conhecido, e abre caminho para a ciência participar do senso comum. Dessa forma, as representações sociais suprem uma estrutura para que os grupos possam compreender o mundo e afetam também a maneira como as pessoas tratam umas às outras dentro da sociedade. Sempre que se discute um assunto polêmico — por exemplo, se deve ser juridicamente legal ou não a adoção de crianças por homossexuais —, o impacto e a importância das representações sociais tornam-se muito claros.

Moscovici sustentou que as representações sociais são formas válidas de conhecimento com um valor próprio, e não versões diluídas de informações superiores. E ressalta que, na verdade, esses pensamentos do dia a dia (em oposição a versões mais abstratas, científicas) têm grande importância, porque "as representações compartilhadas existem para elaborar e formar uma 'realidade' comum, um senso comum que se torna 'normal'". ■

Serge Moscovici

Serge Moscovici, nascido Srul Hersh Moskovitch, veio de uma família judia em Braila, na Romênia, e estudou em Bucareste, mas foi expulso em razão das leis antissemitas. Depois de sobreviver ao violento *pogrom* de 1941, no qual centenas de judeus foram torturados e mortos, ele e seu pai percorreram o país em busca de abrigo seguro. Aprendeu francês durante a Segunda Guerra Mundial e foi cofundador de um jornal de arte, *Da*, que foi banido pela censura. Em 1947, Serge deixou a Romênia e passou por acampamentos de refugiados de guerra até chegar à França um ano depois. Em 1949, graduou-se em psicologia e depois concluiu o doutorado sob supervisão de Daniel Lagache, com o apoio de um subsídio para refugiados. Foi o cofundador do Laboratório Europeu de Psicologia Social em 1965 e lecionou nas universidades mais prestigiosas dos Estados Unidos e da Europa.

Principais trabalhos

1961 *Psychoanalysis*
1976 *Social influence and social change*
1981 *The age of the crowd*

SOMOS, POR NATUREZA, SERES SOCIAIS
WILLIAM GLASSER (1925–2013)

CONTEXTO

ABORDAGEM
Terapia da escolha

ANTES
c.350 a.C. Para o filósofo grego Aristóteles, três coisas nos motivam: o apetite dos sentidos, a raiva e a *boulesis*, o desejo racional pelo que é útil.

1943 Clark L. Hull afirma que o comportamento humano é determinado por quatro impulsos primários: fome, sede, sexo e evitar dor.

1973 O cientista americano William T. Powers desenvolve a teoria de controle perceptual (PCT, em inglês), segundo a qual o nosso comportamento é a forma como controlamos nossas percepções para mantê-las próximas dos níveis de referência que temos fixados internamente.

DEPOIS
2000 O psiquiatra americano Peter Breggin publica *Reclaiming our children*, criticando o uso de drogas psiquiátricas para "curar" crianças com distúrbios.

William Glasser rejeitou publicamente a psiquiatria convencional e o uso de medicamentos, argumentando que a maioria dos problemas mentais e psicológicos vivenciados pelas pessoas está dentro do espectro de uma experiência humana saudável e pode ser melhorado mediante mudanças comportamentais. Suas ideias têm como objetivo a conquista de felicidade e autorrealização por meio de escolhas pessoais, responsabilidade e transformação.

Em 1965, Glasser desenvolveu a terapia da realidade, um tratamento cognitivo-comportamental que objetivava solucionar problemas estimulando os clientes a descobrir o que realmente queriam naquele

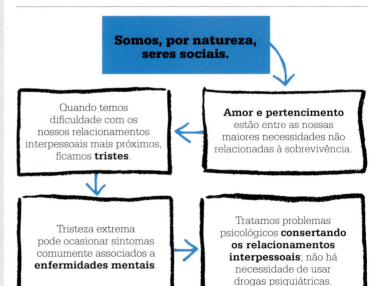

Somos, por natureza, seres sociais.

Quando temos dificuldade com os nossos relacionamentos interpessoais mais próximos, ficamos **tristes**.

Amor e pertencimento estão entre as nossas maiores necessidades não relacionadas à sobrevivência.

Tristeza extrema pode ocasionar sintomas comumente associados a **enfermidades mentais**.

Tratamos problemas psicológicos **consertando os relacionamentos interpessoais**; não há necessidade de usar drogas psiquiátricas.

PSICOLOGIA SOCIAL 241

Veja também: Emil Kraepelin 31 ▪ Sigmund Freud 92–99 ▪ David Rosenham 329–29 ▪ Clark L. Hull 335

momento e a avaliar se o comportamento que haviam adotado os aproximava ou distanciava de seus objetivos.

Teoria da escolha

Após praticar a terapia da realidade por décadas, Glasser concluiu que toda a sua abordagem baseava-se na ideia de levar as pessoas a identificar o que queriam fazer para se sentir realizadas, o que o fez desenvolver a teoria da escolha. De acordo com ela, agimos de modo a aumentar o prazer e diminuir a dor — queremos pensar e nos comportar do jeito que nos faça sentir melhor. Todo o prazer e a dor, afirmou Glasser, deriva de nossos esforços para satisfazer cinco necessidades geneticamente codificadas: sobrevivência, amor e pertencimento, poder, liberdade e diversão. Qualquer comportamento que satisfaça uma dessas necessidades é prazeroso, e qualquer comportamento que não alcance esse objetivo causa sofrimento; e, basicamente, explicou Glasser, apenas por meio de relacionamentos humanos podemos satisfazer essas necessidades. Quando lutamos para sobreviver, a ajuda de outra pessoa nos faz bem; para sentir amor e pertencimento, precisamos ter ao menos um bom relacionamento; para sentir um mínimo de poder, precisamos que

> Melhorar os nossos relacionamentos é melhorar a nossa saúde mental.
> **William Glasser**

Brigar com pessoas de quem somos próximos leva a rompimentos e ressentimentos que geram sintomas de enfermidades mentais; esses problemas são, na verdade, consequências lógicas de relacionamentos problemáticos.

alguém ouça o que dizemos; para nos sentir livres, precisamos nos desvincular do controle dos outros; e, embora possamos nos divertir sozinhos, é muito mais fácil nos divertir com outras pessoas. Por todos esses motivos, concluiu Glasser, "somos, por natureza, seres sociais".

Glasser ressaltou que distúrbios psicológicos duradouros são geralmente causados por problemas em nossos relacionamentos pessoais (e não sinal de anomalias bioquímicas no cérebro), e o sofrimento pode ser remediado se reparamos esses relacionamentos sem recorrer a drogas psiquiátricas. Glasser citou a necessidade humana básica de poder, a qual procuramos satisfazer tentando controlar outras pessoas. A única coisa que realmente podemos controlar é o nosso comportamento e pensamento; não podemos controlar os outros. Tentar fazer isso, disse ele, é falta de respeito pelos outros e causa infelicidade. A teoria da escolha é uma psicologia de autocontrole que visa combater essa tendência e nos ajudar a ser felizes em nossos relacionamentos. ∎

William Glasser

William Glasser nasceu em Cleveland, Ohio, Estados Unidos, em 1925. Formado em engenharia química, em seguida estudou medicina em Cleveland e depois psiquiatria em Los Angeles. Começou a exercer a psiquiatria em 1957. Descobriu os processos da teoria de controle ao ler os trabalhos de William T. Powers sobre a teoria de controle perceptual (PCT, em inglês). Em 1967, fundou na Califórnia o Instituto de Terapia da Realidade (mais tarde rebatizado como Instituto William Glasser), que forma profissionais em teoria da escolha. Sua abordagem é ensinada em mais de 28 países. Glasser escreveu sobre enfermidades mentais, aconselhamento e sobre como aprimorar escolas. Entre os diversos prêmios que recebeu, destacam-se o título de "A legend in counseling award" e o Master Therapist, concedido pela Associação Americana de Psiquiatria.

Principais trabalhos

1965 *Reality therapy*
1969 *Schools without failure*
1998 *Choice therapy*
2003 *Warning: psychiatry can be hazardous to your mental health*

ACREDITAMOS QUE AS PESSOAS RECEBEM O QUE MERECEM

MELVIN LERNER (1929–)

CONTEXTO

ABORDAGEM
Teoria da atribuição

ANTES
1958 O psicólogo austríaco Fritz Heider investiga o processo de atribuição, isto é, como as pessoas avaliam os fatores que influenciam determinada situação.

1965 Os psicólogos americanos Edward E. Jones e Keith Davis afirmam que o objetivo da atribuição é descobrir como o comportamento e a intenção revelam a natureza básica de uma pessoa.

DEPOIS
1971 O sociólogo americano William J. Ryan cunha a expressão "culpar a vítima", mostrando que é usada para justificar o racismo e as injustiças sociais.

1975 Os psicólogos americanos Zick Rubin e Letitia Peplau descobrem que as pessoas que acreditam com firmeza em um "mundo justo" tendem a ser mais autoritárias, mais religiosas e mais reverentes com relação às instituições sociais e às políticas existentes.

As pessoas querem acreditar que vivem em um mundo seguro, **estável e organizado**...

... onde coisas "ruins" acontecem apenas com pessoas "ruins" e só coisas "boas" acontecem com pessoas "boas".

E vivem sob a suposição de que "as pessoas recebem o que merecem" e merecem o que recebem.

Para não se sentirem **vulneráveis**, as pessoas culpam as **vítimas pelas desgraças** que sofrem.

As pessoas sentem-se mais confortáveis quando pensam que podem controlar as próprias vidas. Precisamos acreditar que vivemos em um mundo em que as boas ações são recompensadas e as más, punidas, e isso contribui de maneira significativa para a nossa sensação de que é possível prever, conduzir e, em última análise, controlar os acontecimentos. Essa "hipótese de um mundo justo" é uma tendência a acreditar que "as pessoas recebem o que merecem". Mas, segundo Marvin Lerner, essa equivocada e perigosa crença dá uma importância indevida a supostos traços de caráter das pessoas envolvidas, em vez de considerar os fatos em questão. Se alguém está sofrendo ou sendo castigado, para nós é mais fácil crer que a pessoa fez por merecer. A teoria do mundo justo torna-se uma confortável racionalização para eventos aparentemente inexplicáveis e evita que o mundo pareça caótico ou aleatório. E faz as pessoas crerem que, desde que sejam "boas", apenas as coisas "boas"

PSICOLOGIA SOCIAL 243

Veja também: Dorothy Rowe 154 ▪ Elizabeth Loftus 202–07

É mais fácil tolerar ou ser indiferente ao problema dos desabrigados, ou qualquer outra mazela social, quando se acredita que as pessoas são as principais responsáveis por suas próprias desgraças.

acontecerão com elas, gerando uma falsa impressão de segurança e controle.

Em seu livro, *The belief in a just world*, Lerner lembrou que exigimos "bom" comportamento das crianças e prometemos a elas que, deixando seus desejos e impulsos naturais de lado, serão bem recompensadas no futuro. Para que esse contrato possa ser cumprido, devemos viver em um mundo justo; quando as crianças crescem e se transformam em adultos, levam com elas uma crença solidificada.

Culpando a vítima

Em um estudo realizado em 1965 com estudantes, Lerner descobriu que, ao saberem que um colega ganhou na loteria, os demais justificavam o fato acreditando que o ganhador se esforçara mais do que eles. Aparentemente, a crença num mundo justo permitia que ajustassem os fatos da situação. Esse raciocínio pode ser especialmente prejudicial quando aplicado à nossa visão sobre vítimas de crimes ou abusos. Em casos de estupro, por exemplo, são frequentes os comentários de que a mulher "estava pedindo para acontecer" por usar saia curta ou ter flertado, dessa maneira tirando a responsabilidade do criminoso e colocando-a nas mãos da vítima. Ao culpar a vítima, o observador protege também a própria impressão de segurança.

Não obstante, Lerner enfatizou que a crença em um mundo justo nem sempre tem como resultado culpar a vítima. A aparente inocência, o charme, o *status* e as semelhanças da vítima com quem a observa podem influir no julgamento.

A hipótese de Lerner abriu caminho para pesquisas importantes no campo da justiça social. Também suscitou discussões sobre os efeitos da crença em um mundo justo sobre nossa vida. Será que ela ajuda as pessoas a lidar com as dificuldades? Ou, ao contrário, pode, quem sabe, criar a impressão de que qualquer transgressão, por menor ou mais involuntária que seja, pode provocar uma catástrofe — raciocínio que, segundo a psicóloga australiana Dorothy Rowe, leva a uma maior suscetibilidade à depressão. ■

As pessoas precisam acreditar que vivem em um mundo justo.
Melvin Lerner

Melvin Lerner

Pioneiro no estudo psicológico da justiça, Melvin Lerner estudou psicologia social na Universidade de Nova York, onde concluiu seu doutorado em 1957. Transferiu-se em seguida para a Universidade de Stanford, na Califórnia, onde cursou pós-doutorado em psicologia clínica.

De 1970 a 1994, deu aulas de psicologia social na Universidade de Waterloo, Canadá. Lecionou também em outras universidades dos Estados Unidos e Europa, entre elas a da Califórnia, a de Washington e nas Universidades de Utrecht e Leiden, na Holanda.

Foi editor do periódico *Social Justice Research* e, em 2008, recebeu o Lifetime Achievement Award da Sociedade Internacional de Pesquisa da Justiça. É atualmente professor convidado da Florida Atlantic University.

Principais trabalhos

1980 *The belief in a just world: a fundamental desilusion the justice motive in social*
1981 *Behavior: adapting to times of scarcity and change*
1996 *Current concerns about social justice*

PESSOAS QUE FAZEM LOUCURAS NÃO SÃO NECESSARIAMENTE LOUCAS
ELLIOT ARONSON (1932–)

CONTEXTO

RAMO
Psicologia social

ABORDAGEM
Mudança de atitude

ANTES
1956 O psicólogo social Leon Festinger apresenta a sua teoria de dissonância cognitiva e explica que ter crenças inconsistentes causa uma tensão psicológica desconfortável.

1968 Ocorre o massacre de civis vietnamitas em My Lay, possivelmente porque os soldados americanos desumanizaram as vítimas, reduzindo a dissonância cognitiva.

DEPOIS
1978 Elliot Aronson cria o método de aprendizagem cooperativa *jigsaw* para reduzir o preconceito e a violência nas escolas, cuja base é o aprendizado em pequenos grupos totalmente interdependentes.

1980 Psicólogos dizem que os experimentos dissonantes podem não refletir verdadeiras mudanças de atitude, mas um desejo de parecer íntegro e, portanto, aceitável socialmente.

Em seu livro *The social animal*, de 1972, Elliot Aronson apresentou a "Primeira Lei de Aronson": pessoas que fazem loucuras não são necessariamente loucas. As "loucuras" a que ele se referiu são atos de violência, cruéis ou muito preconceituosos — atos tão extremados que parecem refletir o desequilíbrio psicológico de quem os comete. No entanto, argumentou Aronson, embora haja pessoas psicóticas de verdade, até gente saudável do ponto de vista psicológico pode ser levada aos extremos do comportamento humano e parecer insana. Antes de taxar as pessoas como psicóticas, portanto, é

Em algumas situações, pessoas saudáveis fazem loucuras.

⬇

Se não conhecermos as **circunstâncias sociais** que provocaram esses atos…

⬇

… seremos levados a concluir que foram causados por alguma **insanidade ou deficiência de caráter.**

⬇

Devemos ter em mente que pessoas que fazem loucuras não são necessariamente loucas.

PSICOLOGIA SOCIAL 245

Veja também: Leon Festinger 166–67 ▪ Solomon Asch 224–27 ▪ Melvin Lerner 242–43 ▪ Stanley Milgram 246–53 ▪ Philip Zimbardo 254–55

importante que os psicólogos sociais façam todo o possível para compreender a situação enfrentada por elas e as pressões sofridas quando praticaram o comportamento anormal.

Dissonância cognitiva

Para exemplificar sua teoria, Aronson citou o incidente ocorrido na Universidade Estadual de Kent, em Ohio, em 1970, quando membros da Guarda Nacional de Ohio mataram a tiros quatro estudantes desarmados e deixaram feridos outros nove. Alguns desses estudantes protestavam contra a invasão americana no Camboja, mas outros estavam apenas passando pelo campus. O motivo da tragédia permanece ambíguo, mas é certo que ela não era necessária. No entanto, após o ocorrido, um professor de Ohio (bem como membros da Guarda Nacional) afirmou que os estudantes mereciam morrer e rapidamente começaram a se espalhar boatos de que as garotas assassinadas ou estavam grávidas, ou tinham sífilis, ou eram moças levianas. Aronson argumentou que os boatos, embora falsos, não eram produto de mentes psicóticas, mas, sim, de mentes pressionadas e conflitantes em busca de alívio.

O tiroteio na Universidade Estadual de Kent, em que quatro estudantes foram mortos pela Guarda Nacional, provocou um conflito emocional nos moradores da cidade que os levou a denegrir as vítimas.

>
> Variáveis circunstanciais podem levar boa parte de nós, adultos 'normais', a se comportar de maneira não muito apreciável.
> **Elliot Aronson**
>

O conflito sentido por essas pessoas é conhecido por "dissonância cognitiva", um sentimento desagradável que vivenciamos quando duas ou mais de nossas crenças são inconsistentes. Para reduzir essa dissonância, as pessoas mudam seu comportamento, crenças e atitudes, mesmo que isso implique justificar ou até negar atos cruéis contra terceiros. Foi o que, na opinião de Aronson, aconteceu após o massacre de Kent. Os moradores da cidade queriam acreditar na bondade da Guarda Nacional, e isso implicava acreditar que as vítimas mereciam morrer. A ideia de que os mortos eram devassos e imorais consolava as pessoas, aliviando o conflito moral de ter de acreditar que estudantes inocentes haviam sido mortos sem motivo.

Segundo Aronson, qualquer um de nós pode se comportar assim sob circunstâncias semelhantes. Ao entender os motivos pelos quais as pessoas justificam ou negam atos cruéis, podemos nos posicionar melhor para mediar ou evitar que ocorram em contextos sociais mais amplos, como guerras ou atitudes de preconceito social. ∎

Elliot Aronson

Elliot Aronson cresceu em Revere, Massachusetts, durante a Grande Depressão. Ganhou uma bolsa para frequentar a Universidade Brandeis, onde graduou-se. Fez depois mestrado na Universidade de Wesleyan e doutorado na Universidade de Stanford. Desde então, tem lecionado em diversas universidades, entre elas Harvard e Stanford.

Ao longo de sua carreira, procurou sempre usar as descobertas de suas pesquisas para melhorar as condições humanas e reduzir o preconceito. Em reconhecimento ao seu trabalho, recebeu os prêmios William James e Gordon Allport e foi incluído na lista dos cem psicólogos mais influentes do século XX, elaborado pela *Review of General Psychology*. Foi o único psicólogo do mundo a receber os três prêmios concedidos pela Associação Americana de Psicologia: por seus escritos, por seus ensinamentos e sua pesquisa.

Principais trabalhos

1972 *The social animal*
1978 *The jigsaw classroom*
2007 *Mistakes were made (but not by me)*

AS PESSOAS AGEM CONFORME AS ORDENS QUE RECEBEM

STANLEY MILGRAM (1933–1984)

248 STANLEY MILGRAM

CONTEXTO

ABORDAGEM
Conformismo

ANTES
1939-45 Durante a Segunda Guerra Mundial, cerca de 6 milhões de judeus foram assassinados a mando da Alemanha nazista.

1950 Em seus experimentos com linhas, Solomon Asch demonstra a força da pressão social para o conformismo das pessoas.

1961 O criminoso de guerra nazista Adolf Eichmann é julgado e alega ter apenas "cumprido ordens".

DEPOIS
1971 Philip Zimbardo conduz sua experiência da prisão e demonstra que, em determinadas situações, pessoas boas podem praticar atos cruéis.

1989 Os psicólogos americanos Herbet Kelman e V. L. Hamilton afirmam que os membros de um grupo obedecem a uma autoridade que consideram legítima.

O psicólogo social Stanley Milgram mudou completamente a compreensão da obediência humana quando publicou "Behavioural study of obedience", em 1963. O artigo divulgou os resultados de uma experiência demonstrando que a maioria das pessoas é capaz de causar danos profundos aos outros se receber ordens nesse sentido de uma figura de autoridade, e também levantou questões sobre os limites éticos da experimentação psicológica.

Milgram ficou particularmente interessado em estudar a questão da obediência durante o julgamento do alemão nazista e criminoso de guerra Adolf Eichmann. A opinião vigente era que havia alguma diferença inerente nos alemães do século XX; na década de 1950, estudiosos como Theodor Adorno chegaram a sugerir que os alemães possuíam certas características de personalidade que os haviam deixado particularmente suscetíveis a perpetrar as atrocidades do holocausto. Eichmann, por sua vez, alegou ter apenas "cumprido ordens". E Milgram dispôs-se a investigar se aquilo poderia ser verdade — será que uma pessoa comum deixaria de lado as suas noções de certo e errado apenas porque alguém mandou que fizesse isso? Seu estudo demonstrou aspectos importantes da relação entre autoridade e obediência e permanece até hoje uma das experiências mais polêmicas da história da psicologia.

O poder do grupo

Para Milgram, as circunstâncias da Segunda Guerra Mundial e a ânsia por obedecer — e não a suscetibilidade dos alemães — levaram às crueldades do nazismo. Argumentava que o comportamento deles fora um resultado direto da situação e que qualquer um poderia ter agido da mesma forma, caso estivesse sob o mesmo contexto. No final da década de 1950, Milgram havia realizado muitos estudos sobre conformidade ao lado de Solomon Asch e visto com os próprios olhos indivíduos acatarem decisões do grupo, mesmo sabendo que eram incorretas. As experiências revelavam que as pessoas são capazes de dizer ou fazer coisas que contrariam suas próprias noções de realidade. Será que permitiriam também que seus julgamentos morais fossem afetados pela autoridade de um grupo ou de uma pessoa?

A experiência de Milgram

Milgram decidiu testar se pessoas normalmente boas e agradáveis podiam ser convencidas a agir contra seus próprios valores morais em um contexto em que houvesse algum tipo de autoridade no comando. Ele elaborou então um estudo para determinar o grau de obediência de um grupo de homens "normais" que recebesse ordens de uma figura de autoridade para aplicar choques elétricos em alguém. A experiência foi realizada em 1961, em um laboratório da Universidade de Yale, onde Milgram ensinava psicologia. Os participantes foram recrutados por um anúncio no

Os humanos desde cedo são **socializados para** serem obedientes.

Sentimo-nos **obrigados a acatar** os comandos das figuras de autoridade...

As pessoas agem conforme as ordens que recebem.

... mesmo quando entram em **conflito** com os nossos próprios **valores morais**.

PSICOLOGIA SOCIAL 249

Veja também: Solomon Asch 224–27 ▪ Serge Moscovici 238–39 ▪ Philip Zimbardo 254–55 ▪ Walter Mischel 326–27

> O mais famoso e polêmico experimento sobre obediência.
> **Richard Gross**

jornal e quarenta homens foram selecionados. O grupo reunia uma grande variedade de profissionais, entre eles professores, carteiros, engenheiros, operários e vendedores. Cada um ganhou 4,50 dólares pela participação; recebiam o dinheiro assim que chegavam ao laboratório, com a informação de que deveriam mantê-lo, independentemente do que ocorresse durante a experiência.

Milgram instalara no laboratório um falso gerador de eletrochoque (mas que parecia real e impressionante). O aparelho tinha trinta interruptores cuja voltagem aumentava de quinze em quinze volts, marcados com rótulos que identificavam as faixas de intensidade de choque, que começavam com "choque leve" em uma extremidade e iam até "choque de extrema intensidade", "perigo: choque grave" e, finalmente, na outra extremidade, um interruptor rotulado apenas como "XXX".

O papel do experimentador ou "cientista" era desempenhado por um professor de biologia que se apresentava aos participantes como Jack Williams. Para dar a impressão de autoridade, ele vestia um jaleco cinza de técnico de laboratório e mantinha um ar austero e distante durante todos os experimentos.

Informava-se aos participantes que o estudo tinha por objetivo investigar qual o efeito de castigos sobre a aprendizagem. De cada dois voluntários, um seria o aprendiz e outro, o professor. Na verdade, um membro da dupla de "voluntários" não era um participante, mas sempre o mesmo ator: um simpático contador chamado sr. Wallace, que havia sido preparado para o papel de vítima. Quando o sr. Wallace e o participante tiravam papeizinhos de um chapéu para determinar qual o papel de cada um, o sorteio era sempre armado de modo que aquele ficasse com o papel de "aprendiz". Na presença do participante, o "aprendiz" (sr. Wallace) era amarrado em uma "cadeira »

Conectado aos fios de maneira convincente, o sr. Wallace fingia ser um inocente voluntário. Seus gritos não impediram 65% dos participantes de lhe administrar a intensidade máxima de falsos eletrochoques.

Stanley Milgram

Stanley Milgram nasceu em 1933, em uma família judia de Nova York. Seus pais, húngaros, tinham uma padaria no Bronx, e ele estudou no James Monroe High School, onde foi colega de Philip Zimbardo.

Ótimo aluno e líder entre os colegas, Milgram primeiro estudou ciência política e depois concluiu o doutorado em psicologia, em Harvard, em 1960, sob orientação de Gordon Allport. Após trabalhar com Solomon Asch nos estudos sobre conformidade realizados em Harvard, foi contratado como professor assistente em Yale, onde realizou seus experimentos sobre obediência. Em 1961, casou-se com Alexandra Menkin, com quem teve dois filhos. Em 1963, voltou a Harvard, mas lhe negaram efetivação no cargo devido à polêmica sobre seu experimento. Milgram transferiu-se então para a City University de Nova York, onde lecionou até sua morte, aos 51 anos de idade.

Principais trabalhos

1963 "Behavioural study of obedience"
1967 *The small world problem*
1974 *Obedience to authority: an experimental view*

STANLEY MILGRAM

O aparelho de choques de Milgram provocou resultados totalmente inesperados. Uma equipe de quarenta psiquiatras havia previsto que menos de 5% dos participantes aplicaria choques de até 300 V; na verdade, todos os participantes chegaram a esse nível.

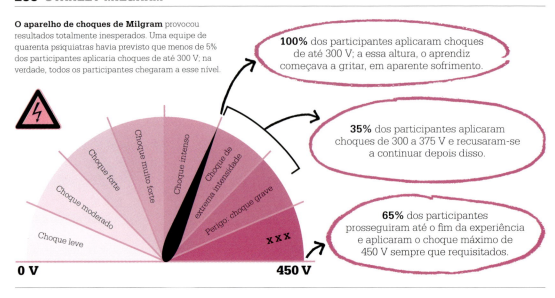

100% dos participantes aplicaram choques de até 300 V; a essa altura, o aprendiz começava a gritar, em aparente sofrimento.

35% dos participantes aplicaram choques de 300 a 375 V e recusaram-se a continuar depois disso.

65% dos participantes prosseguiram até o fim da experiência e aplicaram o choque máximo de 450 V sempre que requisitados.

elétrica" com um eletrodo preso no pulso; dizia-se ao participante que o eletrodo estava conectado ao aparelho de eletrochoque localizado na sala ao lado. O participante ouvia o "cientista" dizer ao "aprendiz" (sr. Wallace) que "os choques doíam muito, mas não havia risco de dano permanente". Para dar mais autenticidade à situação, o cientista conectava o participante ao aparelho e aplicava-lhe um choque de 45 V — na verdade, a única voltagem que o gerador conseguia produzir.

A essa altura, o participante era conduzido à sala do gerador e convidado a assumir o papel do "professor". Pediam-lhe que lesse em voz alta uma série de pares de palavras (como "azul–menina" e "lindo–dia") para que o aprendiz as memorizasse. Deveria ler em seguida uma série de palavras simples; a tarefa do aprendiz era dizer o par de cada palavra e mostrar sua resposta apertando um interruptor que acendia uma luz no gerador de choque. Se a resposta estivesse correta, o professor continuava com as perguntas; se estivesse errada, deveria dizer a resposta certa ao aprendiz, anunciar a intensidade do choque que ele iria receber e acionar o interruptor para aplicá-lo. Os participantes deveriam aumentar a intensidade do choque em 15 V a cada resposta incorreta (ou seja, deveriam subir na escala de intensidade da máquina).

Aplicando os choques

Como parte do experimento, o aprendiz (sr. Wallace) fora instruído a dar uma resposta errada a cerca de cada quatro perguntas, dessa forma garantindo que o participante fosse solicitado a aplicar choques elétricos. Durante o processo, o aprendiz deveria golpear a parede quando a voltagem atingisse 300 V e gritar: "Eu me recuso terminantemente a continuar respondendo! Tire-me daqui! Você não pode me prender! Tire-me daqui!". Conforme a intensidade dos choques aumentava, o aprendiz deveria gritar cada vez com mais desespero e, em determinado momento, parar de fazer qualquer barulho; as questões encontrariam apenas um silêncio sinistro. O participante recebera a instrução de considerar incorretas as questões sem resposta e aplicar o próximo nível de choque. Caso ele ficasse receoso de prosseguir com o teste, o "cientista" dava-lhe uma palavra de incentivo — desde um simples pedido para que continuasse, até dizer ao participante que não havia outra alternativa. Se a pessoa se recusasse a continuar após esse último incentivo, a experiência chegava ao fim.

Com espantosa regularidade, observamos boas pessoas curvarem-se às exigências da autoridade e cometerem atos graves e insensíveis.
Stanley Milgram

PSICOLOGIA SOCIAL 251

Antes da experiência, Milgram perguntou a diferentes grupos, de leigos a psicólogos e psiquiatras, até que ponto achavam que os participantes chegariam quando requisitados a aplicar os choques elétricos. A maioria supôs que os participantes não ultrapassariam uma intensidade que provocasse dor; e os psiquiatras previram que um em cada mil, no máximo, iria até o nível mais alto de voltagem. Surpreendentemente, quando o experimento aconteceu, Milgram verificou que todos os quarenta participantes obedeceram ao comando de administrar choques de até 300 V. A partir desse ponto, apenas cinco se recusaram a continuar; 65% das pessoas obedeceram às instruções do "cientista" até o fim, aceitando comandos para administrar choques até a voltagem máxima de 450 V.

O desconforto de assumir essas atitudes ficava muitas vezes evidente: muitos participantes apresentaram sinais de angústia, tensão e nervosismo. Gaguejavam, tremiam, suavam, gemiam, tinham ataques de riso nervoso, e três chegaram a ter convulsões. Em todos os experimentos, em determinado momento o participante parava e questionava o procedimento; alguns até se prontificaram a devolver o dinheiro recebido no início do processo. As entrevistas realizadas após os experimentos confirmaram que, com pouquíssimas exceções, os participantes haviam acreditado piamente na veracidade do "experimento de aprendizagem".

Todos os participantes receberam explicações detalhadas sobre o que ocorrera de fato e responderam uma série de perguntas para ver se haviam sido prejudicados emocionalmente pela experiência. Também se encontraram com o "aprendiz" (sr. Wallace) para que vissem com os próprios olhos que os choques eram falsos.

Sentindo-se obrigados a obedecer

Milgram apontou diversos aspectos da experiência que podem ter contribuído para níveis tão altos de obediência; o fato de ocorrer na prestigiosa Universidade de Yale, por exemplo, conferia-lhe total credibilidade. Além disso, os participantes supunham que o estudo fora elaborado para estimular o conhecimento e haviam sido assegurados de que os choques não eram perigosos, embora dolorosos. O pagamento talvez tenha aumentado o senso de obrigação, bem como o fato de as pessoas terem participado como voluntárias. Para confirmar essas explicações, Milgram conduziu variações do estudo, mas mudar o contexto teve efeitos insignificantes sobre os resultados.

Milgram queria observar se a tendência a obedecer à autoridade poderia ser o principal determinante do

Pessoas comuns, que estão apenas fazendo o seu trabalho e não apresentam qualquer tipo de hostilidade, podem tornar-se agentes de um processo terrível e destrutivo.
Stanley Milgram

comportamento, mesmo em circunstâncias extremas. Ficou claro, pelas reações e respostas dos participantes, que acatar as instruções do "cientista" contrariava suas noções pessoais de moralidade e os afetava de maneira negativa, tanto emocional quando fisicamente, mas para alguns a pressão para obedecer era forte demais para ser desafiada.

Segundo Milgram, esse senso de obediência deve-se ao fato de a »

Na década de 1960, o prestígio da Universidade de Yale era conhecido do grande público; a autoridade da instituição deve ter parecido inquestionável aos participantes do experimento de Milgram.

socialização ser concebida (por pais e professores) para que o indivíduo seja obediente desde cedo e siga ordens — em especial as regras impostas por figuras de autoridade. Como disse Milgram, "a obediência é um dos elementos mais básicos da estrutura da vida social... está a serviço de diversas funções produtivas". Mas, da mesma forma, as políticas desumanas dos campos de concentração da Segunda Guerra Mundial "só poderiam ser implementadas em grande escala se um grande número de pessoas obedecesse às ordens". As experiências de Milgram deixaram claro que pessoas normalmente inofensivas podem cometer atos cruéis quando pressionadas pela situação.

Ao descrever os resultados obtidos, Milgram valeu-se da teoria do conformismo; de acordo com ela, quem não tem destreza ou conhecimento para tomar uma decisão espelha-se no grupo para definir seu comportamento. A conformidade pode limitar e distorcer a resposta do indivíduo à situação e resultar em uma dispersão da responsabilidade —

fenômeno que Milgram julgava essencial para a compreensão das atrocidades cometidas pelos nazistas. Não obstante, o embate entre consciência individual e autoridade externa provoca uma pressão interna gigantesca que, na opinião de Milgram, era responsável pela grande angústia experimentada pelos participantes do estudo.

Questões éticas
O estudo de Milgram levantou diversas questões éticas. Quando publicado pela primeira vez, gerou tamanha polêmica que a Associação Americana de Psicologia suspendeu por um ano a adesão do autor. Milgram foi aceito como sócio novamente, e seu livro de 1974, *Obedience to authority*, recebeu o Social Psychology Award do ano.

A questão principal era o fato de os participantes da experiência terem sido claramente ludibriados, tanto em relação à natureza do estudo quanto à veracidade dos choques elétricos. Milgram defendia-se alegando que não seria possível obter resultados autênticos sem enganar os participantes e que todos haviam sido esclarecidos após a experiência. O autoconhecimento, argumentava ele, era um bem precioso, apesar do eventual desconforto dos participantes ao serem confrontados com o fato de terem se comportado de maneira antes impensável para si mesmos.

Contudo, muitos psicólogos não se convenceram, e o estudo foi fundamental para o desenvolvimento de padrões éticos na experimentação psicológica. Ajudou a definir princípios importantes, como o de não enganar intencionalmente participantes de experiências e não fazê-los passar por sofrimentos emocionais.

Validade em diferentes culturas
Outra crítica à obra de Milgram dizia respeito à não representatividade da amostra: homens americanos não refletem necessariamente a população em geral. Ainda assim, Milgram conseguiu provar que a obediência não era um traço peculiar da mente de alemães do século XX, mas algo mais universal. As várias replicações do experimento original conduzidas em diferentes culturas constataram uma

O comportamento dos nazistas durante a Segunda Guerra Mundial fora atribuído à disseminação da "personalidade autoritária" entre a população; essa justificativa foi questionada pelos experimentos de Milgram.

A obediência à autoridade não é uma particularidade da cultura germânica, mas um traço aparentemente universal do comportamento humano.
Stanley Milgram

PSICOLOGIA SOCIAL

Durante a guerra, um soldado não questiona se é bom ou ruim bombardear uma aldeia.
Stanley Milgram

Os soldados americanos no Vietnã relataram que foram gradualmente se comportando de maneira cada vez mais inaceitável — como ocorreu com o experimento do gerador de choques — até chegar ao ponto de matar inocentes.

equivalência surpreendentemente alta de resultados dentro de cada tipo de sociedade, mas pequena de um país para outro. Por exemplo, na maior parte da América do Norte e Europa, os resultados foram muito similares aos da experiência original de Milgram, com porcentagens muito altas de obediência. Os estudos realizados na Ásia, porém, apresentaram índices ainda mais altos de obediência (sobretudo em países muçulmanos e do leste asiático), ao passo que as populações nativas da África e da América Latina, bem como os esquimós inuit do Canadá, tiveram índices bem mais baixos.

Tortura virtual

Em 2006, o psicólogo Mel Slater decidiu verificar o que aconteceria se os participantes soubessem de antemão que a situação não era real. Sua replicação da experiência tinha como base um simulador virtual do aprendiz e dos choques, de modo que os participantes administrando a corrente elétrica sabiam que o aprendiz era gerado por computador. A experiência foi conduzida duas vezes: na primeira, o aprendiz virtual comunicava-se com o participante apenas via texto; na segunda, um modelo gerado no computador podia ser visto numa tela. Os participantes que tiveram contato com o aprendiz apenas via texto não tiveram problemas para aplicar os choques; mas, quando o aprendiz virtual podia ser visto na tela, os participantes agiram exatamente como no experimento original de Milgram.

A sociedade exige obediência

A noção de sociedade baseia-se no entendimento de que os indivíduos estão dispostos a abrir mão de certa autonomia e recorrer a pessoas com mais autoridade ou *status* social para tomarem decisões de maior alcance ou de perspectiva maior ou mais ampla. Até sociedades mais democráticas requerem o comando de autoridades reconhecidas e legítimas que tenham precedência sobre a autorregulação individual, em favor do que é melhor para o coletivo. Para que uma sociedade funcione, os cidadãos precisam concordar em acatar suas regras. A legitimidade é essencial, obviamente, e há incontáveis exemplos históricos de pessoas que fizeram uso de sua autoridade para persuadir outros a cometerem crimes contra a humanidade.

Milgram demonstrou, ademais, outro fato importante: "O que determina as atitudes não é o tipo de pessoa, mas, sim, a situação em que ela se encontra". Não devemos recorrer à personalidade para explicar crimes, disse ele, mas, sim, examinar o contexto, a situação.

O estudo seminal de Milgram sofreu críticas severas na época, entre outros motivos porque pintava uma imagem desagradável e tenebrosa da natureza humana. É muito mais fácil acreditar que existem diferenças fundamentais entre os nazistas e o resto da humanidade do que aceitar que, em determinadas situações, muitos de nós somos capazes de realizar atos terríveis de violência. Milgram lançou luz sobre as realidades obscuras do poder e das consequências de nossa tendência a obedecer e, ao fazê-lo, ele nos absolveu e simultaneamente transformou a todos em vilões. ■

O QUE ACONTECE QUANDO COLOCAMOS PESSOAS BOAS EM LUGARES RUINS?
PHILIP ZIMBARDO (1933–)

CONTEXTO

ABORDAGEM
Conformidade

ANTES
1935 Muzafer Sherif demonstra, com seus experimentos sobre o efeito autocinético, que grupos inventam rapidamente "normas sociais".

Anos 1940 Kurt Lewin mostra que as pessoas alteram o comportamento de acordo com a situação.

1963 Stanley Milgram conduz seus estudos de obediência, demonstrando que as pessoas tendem a obedecer a figuras de autoridade mesmo que isso signifique praticar atos cruéis.

DEPOIS
2002 Os psicólogos ingleses Steven Reicher e Alex Haslam ampliam o estudo de Zimbardo para investigar o comportamento positivo de grupos, em vez do negativo.

2004 Zimbardo testemunha a favor de um ex-guarda da prisão de Abu Ghraib, argumentando que as circunstâncias ocasionaram o comportamento cruel do acusado.

Os surpreendentes estudos de Stanley Milgram sobre a obediência mostraram que as pessoas obedecem a figuras de autoridade mesmo que isso implique contrariar as próprias convicções morais. Inspirado por essas descobertas, Philip Zimbardo decidiu investigar como as pessoas se comportam quando ocupam um posto de autoridade e têm poderes ilimitados. Elas usarão (ou abusarão) intencionalmente do poder que têm? Em 1971, Zimbardo conduziu o hoje famoso Experimento da Prisão de Stanford, com 24 universitários americanos de classe média previamente testados para estabelecer sua saúde mental.

Por sorteio, os alunos assumiram aleatoriamente papel de "guarda" ou de "preso" e, pouco depois, numa manhã de

O que acontece quando colocamos pessoas boas em lugares ruins?

Em geral, pessoas normais e saudáveis passam a se comportar conforme o **papel social** a elas determinado.

As que estão em **posição de poder** naturalmente usam (e abusam) da autoridade que têm.

As que estão em **posição de subordinadas** submetem-se à autoridade.

É a **força das situações sociais**, e não a disposição das pessoas, que gera **comportamentos cruéis**.

PSICOLOGIA SOCIAL

Veja também: John B. Watson 66–71 ▪ Zing-Yang Kuo 75 ▪ Kurt Lewin 218–23 ▪ Elliot Aronson 244–45 ▪ Stanley Milgram 246–53 ▪ Muzafer Sherif 337

Os "prisioneiros" rebelaram-se contra os "guardas", mas as táticas dos guardas ficaram mais agressivas. Eles começaram a dividir os presos em grupos, recompensando alguns e castigando outros.

domingo, os prisioneiros foram presos em suas casas, fichados em uma delegacia policial de verdade e levados ao porão do departamento de psicologia da Universidade de Stanford, transformada em falsa prisão.

O ambiente da prisão

Para que o experimento tivesse a carga psicológica mais real possível, na chegada à falsa prisão, os prisioneiros foram despidos, revistados, passaram por inspeção para detectar se havia piolhos no cabelo e receberam uniformes e roupas de cama.

Os guardas vestiam uniformes militares e óculos escuros (para evitar contato visual) e portavam chaves, apitos, algemas e cassetetes. Trabalhavam 24 horas por dia e tinham controle absoluto sobre os presos, com permissão para utilizar as táticas que julgassem necessárias para manter a ordem.

Para grande espanto dos pesquisadores, o ambiente rapidamente se tornou tão perigoso para os participantes que o estudo teve de ser finalizado após seis dias apenas. Todos os guardas foram autoritários e praticaram excessos; negaram comida e roupas de cama aos prisioneiros, que foram encapuzados, acorrentados e obrigados a limpar privadas com as próprias mãos. Entediados, os guardas usavam os presos como brinquedo, obrigando-os a participar de jogos humilhantes. Passadas meras 36 horas, um prisioneiro — tomado por choro incontrolável, ataques de raiva e depressão profunda — teve de ser liberado. Quando outros prisioneiros começaram a apresentar sintomas de grande angústia, Zimbardo percebeu que a situação tornara-se perigosa e encerrou a experiência.

O experimento mostrou que pessoas boas podem ser levadas a maus comportamentos quando submetidas a "situações extremas", em que há uma aparente ideologia justificadora com regras e papéis definidos. As implicações são vastas, como explicou Zimbardo: "Qualquer ato praticado por um ser humano, por mais horrível que seja, pode ser cometido por qualquer um de nós — se estivermos pressionados pela situação, seja ela boa ou ruim". ■

Nosso estudo revela o poder das forças sociais e institucionais para fazer homens bons praticar atos cruéis.
Philip Zimbardo

Philip Zimbardo

Philip Zimbardo nasceu em Nova York, em 1933, em uma família de origem siciliana e foi colega de Stanley Milgram na James Monroe High School, no Bronx. Fez o bacharelado no Brooklyn College, em Nova York, e o doutorado em Yale. Lecionou em várias universidades até se instalar em Stanford, em 1968, onde é professor de psicologia até hoje.

Ele disse, em 2000, que concordava com George Armitage Miller de que estava na hora de "entregar a psicologia ao povo" e refletiu essa ideia em sua carreira. Na década de 1980, apresentou uma série popular de TV cujo tema era "descobrindo a psicologia". Em 2000, recebeu da Fundação Americana de Psicologia o prêmio de Distinguished Lifetime Contributions to General Psychology, e dois anos depois foi eleito presidente da Associação Americana de Psicologia.

Principais trabalhos

1972 *The Stanford Prison Experiment*
2007 *The Lucifer effect*
2008 *The time paradox*
2010 *Psychology and life*

TRAUMAS DEVEM SER ANALISADOS SOB A PERSPECTIVA DA RELAÇÃO ENTRE INDIVÍDUO E SOCIEDADE
IGNACIO MARTÍN-BARÓ (1942–1989)

CONTEXTO

ABORDAGEM
Psicologia da libertação

ANTES
1965 A partir dos debates da Conferência de Swampscott, em Massachusetts, Estados Unidos, nasce a psicologia comunitária, nova disciplina dedicada a investigar a relação entre indivíduos e comunidades.

Anos 1970 A psicologia social — cujo objetivo é estudar a ligação entre condições sociais e emoções e comportamentos — entra em crise na Grã-Bretanha, na América do Norte e, mais fortemente, na América Latina.

DEPOIS
1988 É fundado o Instituto Latino-Americano de Saúde Mental e Direitos Humanos.

1997 Os psicólogos americanos Isaac Prilleltensky e Dennis Fox publicam *Critical psychology*, destacando como a psicologia tradicional pode tornar-se uma aliada da injustiça e da opressão social.

Ignacio Martín-Baró disse que os "traumas devem ser analisados sob a perspectiva da relação entre indivíduo e sociedade" após testemunhar as injustiças sociais e a violência endêmicas em El Salvador nos anos 1980. Em oposição à ideia da abordagem imparcial e universal da psicologia, ele concluiu que os psicólogos deveriam levar em conta o contexto histórico e as condições sociais das pessoas em estudo. Para Martín-Baró, é verdade que alguns problemas mentais refletem reações anormais a circunstâncias razoavelmente normais, mas os

---

Por pretender ser **imparcial e universal**, a psicologia tradicional ignora as consequências de contextos e meios específicos na conformação da saúde mental.

⬇

No entanto, para entender e tratar distúrbios mentais, o psicólogo deveria compreender o **ambiente sociopolítico** de seus pacientes e objetos de estudo.

⬇

Traumas devem ser analisados sob a perspectiva da relação entre indivíduo e sociedade.

PSICOLOGIA SOCIAL

Veja também: Lev Vygotsky 270 ▪ Jerome Kagan 339

problemas específicos de grupos oprimidos e explorados costumam refletir reações normais e compreensíveis às circunstâncias anormais. Martín-Baró concluiu que os psicólogos precisavam atentar mais às consequências de contextos sociais problemáticos sobre a saúde mental, bem como ajudar a sociedade estudada a superar o seu histórico de opressão. Na metade da década de 1980, instituiu a corrente da psicologia da libertação, comprometida em melhorar a vida de todas as pessoas marginalizadas e oprimidas.

Os psicólogos dessa corrente consideram que a psicologia tradicional tem muitas limitações. Muitas vezes não é capaz de oferecer soluções práticas aos problemas sociais; grande parte de seus princípios foi elaborada a partir de condições artificiais de países ricos e, portanto, dificilmente podem ser traduzidos para situações diferentes; costuma ignorar qualidades morais humanas, como esperança, coragem e comprometimento; e sua principal meta aparentemente é maximizar o prazer, em vez de se preocupar em despertar e orientar o desejo por justiça e liberdade.

Sociedades traumatizadas

A coletânea de textos *Writings for a liberation psychology*, publicada postumamente em 1994, reúne diversas décadas de estudo de Martín-Baró. Aborda o uso da psicologia como ferramenta de manipulação política e de guerra, o papel da religião no embate psicológico e o impacto de traumas e da violência sobre a saúde mental. Martín-Baró analisou áreas em que a dependência econômica e a profunda desigualdade haviam resultado em pobreza e exclusão social implacáveis. Investigou o impacto psicológico da guerra civil e da opressão em El Salvador, das ditaduras na Argentina e no Chile, e da pobreza em Porto Rico, Venezuela, Brasil e Costa Rica. Cada caso envolvia um conjunto de circunstâncias diferente, que afetava a população local de maneira única. Martín-Baró concluiu que os problemas de saúde mental que surgem em determinado contexto são reflexo da história local, bem como do ambiente social e político em questão,

O desafio é construir um novo indivíduo em uma nova sociedade.
Ignacio Martín-Baró

e que os indivíduos devem ser tratados com esses fatores em mente.

Seu principal objeto de estudo foi a América Central, mas suas ideias aplicam-se a qualquer local em que turbulências políticas e sociais perturbam a vida cotidiana. A perspectiva humana e compassiva adotada por Martin-Baró traça uma conexão importante entre saúde mental e luta contra injustiça e busca maneiras inovadoras de abordar de modo mais efetivo as questões associadas a problemas psicológicos. ■

Ignacio Martín-Baró

Ignacio Martín-Baró nasceu em Valladolid, na Espanha. Em 1959, entrou para a ordem jesuíta e foi enviado à América do Sul. Estudou na Universidade Católica de Quito, no Equador, e na Universidade Javeriana, em Bogotá, Colômbia. Em 1966, já padre jesuíta, foi transferido para El Salvador. Prosseguiu os estudos na Universidade da América Central, em San Salvador, e concluiu a licenciatura em psicologia em 1975. Mais tarde, concluiu o doutorado em psicologia social na Universidade de Chicago e retornou em seguida à Universidade da América Central, onde se tornou chefe do departamento de psicologia. Martín-Baró foi crítico assumido do regime de El Salvador e, em 1986, montou o Instituto Universitário de Opinião Pública. Ele e outras cinco pessoas foram assassinadas por um esquadrão da morte do Exército por suas revelações sobre a corrupção e a injustiça política.

Principais trabalhos

1983 *Action and ideology*
1989 *System, group and power*
1994 *Writings for a liberation psychology*

PSICOLO
DESENVOL
DA CRIANÇA
AO ADULTO

GIA DO
VIMENTO

O OBJETIVO DA EDUCAÇÃO
É CRIAR HOMENS E MULHERES CAPAZES DE FAZER COISAS NOVAS

JEAN PIAGET (1896–1980)

JEAN PIAGET

CONTEXTO

ABORDAGEM
Epistemologia genética

ANTES
1693 Em *Some thoughts concerning education*, o filósofo inglês John Locke apresenta a mente infantil como uma tábula rasa, isto é, uma folha em branco.

Anos 1780 O filósofo alemão Immanuel Kant propõe o conceito de *schema* e defende que a moralidade se desenvolve pela interação entre iguais, independentemente de figuras de autoridade.

DEPOIS
1907 A educadora italiana Maria Montessori funda a primeira escola montessoriana, estimulando a independência e respeitando as fases naturais do desenvolvimento.

Anos 1970-80 Muitos sistemas educacionais do ocidente começam a incorporar abordagens de aprendizado mais centradas na criança.

Combinando seus conhecimentos de jovem biólogo precoce à sua posterior fascinação pela epistemologia, Jean Piaget construiu um nicho próprio de pesquisa em uma disciplina que ele denominou epistemologia genética, que estuda as mudanças na inteligência conforme a criança cresce. Piaget não estava interessado em comparar níveis de inteligência entre crianças de idades diferentes (mudanças cognitivas quantitativas); seu foco era o desenvolvimento natural das habilidades mentais ao longo do tempo (mudanças cognitivas qualitativas). Estudos quantitativos permitem comparações numéricas, mas Piaget queria investigar as diferenças no tipo, na experiência e qualidade da aprendizagem infantil, o que implicava uma pesquisa "qualitativa". Distanciando-se do modelo behaviorista vigente, que creditava o desenvolvimento infantil apenas a fatores ambientais, Piaget decidiu investigar as capacidades inatas e congênitas que, na sua visão, levavam a criança a galgar uma série de estágios de desenvolvimento definidos pela idade.

Piaget acreditava que as crianças são aprendizes autônomos e ativos que usam os sentidos para interagir com o mundo ao seu redor, à medida que passam pelos estágios de desenvolvimento. Defendia também que era primordial estimular e orientar a criança nesse percurso, dando-lhe liberdade de vivenciar e explorar as coisas por conta própria, de maneira totalmente individual, pautada por tentativa e erro. A tarefa de um bom professor seria, portanto, dar apoio à criança nessa jornada por estágios, incentivando o tempo todo a sua criatividade e a imaginação, porque "o objetivo da educação é criar homens e mulheres capazes de fazer coisas novas".

A aprendizagem é ativa

Um dos temas recorrentes da teoria de desenvolvimento intelectual de Piaget é o conceito da aprendizagem como um processo pessoal e ativo. Do nascimento à infância, disse ele, a aprendizagem decorre de um desejo natural de sentir, explorar, mexer e, por fim, dominar. Por esse motivo, Piaget não confiava muito em testes de inteligência padronizados, nos quais as crianças são submetidas a testes pré-formatados, cujas respostas "corretas"

Os processos cognitivos da criança são **totalmente diferentes** dos processos do adulto.

As crianças passam, de forma autônoma e independente, **por quatro fases de desenvolvimento**.

Os professores precisam **oferecer tarefas** adequadas à fase de desenvolvimento da criança, bem como **estimular** o pensamento independente e a criatividade.

O objetivo da educação é criar homens e mulheres capazes de fazer coisas novas.

PSICOLOGIA DO DESENVOLVIMENTO

Veja também: Alfred Binet 50–53 ▪ Jerome Bruner 164–65 ▪ Lev Vygotsky 270 ▪ Erik Erikson 272–73 ▪ Françoise Dolto 279 ▪ Lawrence Kohlberg 292–93 ▪ Jerome Kagan 339

produzem medidas quantitativas da inteligência. Quando trabalhou com os testes padronizados de inteligência de Alfred Binet, no início dos anos 1920, ficou mais interessado nas respostas em si do que na capacidade das crianças de dar respostas corretas. As explicações das crianças sobre suas respostas revelavam que as suposições infantis sobre o funcionamento do mundo são muito diferentes da forma de pensar dos adultos. Piaget ficou convencido de que, além de crianças e adultos pensarem de maneiras diferentes, crianças de idades diferentes têm métodos distintos de pensamento.

A mente em evolução

Desde o século XVII, prevalecia a ideia de que crianças são, na verdade, adultos em miniatura. Os filósofos empiristas da época defendiam que o cérebro infantil funcionava como o dos adultos, só que fazendo menos associações. Outro grupo de pensadores, os aprioristas psicológicos, afirmava que alguns conceitos — como a ideia de tempo, espaço e quantidade — são inatos, ou "instalados" no cérebro, portanto os bebês já nascem com capacidade para utilizá-los. A sugestão de Piaget de que os processos mentais da criança — da primeira infância à adolescência — são fundamentalmente diferentes dos processos do adulto rompeu de forma radical e polêmica com essa visão.

Piaget achava que era essencial entender a formação e a evolução da inteligência durante a infância, por ser a única forma de se chegar a uma compreensão integral do conhecimento humano. Usar técnicas de entrevista psicoterapêutica para fazer as crianças explicarem suas respostas foi uma ideia eficiente e tornou-se uma ferramenta importante em todas as

suas pesquisas. Em vez de usar uma lista de perguntas predeterminadas e impessoais, a flexibilidade do método permitiu que a resposta da criança determinasse a questão subsequente. Seguindo a linha de raciocínio infantil, Piaget acreditava que poderia entender melhor os processos em jogo. Recusando-se a aceitar a ideia de uma inteligência quantitativa e mensurável, Piaget abriu caminho para teorias inovadoras sobre o desenvolvimento cognitivo da infância.

Desenvolvendo o intelecto

De início, Piaget supunha que o desenvolvimento intelectual infantil sofria mais impacto por fatores sociais, como linguagem e contato com parentes e colegas. Ao estudar as crianças, porém, percebeu que, para elas, a linguagem tinha uma importância menor e o mais importante eram suas próprias atividades. Nos primeiros dias de vida, os bebês têm movimentos corporais limitados —

Educar significa, para a maioria das pessoas, tentar fazer com que a criança se assemelhe ao adulto típico de sua sociedade.
Jean Piaget

Crianças não são miniadultos cujo conhecimento simplesmente ainda não chegou ao mesmo nível dos mais velhos; na verdade, elas veem o mundo de um jeito diferente e interagem com ele de maneira totalmente diversa.

basicamente chorar e sugar —, mas não demoram a incluir novas ações, como pegar um brinquedo. Piaget concluiu, portanto, que é a ação, e não a interação social, que provoca o raciocínio nesse estágio.

A descoberta faz parte da sua teoria de que todas as crianças passam por fases de desenvolvimento cognitivo, e de que as fases têm diferenças qualitativas e são organizadas hierarquicamente. A criança só avança para a próxima fase quanto de fato conclui a fase atual. Em seus estudos e observações, Piaget verificou que todas as crianças passam pelas fases na mesma sequência, sem pular nenhuma ou regredir. Esse processo não pode ser apressado e, apesar da tendência geral das crianças de estar na mesma fase mais ou menos na mesma idade, cada indivíduo tem um ritmo próprio de desenvolvimento.

As quatro fases definidas por Piaget representam os níveis de desenvolvimento da inteligência e,

Os quatro estágios do desenvolvimento

1. No estágio **sensório-motor**, os bebês aprendem sobre o mundo pelo tato e outros sentidos.

2. As crianças começam a organizar os objetos de forma lógica no estágio **pré-operacional**.

3. Durante o estágio **operacional concreto**, as crianças aprendem que quantidades podem assumir formatos diferentes.

4. O raciocínio verbal e o pensamento hipotético desenvolvem-se no **operacional formal**.

---

como tais, fornecem uma lista dos esquemas utilizados pelas crianças nesses momentos específicos de seu crescimento. O esquema é a representação mental de um conjunto de ideias, percepções e ações que nos equipam com a estrutura mental necessária para que organizemos as vivências anteriores e nos preparemos para as futuras. Durante a primeira infância, o esquema pode ser muito simples, como "coisas que eu posso comer". Entretanto, conforme a criança cresce, a complexidade aumenta, e os esquemas passam a incluir dados que permitem a ela compreender o que é "uma cozinha", um "melhor amigo" ou "um governo democrático". O comportamento inteligente, segundo Piaget, é composto por um número cada vez maior de esquemas.

Os quatro estágios do desenvolvimento

O primeiro estágio proposto por Piaget é o sensório-motor, que engloba os dois primeiros anos de vida. Durante esse período, as crianças aprendem sobre o mundo basicamente por meio dos sentidos (daí o "sensório") e da ação e movimentação físicas ("motor"). A criança nesse estágio é egocêntrica, só consegue enxergar o mundo a partir do seu ponto de vista. No início dessa etapa, as crianças agem por reflexos, sem compreendê-los e sem a intenção de fazê-lo; mais tarde, conseguem prolongar e coordenar os reflexos em relação aos objetos. Começam, então, a organizar seus sentidos para antecipar ocorrências; por exemplo, conseguem imaginar objetos que não estão presentes no momento ou achar coisas escondidas. Passam a experimentar e a traçar objetivos envolvendo objetos, e a pensar sobre um problema antes de agir. Esses avanços marcam o final da primeira fase.

Quando começa a desenvolver autoconsciência, a criança já possui as ferramentas do pensamento representativo e pode desenvolver e usar imagens, símbolos internos e linguagem. Tudo isso faz parte do segundo estágio, pré-operacional, em que o interesse fundamental da criança é a aparência das coisas. Os pequenos começam a demonstrar habilidades como organizar itens de maneira lógica (conforme a altura, por exemplo) ou a comparar dois objetos (blocos, por exemplo) por características compartilhadas, focando em um detalhe perceptivo por vez (como tamanho ou cor). Dos dois aos quatro anos de idade, a criança raciocina em termos absolutos (como "grande" e "maior de todos"); dos quatro aos sete, entram em jogo os termos relativos ("maior que" ou "mais pesado que"). A capacidade de pensar logicamente é ainda limitada, e a criança continua egocêntrica, incapaz de observar as coisas pela perspectiva do outro.

O terceiro estágio é o operacional concreto; é quando as crianças se tornam capazes de realizar operações lógicas, mas só na presença de objetos reais (concretos). Passam a compreender o conceito de conservação e entendem que a quantidade de determinado objeto pode continuar a mesma, a despeito de alterações físicas

---

> O saber é um sistema de transformações que se tornam progressivamente adaptadas.
> **Jean Piaget**

em sua aparência. Percebem que, se você passa o líquido de um copo baixo e largo para outro, alto e comprido, a quantidade permanece a mesma, independentemente da diferença de altura. Conseguem entender também que os objetos podem ser ordenados, levando-se em conta diversas qualidades ao mesmo tempo — uma bola de gude pode ser grande, verde e transparente. Um pouco menos egocêntrica, a criança começa a incorporar um pouco de relatividade a seus pontos de vista.

No quarto estágio — o operacional formal — as crianças começam a manipular ideias (além de objetos) e são capazes de raciocinar com base apenas em afirmações verbais. Não precisam mais da referência de objetos concretos e podem acompanhar um raciocínio. Começam a pensar hipoteticamente; e esse novo poder de imaginação, bem como a capacidade de debater ideias abstratas, revela que estão menos egocêntricas.

Atingindo o equilíbrio

Além de definir os quatro estágios do processo de desenvolvimento, Piaget identificou algumas facetas fundamentais demandadas em cada fase: assimilação, acomodação e equilíbrio. A assimilação é o processo pelo qual incorporamos novas informações em *esquemas* já constituídos. A acomodação é requisitada quando, durante o processo de assimilação, descobrimos ser necessário modificar conhecimentos ou habilidades anteriores. Diz-se de uma criança capaz de assimilar com sucesso todas ou a maioria das novas experiências que ela está em estado de equilíbrio. Entretanto, se os *esquemas* existentes são inadequados para lidar satisfatoriamente com as novas situações, a criança está em estado de desequilíbrio cognitivo, e os *esquemas* precisam desenvolver-se para acomodar a informação necessária. Dá-se a isso o nome de processo de adaptação, uma das formas mais básicas de aprendizagem.

Impacto na educação

O trabalho de Piaget foi responsável pela transformação dos sistemas educacionais da Europa e dos Estados Unidos durante as décadas de 1970 e

A inteligência é o que você usa quando não sabe o que fazer.
Jean Piaget

1980, estimulando uma abordagem de ensino mais focalizada na criança, tanto na teoria quanto na prática. Em vez de tentar ensinar as crianças a pensar e a agir como adultos, os professores foram estimulados a entender sua função como uma oportunidade de incentivar os alunos a criar novos modelos de raciocínio individuais. Piaget acreditava que a educação deveria motivar as pessoas a criar, inventar e inovar e desencorajá-las a se adaptar e seguir regras preestabelecidas à custa da imaginação. Se o processo natural de aprendizagem — da infância em diante — é individual, ativo e exploratório, assim também deve ser o sistema educacional, que orienta o desenvolvimento intelectual formal das crianças.

Outro aspecto fundamental da educação centrada na criança é atentar ao conceito de "estar pronto", que limita o aprendizado com base no estágio de desenvolvimento infantil. Uma das mais duradoras contribuições de Piaget à área da educação, sobretudo no que diz respeito à matemática e à ciência, é o princípio »

Os educadores não devem insistir em uma maneira única de fazer ou entender algo, asseverava Piaget (na imagem à esquerda), mas incentivar os processos naturais de aprendizado das crianças.

JEAN PIAGET

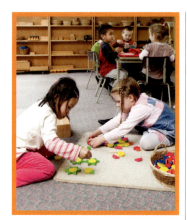

As crianças desta escola montessoriana exercitam na prática as ideias de Piaget. São incentivadas a construir o próprio conhecimento pondo a mão na massa e conversando muito com os colegas.

de que os professores devem estar atentos e respeitar a capacidade individual da criança para lidar com novas vivências e assimilar novas informações. As tarefas propostas pelo professor devem refletir e se adaptar o máximo possível ao nível e às destrezas cognitivas individuais da criança. Piaget defendia que o aprendizado se dá de forma ativa, e não apenas por observação passiva, e que os professores devem levar isso em consideração. A interação entre colegas tem importância primordial na dinâmica da classe e, partindo do pressuposto de que um dos melhores caminhos para firmar o conhecimento é ensiná-lo a terceiros, conclui-se que, se permitirmos que as crianças discutam ativamente entre si sobre os temas propostos (em vez de apenas ouvir uma aula de modo passivo), elas terão maiores chances de aprofundar e consolidar o conhecimento adquirido.

Educação moral

Tal como acontece no desenvolvimento intelectual, Piaget acreditava que as crianças se desenvolvem moralmente em estágios e, na maior parte do tempo, de forma autônoma. O verdadeiro crescimento moral não deriva de instruções dos adultos, mas das próprias observações dos pequenos sobre o mundo. Para Piaget, a interação entre colegas é essencial para o desenvolvimento moral. Estes — e não os pais ou figuras de autoridade — são fundamentais para o crescimento moral, pois representam uma fonte preciosa para a compreensão de conceitos como reciprocidade, igualdade e justiça. Em consequência, Piaget era um defensor entusiasta da

As crianças só entendem de verdade o que elas próprias inventam.
Jean Piaget

interação entre colegas na sala de aula, vendo-a como parte integral do processo de aprendizagem.

O papel do professor na sala de aula centrada na criança de Piaget é, portanto, o de uma espécie de mentor e facilitador, em vez do usual instrutor. Os professores precisam avaliar atentamente o nível atual de desenvolvimento cognitivo de cada aluno e propor tarefas intrinsecamente estimulantes. Ao mesmo tempo, os professores também devem provocar desequilíbrio cognitivo em seus alunos para ajudá-los a atingir o próximo estágio de desenvolvimento e, dessa

Jean Piaget

Nascido em Neuchâtel, Suíça, Jean Piaget cresceu com um interesse insaciável pelo mundo natural, tendo escrito o seu primeiro artigo científico aos onze anos de idade. Estudou ciências naturais e concluiu o doutorado na Universidade de Neuchâtel, aos 22 anos de idade. Interessado em psicanálise, foi para a França, onde desenvolveu suas teorias de epistemologia genética. Em 1921, tornou-se diretor do Instituto Jean-Jacques Rousseau, em Genebra. Casou-se com Valentine Châtenay, com quem teve os três filhos que foram, por diversas vezes, objeto das suas observações sobre o desenvolvimento cognitivo. Em 1955, fundou o Centro Internacional de Epistemologia Genética, que dirigiu até sua morte em 1980. Recebeu vários prêmios e diplomas honorários em todo o mundo.

Principais trabalhos

1932 *O juízo moral da criança*
1951 *Psicologia da inteligência*
1952 *O nascimento da inteligência na criança*
1962 *A psicologia da criança*

PSICOLOGIA DO DESENVOLVIMENTO 269

maneira, promover oportunidades de aprendizado genuínas. Devem concentrar-se no processo de aprendizagem, não na obtenção de resultados, e, para tal, encorajar os alunos a fazer mais perguntas, experimentar e explorar, mesmo que isso implique cometer equívocos pelo caminho. Acima de tudo, os professores precisam criar um espaço colaborativo onde as crianças ensinam e aprendem umas com as outras.

Críticas à obra de Piaget
Apesar da popularidade e da ampla influência de seu trabalho sobre as áreas de psicologia do desenvolvimento, educação, moral, evolução, filosofia e até da inteligência artificial, as ideias de Piaget também sofreram escrutínio e crítica. Como ocorre com todas as teorias influentes, décadas de análise e pesquisa expuseram seus problemas e suas fraquezas. A noção de egocentrismo em Piaget, por exemplo, já foi questionada. Estudos realizados pela psicóloga americana Susan Gelman, em 1979, demonstraram que crianças de quatro anos de idade eram capazes de ajustar suas explicações sobre algum objeto para elucidar uma pessoa vendada e empregar discursos mais simples ao conversar com crianças mais novas, o que contrasta com a descrição feita por Piaget sobre a criança egocêntrica, sem consciência das necessidades alheias.

O retrato que Piaget fez das crianças, como seres essencialmente autônomos e independentes na construção do conhecimento e no entendimento do mundo físico, também encontrou resistência, pois parecia ignorar a relevante contribuição de outras pessoas ao desenvolvimento cognitivo infantil. O foco do trabalho pioneiro do psicólogo Lev Vygotsky foi demonstrar que conhecimento e raciocínio têm uma natureza basicamente social e refutar a tese de Piaget de que as crianças não fazem parte do todo social. Segundo sua teoria, o desenvolvimento humano ocorre em três níveis: cultural e interpessoal, tanto quanto o individual, e ele concentrou seu enfoque nos dois primeiros. A teoria da "zona de desenvolvimento proximal" — sobre o fato de as crianças necessitarem de ajuda de adultos e crianças mais velhas para realizar algumas tarefas — era uma resposta a Piaget.

Outra área explorada foi a suposta universalidade das fases de desenvolvimento observada por Piaget. Apesar de na época ele não ter tido acesso a evidências que confirmassem essa suposição, investigações interculturais mais recentes (entre elas, um estudo de Pierre Dasen, de 1994) sobre o estágio sensório-motor mostraram que as subfases propostas por Piaget são de fato universais, apesar do aparente impacto de fatores ambientais e culturais sobre o ritmo com que essas fases são alcançadas e a rapidez com que são concluídas.

A obra de Piaget inegavelmente abriu caminho para diversas novas áreas de investigação sobre a natureza do desenvolvimento infantil e cognitivo dos humanos. Ele foi responsável pelo contexto no qual se inseriu grande parte da pesquisa dos séculos XX e XXI e transformou de maneira fundamental o caráter da educação do mundo ocidental. ■

Pierre Dasen verificou que crianças australianas aborígenes, com idade entre oito e catorze anos, habitantes da Austrália Central, progridem segundo as fases identificadas por Piaget.

> As estruturas profundas dos processos cognitivos básicos são de fato universais.
> **Pierre Dasen**

CONSTRUÍMOS NOSSA IDENTIDADE PELA RELAÇÃO COM OS OUTROS
LEV VYGOTSKY (1896–1934)

CONTEXTO

ABORDAGEM
Construtivismo social

ANTES
Anos 1860 Francis Galton provoca o debate sobre se a natureza (habilidade inata) ou a criação (educação) tem mais impacto sobre a personalidade.

DEPOIS
1952 Jean Piaget afirma que a capacidade de absorver e processar informação se desenvolve pela interação entre as habilidades inatas da criança e o ambiente em que vive.

1966 Jerome Bruner diz que qualquer assunto pode ser ensinado com eficácia a uma criança em qualquer fase do desenvolvimento.

1990 O psicólogo educacional americano Robert Slavin desenha os seus grupos de aprendizagem cooperativa (STAD, em inglês), visando promover um aprendizado mais colaborativo e reduzir a rivalidade e as abordagens educacionais competitivas.

Para o psicólogo russo Lev Vygotsky, as habilidades necessárias para raciocinar, compreender e memorizar têm origem na vivência da criança com pais, professores e colegas. Vygotsky entendia que o desenvolvimento humano se dava em três níveis: cultural, interpessoal e individual. Os maiores interesses de Vygotsky eram os níveis cultural e interpessoal, uma vez que, para ele, nossas experiências formativas são sociais: "construímos nossa identidade pela relação com os outros".

Todas as funções psicológicas superiores são formas internalizadas de relações sociais.
Lev Vygotsky

Vygotsky acreditava que as crianças absorvem a sabedoria, os valores e o conhecimento técnico acumulados pelas gerações anteriores ao interagir com os cuidadores e usam essas "ferramentas" para aprender a se virar no mundo com eficácia. Mas é apenas por meio da interação social que as crianças podem vivenciar e internalizar essas ferramentas culturais. Até nossa habilidade de pensar e raciocinar em nível individual deriva das atividades sociais desempenhadas durante o desenvolvimento que promoveram nossas capacidades cognitivas inatas.

As teorias de Vygotsky influenciaram tanto a aprendizagem quanto o ensino. De acordo com elas, os professores devem agir como instrutores, sempre orientando e incentivando os pupilos para que aperfeiçoem suas capacidades de atenção, concentração e aprendizagem, e, dessa forma, acumulem competências. Essa ideia teve grande efeito sobre a educação, sobretudo no final do século XX, estimulando a mudança de uma abordagem centrada na criança para a educação centrada no currículo e no uso disseminado da aprendizagem colaborativa. ∎

Veja também: Francis Galton 28–29 ▪ Jerome Bruner 164–65 ▪ Jean Piaget 262–69

PSICOLOGIA DO DESENVOLVIMENTO

A CRIANÇA NÃO PRECISA ESTAR LIGADA A UM PAI EM PARTICULAR
BRUNO BETTELHEIM (1903–1990)

CONTEXTO

ABORDAGEM
Sistemas parentais

ANTES
1945 O psicanalista americano René Spitz relata os efeitos desastrosos em crianças que crescem em orfanatos.

1951 John Bowlby conclui que a criança demanda uma relação íntima e contínua com a mãe.

1958 O antropólogo Melford Spiro escreve *Children of the kibbutz* e insinua que os métodos ocidentais, em que a mãe é a maior responsável por cuidar da criança, funcionam bem em todas as culturas.

DEPOIS
1973 Os psicólogos americanos Charles M. Johnston e Robert Deisher defendem que a criação comunitária tem vantagens que poucas famílias nucleares podem oferecer.

Quando dirigia um centro em que crianças problemáticas cresciam saudáveis, sob a responsabilidade de cuidadores profissionais, Bruno Bettelheim começou a questionar a difundida suposição de que a melhor criação é aquela que envolve um relacionamento próximo entre mãe e filho. Bettelheim perguntava-se se o mundo ocidental não teria algo a aprender com os sistemas comunitários de criação infantil, como o vigente nos *kibutzim* israelenses.

Em 1964, passou sete semanas num *kibutz*, onde as crianças eram criadas em casas especiais, longe de suas famílias. Em seu livro de 1967, *The children of the dream*, Bettelheim afirmou que "a criança do *kibutz* não se sente ligada a nenhum pai em particular" e que, embora isso resultasse em um número menor de relações a dois, esse tipo de criação promovia muitas amizades menos íntimas e uma vida social ativa.

Adultos bem-sucedidos
Antes de seu estudo, Bettelheim imaginava que os *kibutzim* produziam adultos com pouco impacto cultural na sociedade. Mas descobriu que, em geral,

Crianças criadas em kibutz costumam desenvolver vínculos mais próximos entre si do que com adultos. Esse bom relacionamento entre colegas pode explicar o sucesso profissional que conquistam quando se tornam adultas.

eles se tornavam adultos bem-sucedidos. De fato, na década de 1990, um jornalista encontrou as crianças observadas por Bettelheim e descobriu que a maioria se destacava na profissão escolhida.

Bettelheim concluiu que a abordagem comunitária dos *kibutzim* era um sucesso. E publicou suas descobertas na esperança de contribuir para melhorar os sistemas das creches infantis dos Estados Unidos. ■

Veja também: Virginia Satir 146–47 ▪ John Bowlby 274–77

TUDO SE DESENVOLVE A PARTIR DE UM PLANO BÁSICO
ERIK ERIKSON (1902–1994)

CONTEXTO

ABORDAGEM
Desenvolvimento psicossocial

ANTES
1905 Sigmund Freud cria a teoria de desenvolvimento psicossexual e diz que a criança passa por cinco fases até atingir a maturidade sexual.

Anos 1930 Jean Piaget propõe uma teoria baseada nas fases de desenvolvimento cognitivo.

DEPOIS
1980 A partir do trabalho de Erikson, o psicólogo americano James Marcia investiga a formação da identidade na adolescência.

1996 Em seu *best-seller*, *New passages*, a escritora americana Gail Sheehy observa que os adultos estão prolongando a adolescência até depois dos trinta anos e atrasando os estágios da vida adulta proposta por Erikson em cerca de dez anos.

Erik Erikson via o desenvolvimento humano com base no princípio epigenético, segundo o qual todo organismo nasce com um propósito e o sucesso de seu desenvolvimento resulta na realização desse propósito. Nas palavras de Erikson, "tudo se desenvolve a partir de um plano básico". Segundo ele, a personalidade humana desenvolve-se e evolui em oito estágios predeterminados. O desenvolvimento envolve uma interação constante entre as influências hereditárias e ambientais.

Os oito estágios

O primeiro estágio, que ocorre no primeiro ano de vida do bebê, é o da "confiança *versus* desconfiança". Se as necessidades da criança são supridas de maneira insatisfatória ou inconsistente, surgem sentimentos de desconfiança que podem emergir de novo em relações futuras. O segundo estágio, "autonomia *versus* vergonha e dúvida", acontece entre dezoito meses e dois anos de idade. É a fase em que a criança aprende a explorar, o que significa também ter de lidar pela primeira vez com sensações de vergonha e dúvida provocadas por pequenos fracassos ou repreensões paternas. Ao aprender a lidar tanto com o sucesso quanto com o fracasso, a criança desenvolve uma força de vontade saudável. O terceiro estágio, que vai dos três aos seis anos de idade, promove a crise da "iniciativa *versus* culpa". Ocorre quando os pequenos aprendem a ser criativos e participar das brincadeiras, e também a ter um propósito. Conforme interagem com os outros, descobrem que suas ações podem afetar as outras pessoas de forma negativa. Castigos severos nessa fase podem infligir na criança sentimentos de culpa paralisantes.

Na faixa etária dos seis aos doze anos, o foco do indivíduo está na educação e em adquirir habilidades sociais. O quarto estágio recebe o nome de "diligência *versus* inferioridade", pois promove uma sensação de competência, embora a ênfase exagerada no trabalho

A esperança é a primordial e mais indispensável virtude da condição de estar vivo.
Erik Erikson

PSICOLOGIA DO DESENVOLVIMENTO

Veja também: G. Stanley Hall 46–47 ▪ Sigmund Freud 92–99 ▪ Kurt Lewin 218–23 ▪ Jean Piaget 262–69 ▪ Lawrence Kohlberg 292–93

Tudo se desenvolve a partir um plano básico.

↓

A personalidade humana desenvolve-se em oito **estágios distintos e predeterminados** que ocorrem entre o nascimento e a morte.

↓

Atravessando com sucesso cada um desses estágios, desenvolvemo-nos como indivíduos mentalmente saudáveis.

O fracasso em qualquer um dos estágios resulta em um **prejuízo mental** (como falta de confiança ou sensação opressiva de culpa) que nos acompanha pelo resto da vida.

Erik Erikson

Erik Erikson nasceu em Frankfurt, na Alemanha, fruto de um relacionamento extraconjugal. Recebeu o nome do marido da mãe e jamais conheceu o pai biológico. A mãe casou-se de novo quando ele tinha três anos de idade. Não surpreende que Erikson sempre tenha tido problemas de identidade. Foi incentivado a estudar medicina, mas rebelou-se e decidiu estudar artes, chegando a viajar pela Itália como "artista itinerante" quando jovem. Passou então pelo o que ele próprio denominou de "grave crise de identidade" e foi para Viena, onde foi professor de artes em uma escola pautada por princípios psicanalíticos. Convertido à causa, estudou psicanálise com Anna Freud. Em 1933, casou-se com Joan Serson e ambos emigraram para Boston, Estados Unidos, onde se tornou o primeiro psicanalista infantil da cidade. Mais tarde, lecionou em Harvard, Yale e Berkeley. Erik adotou o sobrenome "Erikson", escolhido por ele próprio, ao receber a cidadania americana em 1933.

Principais trabalhos

1950 *Infância e sociedade*
1964 *Insight and responsibility*
1968 *Identidade: juventude e crise*

---

possa fazer a criança entender erroneamente o valor próprio como produtividade. Chegamos então à adolescência e ao quinto estágio, "identidade *versus* confusão de identidade". É nessa fase que adquirimos uma noção mais coerente do que somos, levando em conta o passado, o presente e o futuro. Se lidarmos bem com ele, o estágio fornece-nos um sentido de si unificado, mas as dificuldades nessa fase podem gerar uma "crise de identidade" — termo cunhado por Erikson.

Durante o sexto estágio, da "intimidade *versus* isolamento", entre os dezoito e trinta anos de idade, construímos vínculos fortes e amamos. O penúltimo estágio, "produtividade *versus* estagnação", vai dos 35 aos sessenta anos e é marcado pelo empenho em prol das gerações futuras, ou por contribuições à sociedade por meio de atividades culturais ou ativismo social.

O último estágio, "integridade *versus* desespero", inicia-se por volta dos sessenta anos. As pessoas refletem sobre a própria vida e sentem-se satisfeitas ou se desesperam com a debilidade física e a morte. Lidar bem com essa fase leva à conquista da sabedoria. ■

Erikson disse que, na terceira idade, atingimos uma sensação de completude e "inteireza pessoal" que é diretamente proporcional ao grau de sucesso que tivemos ao lidar com os estágios anteriores.

OS VÍNCULOS EMOCIONAIS DA PRIMEIRA INFÂNCIA SÃO PARTE ESSENCIAL DA NATUREZA HUMANA

JOHN BOWLBY (1907–1990)

CONTEXTO

ABORDAGEM
Teoria do apego

ANTES
1926 Sigmund Freud apresenta a teoria psicanalítica do "amor interesseiro", sugerindo que os bebês se apegam aos cuidadores porque eles satisfazem suas necessidades fisiológicas.

1935 A pesquisa de Konrad Lorenz mostra que os animais estabelecem fortes laços emocionais com a primeira coisa móvel que veem.

DEPOIS
1959 O trabalho de Harry Harlow demonstra que macacos *rhesus* separados das mães quando pequenos desenvolvem problemas emocionais e sociais.

1978 Michael Rutter mostra que as crianças podem formar vínculos fortes com uma grande variedade de figuras de apego (pais, irmãos, colegas ou objetos inanimados).

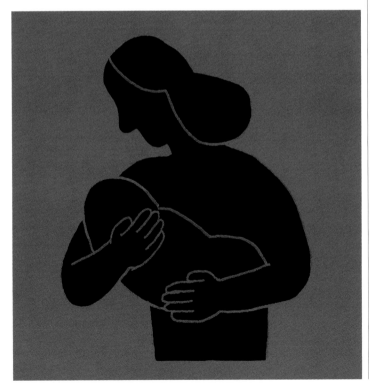

Na década de 1950, a teoria predominante sobre a maneira como os bebês se vinculam tinha como base o conceito psicanalítico de "amor interesseiro". Segundo ela, os bebês formam laços com as pessoas que satisfazem suas necessidades fisiológicas, como comer. Na mesma época, os estudos de Konrad Lorenz sobre animais indicavam que esses simplesmente se ligam ao primeiro objeto móvel que veem — que, na maioria das vezes, é a mãe.

Opondo-se a esse cenário, John Bowlby adotou uma perspectiva evolutiva diferente sobre a formação dos primeiros laços afetivos. Para ele, por serem totalmente indefesos, os recém-nascidos são geneticamente

PSICOLOGIA DO DESENVOLVIMENTO

Veja também: Konrad Lorenz 77 ▪ Sigmund Freud 92–99 ▪ Melanie Klein 108–09 ▪ Anna Freud 111 ▪ Kurt Lewin 218–23 ▪ Lev Vygotsky 270 ▪ Bruno Bettelheim 271 ▪ Harry Harlow 278 ▪ Mary Ainsworth 280–81 ▪ Michael Rutter 339

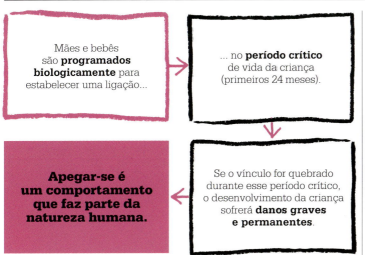

Mães e bebês são **programados biologicamente** para estabelecer uma ligação…

… no **período crítico** de vida da criança (primeiros 24 meses).

Se o vínculo for quebrado durante esse período crítico, o desenvolvimento da criança sofrerá **danos graves e permanentes**.

Apegar-se é um comportamento que faz parte da natureza humana.

---

programados para criar um vínculo com suas mães a fim de garantir a própria sobrevivência. As mães também seriam geneticamente programadas a se apegarem aos bebês e sentirem necessidade de mantê-los próximos. Qualquer condição que ameace separar a mãe de seu filho ativa atitudes instintivas de apego, bem como sensações de insegurança e medo.

Esses são os fundamentos básicos da teoria de Bowlby, cujo objetivo é explicar as consequências duradouras da ligação entre mãe e bebê, bem como as dificuldades psicológicas que a criança enfrentará se esse vínculo for prejudicado ou destruído.

Privilégio materno

Um dos aspectos mais polêmicos da teoria de Bowlby é o fato de bebês apegarem-se sempre a uma mulher, nunca a um homem. Essa figura feminina pode não ser a mãe biológica, mas certamente representa a figura materna. O termo empregado para designar essa tendência ao apego à mulher é "monotropia"; e Bowlby ressaltava que, embora o bebê possa ligar-se a mais do que uma figura, o vínculo com a figura materna é diferente e mais significativo do que qualquer outro que ele formará ao longo da vida. Tanto a criança quanto a mãe comportam-se para garantir esse vínculo. O bebê, por exemplo, mama, aconchega-se, olha, sorri e chora para moldar e controlar as atitudes de sua cuidadora — que, por sua vez, será sensibilizada e responderá às necessidades da criança. Dessa maneira, os dois sistemas comportamentais — de apego e de cuidado — ajudam um ao outro a se configurar, gerando um vínculo para toda a vida.

Bowlby defendeu que esse apego tem tanto impacto sobre a formação infantil que, caso não ocorra ou seja destruído nos primeiros anos de vida, a criança sofrerá graves consequências negativas no futuro. Bowlby referiu-se também a um período crítico em que mãe e filho devem formar laços seguros: a ligação dos dois deve estabelecer-se no primeiro ano de vida ou, no máximo, antes de a criança fazer dois anos. Para ele, adotar crianças com mais de três anos é uma tentativa vã, pois os pequenos já estariam condenados a sentir os efeitos da privação materna.

Privação materna

Em 1950, a Organização Mundial de Saúde convidou Bowlby para estudar crianças que haviam sofrido privação materna durante a Segunda Guerra Mundial, por terem sido expulsas ou ficado desabrigadas. Bowlby solicitou permissão para investigar também os efeitos da criação em berçários e outras instituições de grande porte (como orfanatos). O resultado desse primeiro trabalho foi um relatório escrito em 1951, *Maternal care and mental health*, em que Bowlby observou que crianças privadas de cuidados maternos por longos períodos, durante a primeira infância, apresentavam, no futuro, algum nível de retardo intelectual, social ou emocional.

Cinco anos depois, Bowlby iniciou um segundo estudo, dessa vez analisando crianças com menos de quatro anos de idade, que passaram de cinco meses a dois anos em centros de tratamento de tuberculose (que não ofereciam »

O amor materno na primeira infância é tão importante para a saúde mental quanto vitaminas e proteínas para a saúde física.
John Bowlby

Bowlby previu que as crianças desabrigadas durante a guerra teriam problemas no futuro, por terem sido obrigadas a se separar das mães; estudos posteriores comprovaram essa tese.

cuidados maternos substitutos). As crianças — que tinham de sete a treze anos de idade na época da pesquisa — eram mais brutas durante as brincadeiras, tinham menos iniciativa, ficavam muito mais aflitas e eram menos competitivas que os colegas de formação mais tradicional.

Em casos extremos, Bowlby notou que a privação materna podia resultar até em "psicopatia insensível", em que a pessoa é incapaz de se afeiçoar aos outros, portanto não tem relacionamentos interpessoais significativos. Os indivíduos que sofrem desse distúrbio têm mais propensão à delinquência juvenil e a comportamentos antissociais, apresentando ausência de indícios de remorso, uma vez que são incapazes de sentir culpa. Em uma pesquisa realizada em 1944 com jovens ladrões, Bowlby descobriu que muitos foram separados da mãe por períodos mais longos que seis meses antes de completar cinco anos; daqueles que pertenciam a esse grupo, catorze jovens sofriam de psicopatia insensível.

A importância desse vínculo primordial e seguro decorre, segundo

Manter vínculos é um comportamento que caracteriza os seres humanos desde o nascimento até a morte.
John Bowlby

Bowlby, do fato de ser essencial para o desenvolvimento interno de um modelo ou de uma estrutura de funcionamento, a ser empregado pela criança para compreender a si própria, os outros e o mundo. Esse modelo de funcionamento interno orientará os pensamentos, sentimentos e expectativas do sujeito em todos os seus relacionamentos pessoais, inclusive na vida adulta. Pelo fato desse primeiro vínculo funcionar como um protótipo para todas as relações futuras, sua qualidade determinará se a criança confiará nos outros, valorizará a si própria e se sentirá segura na sociedade. Esses modelos de funcionamento são resistentes; uma vez formados, definem o comportamento das pessoas e o tipo de laço que formarão com os próprios filhos.

O papel do pai

A teoria do apego de Bowlby foi criticada por depositar importância exagerada no vínculo entre mãe e filho e pouco valor à contribuição paterna. Bowlby caracterizou o pai como alguém sem importância emocional direta para o bebê, contribuindo apenas indiretamente, para o sustento financeiro e emocional da mãe. A base

evolucionária dessa teoria sugere que as mulheres são naturalmente inclinadas para a maternidade e possuem instintos naturais inatos que as orientam durante a criação dos filhos, ao passo que os homens são naturalmente mais adequados a prover o sustento da família.

No entanto, o psicólogo britânico Rudolph Schaffer — que trabalhou com Bowlby na Clínica de Tavistock, em Londres — ponderou que existem variações culturais consideráveis no que diz respeito à participação dos pais na formação dos filhos. Cada vez mais pais estão assumindo o papel de principal responsável, o que indica que as funções paternas são definidas pela convenção social, e não pela biologia.

O ponto de vista de Bowlby sugere que os homens são inevitavelmente inferiores nesse quesito; contudo, as pesquisas de Schaffer e do psicólogo americano Ross Parke indicam que os homens são dotados da mesma capacidade que as mulheres para prover afeto e sensibilidade aos filhos. Os dois também descobriram que o desenvolvimento de uma criança não é determinado pelo sexo da pessoa responsável por ela, mas pela força e qualidade do vínculo formado. Em um

PSICOLOGIA DO DESENVOLVIMENTO

> As observações diretas de homens atuando como cuidadores indicam que são tão capazes de afeto e sensibilidade quanto as mulheres.
> **H. Rudolph Schaffer**

estudo posterior, Schaffer e a psicóloga Peggy Emerson observaram que bebês e crianças pequenas formam uma grande variedade de vínculos com outras pessoas além de suas mães, e que a regra, não a exceção, talvez seja ter vínculos múltiplos.

Essas descobertas posteriores foram especialmente importantes para as mães que trabalham, porque a teoria de Bowlby parecia induzir à conclusão de que as mulheres não deveriam trabalhar após terem filhos; teriam de ficar com as crianças, preenchendo o papel da responsável primária essencial. Nas décadas que se seguiram à teoria de Bowlby, diversas gerações de mães trabalhadoras foram dominadas por sentimentos de culpa; mas muitos estudos questionaram essa faceta da teoria do apego desde então. Na década de 1970, por exemplo, os psicólogos Thomas Weisner e Ronald Gallimore mostraram que as mães são cuidadoras exclusivas apenas em uma pequena porcentagem das sociedades, e não é raro que grupos de pessoas (entre elas, amigos e parentes) compartilhem a responsabilidade pela criação. Schaffer também chamou a atenção para dados indicativos de que filhos de mulheres felizes na profissão têm um desenvolvimento melhor do que filhos de mães frustradas por terem de ficar em casa.

Trabalho pioneiro

Apesar das numerosas análises e críticas, o trabalho de Bowlby permanece até hoje a descrição mais detalhada e influente do comportamento humano de apego, a partir do qual Harry Harlow e Mary Ainsworth realizaram seus experimentos inovadores. Os psicólogos usaram as premissas

Bowlby achava que as creches não eram adequadas para cuidar de bebês, porque a privação materna levava à delinquência juvenil, o que criava um grande dilema para mães trabalhadoras.

básicas de Bowlby para explorar mais a fundo os padrões de apego infantil e elaboraram teorias sobre os vínculos da vida adulta investigando a influência dos laços entre pais e filhos sobre os vínculos futuros entre cônjuges e pares românticos. As teorias de Bowlby tiveram também efeitos benéficos sobre vários aspectos da criação infantil, motivando, entre outras coisas, melhorias em instituições especializadas e popularizando a alternativa da adoção. ∎

John Bowlby

John Bowlby foi o quarto de seis filhos de uma família londrina de classe média alta. Foi criado primordialmente por babás e mandado para o colégio interno aos sete anos de idade. Essas vivências o tornaram particularmente sensível às dificuldades de relacionamento de crianças pequenas. Bowlby estudou psicologia no Trinity College, em Cambridge, e depois deu aulas para jovens delinquentes por algum tempo. Obteve em seguida o diploma de medicina, especializando-se em psicanálise. Durante a Segunda Guerra Mundial, Bowlby trabalhou no Corpo Médico do Exército Real. Casou-se em 1938 com Ursula Longstaff, com quem teve quatro filhos. Após a guerra, tornou-se diretor da Clínica de Tavistock, onde trabalhou até se aposentar. Em 1950, conduziu um importante estudo para a Organização Mundial de Saúde. Morreu em sua casa de veraneio na ilha de Skye, na Escócia, com 83 anos.

Principais trabalhos

1951 *Maternal care and mental health* (Relatório para a OMS)
1959 *Separation anxiety*
1969, 1973, 1980 *Attachment and loss* (três volumes)

O CONFORTO DO CONTATO É MUITO IMPORTANTE
HARRY HARLOW (1905–1981)

CONTEXTO

ABORDAGEM
Teoria do apego

ANTES
1926 A teoria psicanalítica de "amor interesseiro", de Sigmund Freud, sugere que os bebês se apegam ao cuidador porque ele os alimenta.

1935 Konrad Lorenz afirma que os não humanos formam fortes vínculos com o primeiro objeto em movimento que veem, que costuma ser a mãe.

1951 John Bowlby diz que as mães e os bebês humanos são geneticamente programados para formar um vínculo único e poderoso.

DEPOIS
1964 Os psicólogos britânicos Rudolf Schaffer e Peggy Emerson demonstram que as crianças se apegam a pessoas que não executam tarefas de alimentá-las ou criá-las.

1978 Michael Rutter mostra que as crianças formam vínculos com várias figuras de apego, inclusive com objetos inanimados.

Muitos psicólogos propuseram que o bebê se apega ao seu responsável apenas porque ele satisfaz sua necessidade de alimento. John Bowlby desafiou essa ideia de "amor interesseiro" na teoria, mas Harry Harlow resolveu refutá-la na prática. Ele separou filhotes de macaco *rhesus* de suas mães e colocou-os em jaulas com "mães" substitutas — uma, feita de arames ligados a uma mamadeira; outra, de tecido macio, aconchegante e felpudo, mas sem mamadeira. Se a teoria do "amor interesseiro" estivesse certa, os filhotes escolheriam a mãe que provia alimento. Na verdade, porém, os filhotes passaram a maior parte do tempo com a mãe de pano, usando-a como base segura e agarrando-se a ela para proteção quando objetos ameaçadores eram introduzidos na jaula. Testes posteriores, em que a mãe de pano podia também niná-los e oferecer alimento, mostraram que esse vínculo ficava ainda mais forte. Harlow propôs então que a principal função da amamentação talvez fosse garantir contato corporal com a mãe. Seu

Os filhotes de macacos *rhesus* da experiência de Harlow formaram vínculos fortes com a sua aconchegante "mãe" substituta, embora ela não fosse capaz de alimentá-los.

trabalho teve grande importância, porque os psicólogos e médicos da época aconselhavam os pais a não pegar no colo ou embalar os bebês que choravam. Os resultados de sua experiência foram tão conclusivos que mudaram a abordagem em relação à maternidade no mundo ocidental. ∎

Veja também: Konrad Lorenz 77 ▪ Sigmund Freud 92–99 ▪ Abraham Maslow 138–39 ▪ John Bowlby 274–77 ▪ Mary Ainsworth 280–81 ▪ Michael Rutter 339

PSICOLOGIA DO DESENVOLVIMENTO

PREPARAMOS AS CRIANÇAS PARA UMA VIDA CUJO RUMO DESCONHECEMOS
FRANÇOISE DOLTO (1908–1988)

CONTEXTO

ABORDAGEM
Psicanálise

ANTES
1924 Sigmund Freud teoriza sobre a angústia da castração enfrentada pelas crianças, o que Dolto acredita ser um fator de nossa imagem inconsciente do próprio corpo.

1969 Jacques Lacan investiga a "alteridade", tema fundamental para o trabalho de Dolto sobre a particularidade dos indivíduos.

DEPOIS
1973 Em La-Neuville-du-Bosc, França, inaugura-se uma escola baseada nas teorias de Dolto, com ênfase no bem-estar e nas atividades não compulsórias.

1978 La Maison Verte, uma creche baseada nas ideias de Dolto, é inaugurada em Paris, com o objetivo de ajudar pais e filhos a minimizar os efeitos adversos da separação.

Marcada pelas dificuldades da própria infância, a médica e psicanalista francesa Françoise Dolto decidiu que dedicaria seu trabalho a ajudar crianças a descobrir e exteriorizar seus desejos, acreditando que isso evitaria o desenvolvimento de neuroses. Dolto achava que algumas doenças infantis comuns eram, na verdade, reflexos de falta de vínculos entre pais e filhos. Os adultos, notara ela, eram muitas vezes incapazes de entender as crianças, apesar de também terem sido pequenos um dia.

Perspectiva única
Na visão de Dolto, cada criança tem uma perspectiva única, que a educação tradicional tenta sufocar. Por isso, ela condenava qualquer sistema moral ou educacional que visasse controlar as crianças por meio da obediência ou imitação e discordava das técnicas utilizadas nas escolas e nos lares para antecipar o futuro das crianças, quando este é, por definição, desconhecido. As crianças, dizia Dolto, são diferentes dos adultos que as educam, simplesmente porque devem ter tido experiências a que a geração anterior não teve acesso quando era pequena.

Para Dolto, o objetivo da educação é garantir liberdade à criança para explorar suas inclinações pessoais. O adulto deve prestar-se como modelo, dando o exemplo, em vez de impor um método. O papel do educador, segundo Dolto, é ensinar as crianças a conduzir a própria vida. ■

É tarde demais para fazer algo em relação aos adultos; o trabalho a ser feito é com as crianças.
Françoise Dolto

Veja também: Sigmund Freud 92–99 ■ Alfred Adler 100–01 ■ Jacques Lacan 122–23 ■ Daniel Lagache 336–37

QUEM ENSINA AS CRIANÇAS A ODIAR E TEMER ALGUÉM DE OUTRA RAÇA?
KENNETH CLARK (1914–2005)

CONTEXTO

ABORDAGEM
Questões de raça

ANTES
1929 O escritor e assistente social alemão Bruno Lasker publica *Race attitudes in children* e estabelece uma metodologia para o estudo psicológico das visões infantis de raça.

Início dos anos 1930 O psicólogo canadense Otto Klineberg trabalha em parceria com advogados na luta por salários igualitários para professores negros da rede pública.

DEPOIS
1954 A Suprema Corte dos Estados Unidos julga inconstitucional a segregação racial em escolas, no caso *Brown contra o Conselho Educacional de Topeka*.

1978 Elliot Aronson elabora o método educacional cooperativo *jigsaw* — em que grupos de estudantes de diferentes raças trabalham de forma interdependente — para ajudar a reduzir o preconceito racial em salas de aula multirraciais.

Durante o final da década de 1930, o psicólogo Kenneth Clark e sua esposa, Mamie Phipps Clark, investigaram os efeitos psicológicos da segregação em estudantes negros, especialmente em relação à autoimagem. Criaram o "teste da boneca", para indicar a consciência das crianças com referência às diferenças raciais e suas atitudes subjacentes em relação à questão racial. O casal trabalhou com crianças entre três e sete anos de idade e usou quatro bonecas, todas de aparência idêntica, exceto pela cor da pele, que variava de branco a marrom-escuro. As crianças demonstraram uma consciência inegável de raça ao identificar corretamente as bonecas pelas tonalidades de pele, tendo também identificado a si próprias indicando as bonecas que mais se pareciam com elas.

Para investigar a atitude delas em relação à raça, os Clark pediram a cada criança que apontasse a boneca de que mais gostava ou com a qual gostaria de brincar; qual tinha uma cor bonita; e qual era feia. O resultado foi preocupante: as crianças negras apresentaram uma clara preferência pelas bonecas brancas e rejeitaram as negras — atitude que pôde ser interpretada como uma indireta autorrejeição. Convencidos de que isso era reflexo da tendência infantil de absorver os preconceitos raciais da sociedade e depois internalizar o ódio, os Clark formularam a importante questão: "Quem ensina as crianças a odiar e temer alguém de outra raça?".

O experimento da boneca de Clark, feito no final da década de 1930 e início de 1940, mostrou que crianças negras de escolas segregadas muitas vezes preferem as bonecas brancas, sinal de que elas haviam absorvido o preconceito dominante.

Repassando o preconceito

O casal procurou entender o que influenciava o preconceito nos Estados Unidos e concluiu que, à medida que aprendem a avaliar as diferenças raciais de acordo com os valores da sociedade, as crianças são obrigadas a se identificar com determinado grupo, e cada grupo racial tem um *status* implícito dentro da

PSICOLOGIA DO DESENVOLVIMENTO 283

Veja também: Elliot Aronson 244–45 ▪ Muzafer Sherif 337

Kenneth Clark

Kenneth Clark nasceu no Canal do Panamá e mudou-se para o Harlem, em Nova York, aos cinco anos de idade. Sua mãe não aceitou a determinação de que o filho só poderia cursar uma escola técnica ou trabalhar no comércio e matriculou Clark no ensino médio. Ele continuou estudando até concluir o mestrado na Universidade Howard, na cidade de Washington, onde conheceu a esposa. O casal realizou pesquisas juntos, tornando-se o primeiro casal de negros a concluir o doutorado em psicologia na Universidade de Columbia, em Nova York. Também fundaram, no Harlem, centros de desenvolvimento infantil e de oportunidades para jovens.

Clark foi o primeiro negro americano a ter um cargo permanente de professor universitário na City University de Nova York e a se tornar presidente da Associação Americana de Psicologia.

Principais trabalhos

1947 *Racial identification and preference in negro children*
1955 *Prejudice and your child*
1965 *Dark ghetto*
1974 *Pathos of power*

Aos três anos de idade, a criança tem **consciência das raças** e já começa a formar **preconceitos**.

Nos Estados Unidos dos anos 1930, crianças brancas e até mesmo as negras demonstravam preferência pelos brancos e uma **rejeição à negritude**.

Quem ensina a criança a odiar e temer um membro de outra raça?

A segregação e as **influências sociais** de pais, professores, colegas e mídias levam as crianças a internalizar atitudes racistas.

---

hierarquia. As crianças negras que haviam escolhido a boneca branca mostravam estar cientes de que a sociedade americana preferia pessoas brancas e que haviam internalizado o pensamento. Crianças com apenas três anos de idade expressavam atitudes similares às dos adultos de sua comunidade.

Os Clark concluíram que essas atitudes são determinadas por uma combinação de influências que vinha de pais, professores, amigos, TV, filmes e quadrinhos. Embora seja bastante raro um pai ensinar os filhos deliberadamente a odiar outros grupos raciais, muitos, inconsciente e sutilmente, repassam as atitudes sociais predominantes. Alguns pais brancos podem, por exemplo, desencorajar seus filhos a brincar com colegas negros, ensinando-os assim, de maneira implícita, a temer e evitar crianças negras.

A sinopse que Clark fez de sua pesquisa em 1950 insistia que a segregação estava prejudicando igualmente a personalidade de crianças negras e brancas. O depoimento que deu como especialista em julgamentos vinculados ao caso *Brown contra o Conselho Educacional de Topeka*, de 1954 — em que a segregação racial em escolas públicas foi considerada inconstitucional —, contribuiu diretamente para o fim do ensino segregado e para o Movimento pelos Direitos Civis nos Estados Unidos. ■

A segregação é a maneira como a sociedade diz a um grupo de seres humanos que eles são inferiores.
Kenneth Clark

MENINAS TIRAM NOTAS MELHORES QUE MENINOS
ELEANOR E. MACCOBY (1917–)

Não há diferenças significativas no conjunto de **aptidões intelectuais** entre meninos e meninas.

→ Contudo, por se esforçarem mais na escola, ter mais interesse e melhores práticas de trabalho...

↓

... meninas tiram notas melhores que meninos.

CONTEXTO

ABORDAGEM
Psicologia feminista

ANTES
Início do século XX
Psicólogas realizam as primeiras pesquisas sobre diferenças de gênero.

Anos 1970 Estudos sobre os sexos tendem a enfatizar diferenças entre homens e mulheres.

DEPOIS
Anos 1980 Estudos indicam diferenças estruturais entre o cérebro masculino e o feminino.

1993 Anne Fausto-Sterling afirma que existem graduações biológicas entre "masculino" e "feminino" e que podemos identificar cinco sexos diferentes.

2003 Simon Baron-Cohen argumenta que o cérebro feminino é predominantemente programado para a empatia, e o cérebro masculino, para entender sistemas.

O surgimento de psicólogas feministas, nos anos 1970, reavivou o interesse pelo estudo das diferenças entre sexos, que fora enfraquecido durante o domínio do behaviorismo. Questões feministas preocupavam cada vez mais a psicóloga americana Eleanor E. Maccoby. Frustrada com a tendência da literatura psicológica relatar resultados de pesquisa voltados para as diferenças entre homens e mulheres em vez das semelhanças, Maccoby analisou, com a estudante Carol Jacklin, mais de 1.600 estudos sobre diferenças de gênero. As duas publicaram suas descobertas no livro *The psychology of sex differences* (1974), visando mostrar que aquilo que muitos consideram diferenças essenciais entre os sexos são, na verdade, mitos, e que diversos estereótipos de gênero são falsos. Apesar de certas evidências indicarem que meninos são mais agressivos e mais aptos ao raciocínio matemático e espacial do que meninas, e que meninas têm habilidades verbais superiores, estudos posteriores revelaram que essas diferenças são irrelevantes ou mais complexas do que parecem ser à primeira vista.

Uma diferença recorrente e considerada irrefutável era que "meninas tiram notas melhores que meninos" na escola. Maccoby considerava essa questão bastante curiosa, ainda mais levando em conta que as meninas não tiravam notas mais altas nos testes de aptidão que reuniam todas as matérias. Além disso, pesquisas anteriores sobre

Meninas respondem mais às expectativas dos professores e estão mais dispostas a trabalhar, segundo a pesquisa de Maccoby, o que faz com que tenham chances maiores de ter mais êxito na escola do que os meninos.

motivação para a realização indicavam que meninos obtinham melhores resultados do que as colegas. Os garotos eram indiscutivelmente mais inclinados a realizar, fosse o que fosse, do que as garotas, pois se envolviam mais com as tarefas e apresentavam um comportamento mais exploratório; as garotas tinham mais interesse em conquistas ligadas a relacionamentos interpessoais, esforçavam-se para agradar os outros e demonstravam pouca autoconfiança para realizar diversas tarefas.

Desafiando estereótipos

Maccoby refutou sistematicamente essas teses e ressaltou o fato de meninas apresentarem desde cedo um desempenho escolar melhor do que meninos, terem mais interesse em habilidades escolares e menores chances de abandonar os estudos antes de concluir o ensino médio.

O fato de meninas serem assertivas e ativas estimula o seu desenvolvimento intelectual.
Eleanor E. Maccoby

Ele concluiu que as notas superiores refletiam claramente uma combinação de mais esforço, mais interesse e práticas de trabalho melhores do que as dos colegas. Se havia discrepância entre meninos e meninas em motivação por conquistas, isso não refletia a motivação escolar. Essa motivação pode ser importante para a mulher pelo resto da vida, dado o impacto do desempenho escolar sobre o profissional.

A discussão atual sobre as diferenças inatas entre os gêneros relaciona-se a questões políticas mais gerais sobre como a sociedade deveria organizar-se e sobre os papéis que homens e mulheres estão naturalmente "aptos" a desempenhar. Demonstrando que a literatura psicológica tende a publicar dados que indicam as diferenças entre os gêneros e ignorar aqueles que indicam equidade, Maccoby lutou contra a designação de profissões estereotipadas a homens e mulheres. ∎

Eleanor E. Maccoby

Eleanor Maccoby (Emmons, de nascença) nasceu em Tacoma, Washington. Cursou o bacharelado na Universidade de Washington e completou mestrado e doutorado em psicologia experimental na Universidade de Michigan. Na década de 1940, trabalhou para o Departamento de Agricultura e em seguida para a Universidade de Harvard, supervisionando pesquisas sobre práticas de cuidado infantil. Percebendo que estava sendo impedida de crescer por preconceito de gênero, transferiu-se para Stanford, onde foi a primeira mulher a presidir o Departamento de Psicologia. Maccoby foi premiada por sua obra com o Lifetime Achievement da Fundação Americana de Psicologia; e teve um dos prêmios da Associação Americana de Psicologia batizado com o seu nome. O trabalho de Maccoby com o objetivo de desacreditar estereótipos é considerado de suma importância para entender a socialização infantil e as diferenças de gênero.

Principais trabalhos

1966 *The development of sex differences*
1974 *The psychology of sex differences*
1996 *Adolescents after divorce*

A MAIOR PARTE DO COMPORTAMENTO HUMANO É APRENDIDA POR IMITAÇÃO

ALBERT BANDURA (1925–)

A violência dos jogos de computador (e da mídia em geral) é apontada como uma possível fonte de exemplo comportamental, embora essa visão não tenha um forte suporte de pesquisas.

tinha reduzido eventuais inibições das crianças em relação à agressividade, o fato de elas imitarem com exatidão, na maior parte das vezes, o comportamento presenciado, indicou que uma aprendizagem por observação estava em curso.

Violência na mídia

A pesquisa de Bandura suscitou diversas questões importantes sobre a presença de violência na mídia. Se um estranho que se comporta com agressividade pode servir de exemplo para as crianças, é possível supor que os programas de televisão também possam ser uma fonte de modelo comportamental. Os filmes e programas de TV atuais exibem violência explícita, muitas vezes contextualizada como um comportamento aceitável (ou pelo menos esperado) que crianças expostas regularmente à mídia talvez tenham vontade de imitar. Essa ideia foi muito discutida. Diversos estudos indicam que filmes e programas violentos não intensificam a tendência infantil de realizar atos violentos.

> Presenciar exemplos de comportamento agressivo dificilmente é algo catártico.
> **Albert Bandura**

Algumas pesquisas chegam a apontar que a exposição à violência pode inclusive atenuar a agressividade infantil. Essa teoria — conhecida como efeito catártico — propõe que o indivíduo pode identificar-se com um personagem fictício violento e liberar sentimentos negativos, tornando-se menos agressivo em sua vida pessoal do que era antes de assistir à ficção.

Outros psicólogos entendem a programação televisa como um meio educativo e acreditam que, como os personagens muitas vezes servem de modelo para as crianças, é preciso que deem exemplos positivos para contribuir com a redução da violência na sociedade.

Embora não creia no efeito catártico de ver comportamentos agressivos, Bandura teve o cuidado de marcar uma distinção entre aprender e atuar. O psicólogo considerava que as crianças podiam certamente aprender atos agressivos por observação, mas saber da existência de atos violentos não leva necessariamente uma pessoa a cometê-los. Bandura alertava para o perigo de estabelecer uma relação direta e causal entre a violência na mídia e a agressividade da vida real.

Teóricos da aprendizagem social aceitam o papel da cognição no procedimento de imitação e consideram que fatores cognitivos medeiam a relação entre ver a violência e reproduzi-la de fato. Por exemplo, a percepção e a interpretação da violência na TV bem como o grau de realismo do programa são duas variáveis importantes que influenciam essa relação. Bandura explicou que as experiências ambientais também influenciam a aprendizagem social infantil da agressividade. Não surpreendentemente, a probabilidade de cometer atos violentos é maior para moradores de regiões violentas do que para quem vive em áreas de baixa criminalidade.

Desenvolvimento de gênero

A teoria de aprendizagem social subjacente à pesquisa de Bandura sobre a agressividade infantil fornece dados importantes para entender o desenvolvimento da identidade de gênero. De acordo com a teoria do desenvolvimento de gênero, um dos motivos para que meninos e meninas inclinem-se a ter comportamentos diferentes é o fato de serem tratados de maneiras distintas por seus pais (e outros adultos e colegas significativos). Está provado que os adultos moldam involuntariamente seus comportamentos em relação às crianças desde que nascem, para que correspondam às expectativas que eles próprios têm de cada gênero; isso estimula as crianças a agir de acordo com as normas de gênero estabelecidas.

Segundo os dados obtidos por Bandura, as crianças também aprendem a se comportar por observação e reforço. Imitando o comportamento alheio, têm mais possibilidade de receber reforços positivos pelo tipo de comportamento considerado mais apropriado ao seu gênero. Os adultos também as desestimulam, de forma direta ou sutil, a comportar-se de maneira inapropriada ao gênero.

Embora o trabalho de Bandura tenha sofrido críticas (quase sempre questionando se suas proposições são realmente uma teoria de desenvolvimento cognitivo), passados cinquenta anos, suas descobertas e conjecturas ainda são citadas e discutidas, refletindo a profundidade e a magnitude de sua influência. As contribuições inovadoras de Bandura abrangem diversos campos da psicologia, entre eles a teoria cognitiva social, a teoria da personalidade e inclusive algumas práticas terapêuticas. Suas ideias também servem como ponte entre as antigas teorias behavioristas da aprendizagem e posteriores contribuições cognitivas.

O interesse de Bandura nos processos de atenção, memória e motivação marcou o fim do enfoque exclusivo nas variantes observáveis e mensuráveis (único interesse dos behavioristas) e passou a investigar o reino mental — a mente — como fonte de informação sobre como as pessoas aprendem. Por esses motivos, Bandura é considerado por muitos colegas como um dos psicólogos mais influentes e requintados de todos os tempos. ∎

Albert Bandura

Albert Bandura nasceu em uma família de imigrantes poloneses na cidadezinha de Mundare, em Alberta, Canadá. Graduou-se na Universidade da Columbia Britânica e concluiu mestrado e doutorado na Universidade de Iowa, onde desenvolveu seu interesse pela teoria da aprendizagem. Em 1953, passou a lecionar na Universidade de Stanford, na Califórnia, onde é professor emérito.

Um dos psicólogos mais influentes e renomados do mundo, Bandura recebeu diversos prêmios, entre eles o Thorndike Award for Distiguished Contributions of Psychology to Education, em 1999, e o Life Time Achievement Award da Associação para o Avanço da Terapia Comportamental (2001). Bandura tem também mais de dezesseis diplomas honorários e, em 1974, foi eleito presidente da Associação Americana de Psicologia.

Principais trabalhos

1973 *Agression: a social learning analysis*
1977 *Social learning theory*
1986 *Social foundations of thought and action: a social cognitive theory*

O comportamento infantil considerado adequado ao gênero, tais como independência (em meninos) e empatia (em meninas), ganha muitas vezes reforço positivo pelas expectativas dos adultos, bem como pela imitação do comportamento de adultos e colegas.

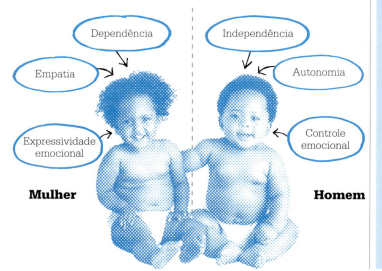

A MORAL SE DESENVOLVE EM SEIS ESTÁGIOS
LAWRENCE KOHLBERG (1927–1987)

CONTEXTO

ABORDAGEM
Desenvolvimento moral

ANTES
1923 Sigmund Freud analisa o desenvolvimento moral pela perspectiva psicanalítica.

1932 Jean Piaget afirma que a moral é criada a partir de dois tipos de raciocínio: o primeiro está sujeito às regras alheias e o segundo, apenas às regras do próprio indivíduo.

DEPOIS
1977 O psicólogo educacional americano William Damon afirma que crianças pequenas são capazes de levar em conta as necessidades dos outros antes da época estipulada por Kohlberg.

1982 A psicóloga americana Nancy Eisenberg defende que, para compreender o desenvolvimento moral infantil, é preciso analisar o raciocínio das crianças quando estão diante de um conflito entre as necessidades próprias e as dos outros.

Lawrence Kohlberg acreditava que a moralidade se desenvolvia gradualmente, ao longo da infância e da adolescência. Em 1956, iniciou um estudo com 72 meninos entre dez e dezesseis anos de idade. Propunha dilemas morais aos meninos e exigia que optassem entre duas alternativas, nenhuma delas completamente aceitável, e anotava suas respostas. Um exemplo dos dilemas propostos envolvia dizer se era certo ou errado um homem sem dinheiro roubar os remédios de que sua esposa doente dependia. Kohlberg acompanhou 58 desses meninos, testando-os de três em três anos ao longo de vinte anos a fim de observar como suas inclinações morais mudavam com a

A moral se desenvolve em seis estágios ao longo da infância, da adolescência e da vida adulta.

Nos **dois primeiros estágios, ditos pré-convencionais**, a conduta moral é determinada pelos conceitos de punição, recompensa e reciprocidade.

Nos **dois estágios convencionais**, a conduta moral considera o que as outras pessoas julgam correto, o respeito pela lei e a manutenção da ordem social.

Nos **estágios pós-convencionais**, o indivíduo é o juiz definitivo da conduta moral, com base na própria consciência e em princípios morais universais, e não a partir de normas sociais.

PSICOLOGIA DO DESENVOLVIMENTO

Veja também: Sigmund Freud 92–99 ▪ Jean Piaget 262–69 ▪ Albert Bandura 286–91

> Pode-se dizer que o pensamento moral gera parcialmente suas próprias referências conforme evolui.
> **Lawrence Kohlberg**

idade. Com base nas respostas dos jovens estudados, Kohlberg identificou seis estágios de desenvolvimento moral, organizados em três níveis de argumentação moral: pré-convencional, convencional e pós-convencional.

Construindo a argumentação moral

O nível pré-convencional da argumentação moral, que se desenvolve nos primeiros nove anos de vida, vê as regras como fixas e absolutas. No primeiro de seus dois estágios (obediência e punição), definimos se determinada ação é correta ou incorreta constatando se é punida ou não. No segundo estágio (de individualismo e troca), ser recompensado ou não determina o que é certo ou errado. Os desejos e as necessidades dos outros são importantes, mas apenas no sentido da reciprocidade — "Se você fizer o meu, eu faço o seu". A moral, nesse nível, é regida pelas consequências.

O segundo nível de argumentação moral principia na adolescência e vai até o início da vida adulta. É quando começamos a levar em conta as intenções ligadas ao comportamento, em vez de atentar somente para as consequências. Em seu primeiro estágio, muitas vezes chamada de fase de "bom moço" ou "boa moça", começamos a classificar a conduta moral pela sua capacidade de ajudar ou agradar. O objetivo é ser visto como uma pessoa boa. No segundo estágio (de lei e ordem), "ser uma boa pessoa" passa a ser sinônimo de respeitar as autoridades e obedecer à lei, pois acreditamos que é isso que sustenta e protege a sociedade.

O terceiro nível do desenvolvimento moral é o momento em que vamos além

Mahatma Gandhi foi um dos poucos a alcançar os últimos estágios de desenvolvimento moral propostos por Kohlberg. Durante a vida adulta, Gandhi achou-se no dever de desrespeitar leis injustas e opressivas.

da mera conformidade. Kohlberg afirmou, porém, que apenas cerca de 10% a 15% das pessoas atingem esse nível. Em seu primeiro estágio (de contrato social e direitos individuais), ainda respeitamos a autoridade, mas percebemos cada vez mais que os direitos individuais podem estar acima de leis destrutivas ou restritivas. Chegamos à conclusão de que a vida humana é sagrada demais para apenas cumprir ordens. No sexto e último estágio (de princípios éticos universais), quem decide é a nossa própria consciência, e estamos comprometidos com a defesa de direitos iguais e o respeito para todos. Podemos recorrer até à desobediência civil para defender princípios universais, como a justiça.

A teoria em seis estágios de Kohlberg é considerada radical por afirmar que a moralidade não pode ser imposta às crianças (como afirmavam os psicanalistas) e que seu propósito não é evitar sentimentos desagradáveis (como pensavam os behavioristas). Para Kohlberg, as crianças desenvolvem um código moral pela interação com os outros ao adquirir consciência de ideias como respeito, empatia e amor. ■

Lawrence Kohlberg

Caçula de quatro irmãos, Lawrence Kohlberg nasceu em Bronxville, Nova York. Após concluir o ensino médio no final da Segunda Guerra Mundial, tornou-se marinheiro e ajudou a levar refugiados judeus para a Palestina.

Em 1948, ingressou na Universidade de Chicago, onde bacharelou-se em menos de um ano e começou a pesquisar e lecionar, tendo concluído o doutorado em 1958. Também lecionou em Yale e, finalmente, em Harvard.

Quando visitou Belize, em 1971, Kohlberg contraiu uma infecção parasitária que fez com que lutasse contra a dor e a depressão crônicas pelo resto da vida. Em 19 de janeiro de 1987, após sair em meio a uma sessão de tratamento, Kohlberg cometeu suicídio, segundo dizem, entrando nas águas geladas do Oceano Atlântico.

Principais trabalhos

1969 *Stage and sequence*
1976 *Moral stages and moralization*
1981 *The philosophy of moral development*

O ÓRGÃO DA LINGUAGEM SE DESENVOLVE COMO QUALQUER OUTRO ÓRGÃO DO CORPO
NOAM CHOMSKY (1928–)

CONTEXTO

ABORDAGEM
Nativismo

ANTES
1958 B. F. Skinner usa o condicionamento operante para explicar a aquisição de linguagem, argumentando que a criança aprende palavras e frases por reforço.

1977 Albert Bandura afirma que as crianças imitam a forma genérica das frases, completando-as com palavras específicas.

DEPOIS
1994 Steven Pinker afirma que a linguagem é um instinto decorrente de um programa inato do cérebro, que se desenvolveu por ser evolutivamente importante para a sobrevivência humana.

2003 Os psicólogos Stan Kuczaj e Heather Hill acham que os pais oferecem aos filhos exemplos de frases gramaticais bem melhores do que supõe Chomsky.

Em meados do século XX, as teorias de aprendizagem de B. F. Skinner e Albert Bandura pautavam o pensamento dos psicólogos sobre o desenvolvimento da linguagem. Os dois behavioristas acreditavam que a linguagem — assim como todas as outras faculdades humanas — era resultado direto de informações ambientais e da aprendizagem, e se desenvolvia pelas técnicas de reforço e recompensa que constituíam o cerne do condicionamento operante. Skinner notou que, quando imitam sons verbais e formam palavras corretamente, as crianças de imediato recebem estímulos positivos e aprovação dos pais, o que as incentiva a continuar

PSICOLOGIA DO DESENVOLVIMENTO

Veja também: B. F. Skinner 78–85 ▪ Jerome Bruner 164–65 ▪ Steven Pinker 211 ▪ Jean Piaget 262–69 ▪ Albert Bandura 286–91

```
┌─────────────────────────────┐      ┌─────────────────────────────┐
│   Crianças pequenas         │      │  Crianças pequenas são      │
│  usam espontaneamente       │      │  capazes de entender o      │
│  regras gramaticais que     │      │  significado de uma frase   │
│   ninguém lhes ensinou.     │      │  mesmo sem entender todas   │
│                             │      │        as palavras.         │
└─────────────────────────────┘      └─────────────────────────────┘
                │                                   │
                ▼                                   ▼
┌───────────────────────────────────────────────────────────────────┐
│          A imitação verbal, combinada com aprovação e elogios,    │
│      não explica a produtividade e a criatividade da linguagem.   │
└───────────────────────────────────────────────────────────────────┘
                                  │
                                  ▼
┌───────────────────────────────────────────────────────────────────┐
│               A capacidade humana de compreender a                │
│                  gramática é inata e biológica.                   │
└───────────────────────────────────────────────────────────────────┘
                                  │
                                  ▼
┌───────────────────────────────────────────────────────────────────┐
│             O órgão da linguagem desenvolve-se                    │
│            como qualquer outro órgão do corpo.                    │
└───────────────────────────────────────────────────────────────────┘
```

aprendendo novas palavras e expressões. Bandura ampliou o conceito de imitação, ressaltando que as crianças imitam não apenas sons e palavras específicas, mas também a forma e a estrutura gerais das frases, como se preenchessem moldes com palavras específicas.

O linguista Noam Chomsky, entretanto, não acreditava que o condicionamento operante bastasse para explicar a produtividade, a criatividade e a inovação da linguagem. Também não lhe parecia ser suficiente para justificar o uso espontâneo de regras gramaticais por crianças que nunca haviam aprendido ou tido contato com elas, bem como a capacidade infantil de entender o significado de toda uma frase sem necessariamente compreender o que cada palavra significa. Para Chomsky essa habilidade é inata aos humanos — segundo ele, "o órgão da linguagem se desenvolve como qualquer outro órgão do corpo", equiparando-o a outros traços adquiridos hereditariamente.

Nativismo

De acordo com Chomsky, embora o ambiente da criança forneça o conteúdo da linguagem, a gramática em si é uma capacidade humana integrada e biologicamente determinada. Para exemplificar seu argumento, Chomsky citou outros aspectos do desenvolvimento humano aceitos como inevitavelmente hereditários. O despertar da puberdade, por exemplo, é um aspecto desenvolvimental semelhante ao "despertar" da linguagem. Não temos a menor dúvida de que é um marco definido pela genética e, embora os detalhes específicos de cada despertar dependam da influência de variáveis ambientais, o processo básico é o mesmo para toda a espécie humana. Tomamos como certo que a puberdade é resultado da programação biológica básica. O desenvolvimento da linguagem, ressaltou Chomsky, é outro traço inevitável e geneticamente programado do desenvolvimento humano, exatamente como os processos que determinam que tenhamos braços em vez de asas ou a estrutura do nosso sistema visual ou circulatório.

A ideia de que a linguagem é parte dos nossos processos de desenvolvimento é importante porque ressalta a convicção de Chomsky de que não decorre de aprendizado. A perspectiva dele é nativista, com foco na contribuição dos aspectos inatos ao comportamento, minimizando a importância das contribuições ambientais. Apesar disso, Chomsky acreditava que o meio contribuía determinando uma direção específica para o desenvolvimento »

A linguagem é um processo de criação livre.
Noam Chomsky

linguístico, uma vez que o órgão da linguagem de cada indivíduo desenvolve-se de acordo com suas experiências anteriores. Por exemplo, por ter sido criado na Filadélfia (Pensilvânia, Estados Unidos), Chomsky absorveu as características daquele dialeto específico do inglês, e o seu órgão de linguagem moldou-se de acordo. O mesmo processo acontece com todos nós, independentemente de crescermos em Paris, Tóquio ou Londres.

Gramática universal

Mas quais são as evidências de que a aquisição da linguagem é congênita e não fruto da aprendizagem? Segundo Chomsky, a prova mais convincente disso é que há aspectos gramaticais tão intuitivos e óbvios que não necessitam ser discutidos ou aprendidos para ser entendidos (são, portanto, parte da nossa herança biológica). Por exemplo, há certas construções da língua inglesa que permitem excluir os pronomes e outras que não. A diferença entre as duas formas é sutil e, no entanto, os nativos da língua inglesa, mesmo aos seis anos de idade, usarão essas construções sem cometer erros. Isso indica que certos aspectos da gramática são compreendidos sem que seja necessária qualquer instrução, e esse conhecimento é, portanto, inato. Essa é a única explicação possível para o fato de as pessoas terem uma compreensão gramatical tão rica e as crianças de seis anos de idade serem capazes de usar seus idiomas de maneira tão criativa.

Chomsky afirmou que a "gramática universal" pode ser observada em todo o mundo, com modificações de acordo com os idiomas nativos das pessoas. Trata-se de um mecanismo pré-definido, que serve de ponto de partida para a aquisição de qualquer idioma. Segundo ele, isso é demonstrado pelo fato de todas as crianças terem igual capacidade de aprender qualquer idioma a que forem expostas. Segundo Chomsky, um conjunto básico de princípios linguísticos vem embutido no órgão da linguagem hereditariamente, e nele estão incluídos elementos de gramática, significado e fala. É o que nos permite falar e aprender os idiomas humanos e talvez torne impossível o aprendizado de qualquer linguagem que viole esses princípios.

Dispositivo de linguagem

Chomsky propõe um nome para o órgão

> Somos programados para aprender os idiomas com base em um conjunto comum de princípios que podemos chamar de gramática universal.
> **Noam Chomsky**

inato de linguagem: Dispositivo de Aquisição de Linguagem (DAL). O fundamento para essa proposição reside em três fatos: as crianças nascem com capacidade de formular e entender todo tipo de frase, embora jamais as tenham ouvido ou aprendido; todo idioma humano parece possuir certos aspectos universais; a aquisição de princípios gramaticais independe da cultura ou da inteligência do indivíduo. Há também outros indícios a favor da teoria de Chomsky, entre eles o fato de que os órgãos vocais, o aparelho respiratório, o sistema auditivo e o

Noam Chomsky

Linguista, filósofo, cientista cognitivo e ativista social, Noam Chomsky nasceu na Pensilvânia, Estados Unidos, em uma família judia. Estudou filosofia e linguística na Universidade da Pensilvânia, onde concluiu bacharelado, mestrado e doutorado. Ingressou no Instituto de Tecnologia de Massachusetts em 1955, do qual se tornou professor em 1976.

É reconhecido como um dos pais da linguística moderna, além de dissidente político e anarquista. As críticas à política externa dos Estados Unidos fizeram dele uma figura bastante polêmica. Chomsky recebeu vários diplomas honorários e prêmios como o Distinguished Scientific Award [por relevante contribuição à ciência], o Dorothy Eldridge Peacemaker Award [por contribuições à paz] e o Orwell Award. Foi casado com Carol Chatz por 59 anos, até a morte dela, em 2008.

Principais trabalhos

1957 *Syntatic structures*
1965 *Cartesian linguistics*
1968 *Language and mind*

PSICOLOGIA DO DESENVOLVIMENTO

Crianças surdas comunicam-se por meio de "linguagem de sinais", em que estão presentes as mesmas características da língua falada, o que leva a crer que o conhecimento gramatical e sintático é algo inato.

cérebro humano são moldados para a comunicação por meio da fala. Para Chomsky, levando-se em conta a frequência com que as crianças são expostas a discursos incompletos e agramaticais de pais e outros adultos, só a existência de algum tipo de DAL pode explicar o fato de possuírem o que parece ser um conhecimento das regras gramaticais. Por fim, os estudos com crianças surdas fornecem provas adicionais a favor do DAL, revelando o surgimento espontâneo de uma "linguagem de sinais" que compartilha dos mesmos princípios básicos da língua falada.

Avaliação

O cientista cognitivo Steven Pinker concorda que a linguagem é um instinto resultante de um programa inato, embutido na estrutura cerebral, mas defende que surgiu ao longo da evolução do homem e é, portanto, uma adaptação que contribuiu para a sobrevivência dos nossos

Estudos sobre a comunicação entre chimpanzés mostram que a linguagem deles é complexa, embora aparentemente tenha menos conteúdo e variação do que a humana.

antepassados. Chomsky discordou de Pinker quanto ao caráter evolutivo da linguagem, argumentando que representa um módulo mental distinto, exclusivo da espécie humana e totalmente independente de outras habilidades cognitivas.

A linguista Jean Aitchison concordou com a afirmação de Chomsky de que as crianças são programadas com o conhecimento de regras linguísticas, mas acrescentou que as crianças têm habilidades inatas para a resolução de problemas que as tornam capazes de processar dados de linguagem (e de outras categorias). Chomsky, entretanto, respondeu que as aptidões linguísticas inatas dos seres humanos são independentes de outras habilidades e, como a mente é constituída por órgãos mentais semelhantes aos do restante do corpo, a linguagem pode muito bem estar separada de outras faculdades mentais.

Outro que fez críticas a Chomsky foi Robin Chapman, especialista em distúrbios da comunicação. Chapman argumentou que o estudo do desenvolvimento da linguagem precisa levar em conta também o convívio social das crianças. Ele ressalta que a estrutura da linguagem é adquirida gradualmente ao longo de diversos

anos, que a velocidade com que é adquirida varia muito, e sugere que o ambiente social também pode influenciar. Restam dúvidas ainda sobre a hipótese de Chomsky de que a linguagem é exclusiva dos seres humanos. Dados coletados em estudos com chimpanzés e gorilas indicam que as diferenças entre a linguagem dos homens e a de outros primatas é quantitativa, e não qualitativa, o que problematiza a noção de que a linguagem é específica à espécie.

O trabalho de Chomsky influenciou a linguística, a psicologia, a filosofia e inclusive a matemática. Embora a teoria de que as crianças são predispostas a aprender um idioma seja bastante aceita, é polêmica a sua afirmação de que o conhecimento da linguagem é inato e que os pais não têm muita influência sobre os filhos nesse aspecto. Chomsky é considerado por muitos como o nativista mais radical da história da psicologia e, embora se acredite que o desenvolvimento da linguagem advenha de origens biológicas, e não do condicionamento operante, isso não explica tudo. O trabalho de Chomsky fez emergir visões mais integradas, que sem dúvida levarão a novas pesquisas e entendimentos. ∎

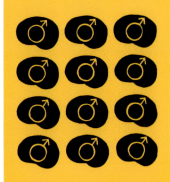

O AUTISMO É UMA VERSÃO EXTREMA DO CÉREBRO MASCULINO
SIMON BARON-COHEN (1958–)

CONTEXTO

ABORDAGEM
Teoria da mente

ANTES
1943 O psicólogo americano Leo Kanner descobre o autismo, segundo ele, resultado de uma criação fria e distante.

1944 O pediatra austríaco Hans Asperger descreve o autismo como "uma variante extrema da inteligência humana".

1979 As psicólogas britânicas Lorna Wing e Judith Gould descobrem que existe uma grande variedade de distúrbios de autismo.

DEPOIS
1989 A psicóloga alemã Uta Frith afirma que indivíduos portadores de autismo tendem a reparar em detalhes, e não no aspecto geral das situações.

1997 O psicólogo britânico Peter Mitchell diz que a "teoria da mente" de Baron-Cohen não é capaz de explicar a memória e habilidade excepcionais em áreas específicas que alguns autistas apresentam.

O autismo é um distúrbio que atinge o desenvolvimento cerebral normal das habilidades sociais e comunicativas. Crianças com autismo costumam reagir ao mundo de maneiras que podem parecer estranhas aos outros. Possuem pouca desenvoltura na comunicação, e interagir socialmente com essas crianças é em geral um desafio, em parte porque muitas não conseguem falar, e em parte porque a maioria não está muito interessada nos outros. A maioria das crianças autistas é do sexo masculino, e a maioria continua a sofrer do distúrbio na vida adulta. Diversas explicações já foram propostas para o autismo. Uma das mais recentes e influentes é a hipótese da "teoria da mente", de Simon Baron-Cohen, que, com base nas diferenças observadas entre os cérebros masculino e feminino, afirma que "o autismo é uma versão extrema do cérebro masculino".

Tipos de cérebro
Em 2003, Baron-Cohen desenvolveu a teoria sobre a empatia–sistematização do cérebro "feminino" e "masculino", segundo a qual é possível conferir um "tipo de cérebro" para cada pessoa, independentemente de gênero, dependendo da habilidade para ter empatia ou para sistematizar. Suas pesquisas indicam que o cérebro feminino é sobretudo programado para sentir empatia, pois as mulheres costumam ser mais solidárias em relação aos outros, mais sensíveis às expressões faciais e à comunicação não verbal. O cérebro masculino, por sua vez, parece ter mais facilidade para compreender e construir sistemas; está interessado sobretudo no funcionamento das coisas e em entender sua estrutura e organização. Costuma ter melhor desempenho em tarefas que exigem habilidades de decodificação, como ler um mapa.

Isso não significa, entretanto, que há uma divisão precisa conforme o gênero. Os experimentos de Baron-Cohen mostram que cerca de 17% dos homens apresentam "cérebros empáticos" e

Uma pessoa que possuísse a versão extrema do cérebro feminino seria incapaz de compreender sistemas.
Simon Baron-Cohen

PSICOLOGIA DO DESENVOLVIMENTO

Veja também: Roger W. Sperry 337–38 ▪ Heinz Heckhausen 338–39 ▪ Michael Rutter 339

> O **cérebro masculino** é programado principalmente para entender e construir sistemas.

> O **cérebro feminino** é programado principalmente para a empatia.

> Os autistas são **obcecados por sistemas** — querem entendê-los e trabalhar com eles —, mas não têm **"instrumentos" para experimentar a empatia**.

> **O autismo é uma versão extrema do cérebro masculino.**

17% das mulheres têm "cérebros sistemáticos", e muitas pessoas têm cérebros "equilibrados", em que ambas as habilidades estão presentes.

Teoria da mente

Baron-Cohen acredita que os autistas não possuem uma "teoria da mente" — ou seja, a habilidade de interpretar corretamente as emoções e atitudes dos outros — e, portanto, não conseguem avaliar o estado de espírito e as intenções alheias. Além disso, muitos têm

interesses obsessivos sobre algum tipo de sistema, como uma preocupação exagerada com interruptores. Prendem-se a minúsculos detalhes do sistema, tentando descobrir as regras que regem seu funcionamento, ou aprofundam-se em determinado assunto e aprendem tudo sobre ele sempre com alto nível de precisão. Essa combinação de pouca ou zero empatia com obsessão por sistemas, associada a um maior índice de autismo entre homens, levou Baron-Cohen à conclusão de que os autistas possuem cérebros "masculinos" extremos.

O autismo é um dos mais graves distúrbios psiquiátricos infantis. As ideias de Baron-Cohen contribuíram para aprofundar o conhecimento sobre o tema, aumentar a consciência sobre essa condição e tornar o seu tratamento mais eficaz. ▪

Crianças autistas às vezes apresentam aptidões extraordinárias em determinadas áreas, sobretudo naquelas que exigem observação aguçada de pequenos detalhes, como matemática, desenho e pintura.

Simon Baron-Cohen

Nascido em Londres, Simon Baron-Cohen formou-se em psicologia clínica pelo Instituto de Psiquiatria da Universidade de Londres e completou o doutorado na University College, em Londres.

Em 1995, tornou-se pesquisador assistente de psicologia experimental no Trinity College, em Cambridge, onde é, hoje, professor de psicopatologia de desenvolvimento e diretor do Centro de Pesquisa sobre Autismo. Seu trabalho tem por objetivo descobrir maneiras de tratar o autismo, e de investigar as possíveis causas do distúrbio.

Entre os prêmios recebidos por Baron-Cohen encontram-se o President's Award e a Medalha Spearman, conferidos pela Sociedade Britânica de Psicologia, e o Boyd McCandless Award, conferido pela Associação Americana de Psicologia.

De 2009 a 2011, Baron-Cohen foi vice-presidente da Sociedade Internacional de Pesquisa sobre Autismo e hoje é vice-presidente da Sociedade Nacional para Autismo (no Reino Unido).

Principais trabalhos

1993 *Autism: the facts*
1995 *Mindblindness*
1999 *Teaching children with austism to mind-read*
2003 *The essential difference*

PSICO DA DIFE

PERSONALIDADE E INTELIGÊNCIA

OGIA
RENÇA

302 INTRODUÇÃO

Em *The descent of man*, **Charles Darwin** afirma que as diferenças nas habilidades intelectuais são geralmente herdadas.

1871

Segundo **Charles Spearman**, o comportamento inteligente é gerado por uma qualidade do cérebro única e individual que ele chamada de **"fator geral"** ou "g".

1904

Floyd e Gordon Allport publicam *Personality traits: their classification and measurement*.

1921

Raymond Cattell diz que a inteligência é constituída por dois fatores: a **inteligência fluida e a cristalizada**.

1941

1884

Francis Galton é o primeiro a investigar **as diferenças individuais** de maneira científica, usando questionários em larga escala.

1905

Alfred Binet e Théodore Simon criam o **primeiro teste de inteligência**, que se torna conhecido como Escala Binet–Simon.

1937

Gordon Allport publica *Personality: psychological interpretation*, seu trabalho mais importante.

1942

Katherine Briggs e Isabel Briggs Myers criam a **Classificação Tipológica de Briggs Myers** — um teste psicométrico amplamente utilizado.

A psicologia teórica tentou por muito tempo identificar e investigar aspectos da mente e do comportamento que são comuns a todos nós, mas os filósofos — e depois os cientistas — sempre consideraram que são as diferenças nas estruturas psicológicas que nos definem como indivíduos. Alguns dos primeiros filósofos explicavam as diferenças de personalidade com base na hipótese dos quatro humores ou temperamentos; somente no século XX, porém, a personalidade tornou-se alvo de um estudo genuinamente científico.

Não surpreende que os behavioristas vissem a personalidade como um produto do condicionamento, e a teoria psicanalítica, como o efeito das experiências passadas sobre o inconsciente — no entanto, essas explicações provieram de pesquisas relacionadas a teorias mais gerais, não especificamente sobre a personalidade. O primeiro psicólogo a abordar a fundo o tema foi Gordon Allport, insatisfeito com as ideias existentes sobre a personalidade. Pioneiro no que é hoje conhecido como "teoria do traço", Allport identificou traços distintos de personalidade que, segundo ele, se apresentavam em três níveis diferentes, combinando-se de maneira única a cada indivíduo. A noção de traços assumiu um papel central na psicologia da personalidade e, após o estudo de Allport, tornou-se uma nova e importante área de estudo.

Traços da personalidade

Novas maneiras de analisar esses traços, como o método de fator analítico de Raymond Cattell, que identificou dezesseis fatores da personalidade, ajudaram a refinar as teorias de Allport e reduziram a quantidade de traços que se combinavam para formar uma personalidade única. Os conhecidos traços de introversão e extroversão apareciam em todos os modelos, e a distinção entre eles era considerada fator determinante para definir a personalidade. Foram, portanto, incorporados também ao modelo de três fatores de Hans Eysenck e seus traços básicos de extroversão–introversão, neuroticismo e psicoticismo.

Questionou-se também se os traços da personalidade produziriam um comportamento sempre uniforme. A pesquisa de Walter Mischel mostrou que diferentes situações provocam atitudes distintas, sugerindo que os traços de personalidade deveriam ser pensados no contexto da percepção e da reação do indivíduo a diferentes circunstâncias. Não apenas a

PSICOLOGIA DA DIFERENÇA

Hans Eysenck desenvolve uma importante teoria da personalidade baseada no **modelo de três fatores**.

Corbett H. Thigpen e Hervey M. Cleckley relatam um caso de **distúrbio de personalidade múltipla** no livro *As três faces de Eva*.

Walter Mischel publica *Personality and assessment*, em que questiona a hipótese de o comportamento ser determinado por traços da personalidade, **independentemente de situação ou contexto**.

Nico Frijda lança *The emotions*, em que descreve as emoções como mudanças que preparam o indivíduo para agir.

Anos 1947-1970   **1954**   **1968**   **1986**

1950   **1955**   **1973**   **Anos 1990**

J. P. Guilford propõe que a **Estrutura do Intelecto** (SI, em inglês) tem três dimensões: conteúdo, produtos e operações.

David Wechsler cria a sua **Escala de Inteligência para Adultos** (WAIS, em inglês).

David Rosenhan questiona a validade dos conceitos psiquiátricos de normalidade e sanidade em seus **experimentos com pseudopacientes**.

Pesquisadores entram em acordo sobre os **"Big Five"**, **os Cinco Grandes Fatores da personalidade:** afabilidade, consciência, extroversão, neuroticismo, franqueza.

---

personalidade parecia ser menos constante do que se imaginava, mas, em alguns casos, um mesmo indivíduo podia ter mais do que uma personalidade. Em um caso celebrizado por livro e filme, *As três faces de Eva*, os psiquiatras Corbett H. Thigpen e Hervey M. Cleckley descreveram o distúrbio de personalidade múltipla, hoje conhecido como transtorno dissociativo de identidade.

O fator inteligência

Outro fator que nos diferencia como indivíduos é a inteligência.
A inteligência vinha sendo estudada desde os primeiros tempos da psicologia, mas era difícil de definir e medir. Estudos sobre o tema são geralmente polêmicos: desde a época de Darwin e Galton, era encarada como uma característica herdada (visão que vinha por vezes acompanhada de estereótipos racistas e eugênicos), com nenhuma influência do ambiente. O debate "natureza *versus* criação" na determinação da inteligência tornou-se uma questão central; psicólogos como Raymond Cattell e Hans Eysenck defendiam o ponto de vista da hereditariedade, enquanto outros argumentavam que a inteligência é afetada pelo ambiente e, além disso, os meios usados para testá-la não eram culturalmente isentos e, portanto, geravam resultados distorcidos.

No começo do século XX, o psicólogo britânico Charles Spearman construiu as bases para um estudo mais objetivo e científico da inteligência, usando técnicas estatísticas para testá-la e mensurá-la. Identificou um único fator, o "fator g", correlacionado a todas as habilidades mentais que formam a inteligência geral. A hipótese de uma única medida para a inteligência foi questionada por J. P. Guilford, para quem a inteligência era constituída por habilidades diversas. Essa ideia, por sua vez, deu origem à teoria de Raymond Cattell sobre a existência da inteligência fluida e da cristalizada — dois graus de raciocínio e de pensamento crítico.

Outras áreas da psicologia da diferença vêm pesquisando as emoções e as expressões faciais, em trabalhos pioneiros como os de Paul Ekman e Nico Frijda, e os distúrbios psicológicos, mesmo após as experiências de David Rosenhan demonstrarem que não é fácil distinguir o "normal" do "anormal". As diferenças individuais parecem ser pontos de um espectro, e não categorias divididas e facilmente identificáveis, revelando, assim, a complexidade e a diversidade da psicologia humana. ■

FALTAVAM TRAÇOS DE PERSONALIDADE A ROBINSON CRUSOÉ ANTES DE CONHECER SEXTA-FEIRA?

GORDON ALLPORT (1897–1967)

GORDON ALLPORT

CONTEXTO

ABORDAGEM
Teoria dos traços

ANTES
Século II a.C. Galeno classifica o temperamento humano segundo os quatro humores.

1890 Em *Os princípios da psicologia*, William James faz uma primeira tentativa de definir o "eu" como sujeito (o "eu" conhecedor) e como objeto (o "eu" que é conhecido).

DEPOIS
1946 Raymond Cattell cria o questionário 16 FP (Fatores de Personalidade), com base na hipótese léxica de Allport e Odbert.

Anos 1970 Hans J. Eysenck cria o questionário de personalidade PEN (Psicoticismo, Extroversão, Neuroticismo).

1993 O psicólogo americano Dan P. McAdam descreve o modelo ideográfico em seu livro *The stories we live by*.

Há quem considere Gordon Allport um dos fundadores da psicologia da personalidade, por ter sido o primeiro psicólogo da era moderna a realizar um estudo profundo da personalidade. Desde os primeiros trabalhos de Hipócrates (c.400 a.C.) e Galeno (150 a.C.) sobre os quatro temperamentos, não haviam sido feitas outras tentativas de classificar a personalidade. No século XIX, o assunto era praticamente ignorado pela psicologia, embora houvesse muita discussão sobre o *self*, ou "ego".

No início do século XX, as duas escolas psicológicas predominantes — psicanálise e behaviorismo — tinham abordagens totalmente opostas. Bastante desenvolvidas e influentes, as duas continuam poderosas (e polêmicas) até hoje. O behaviorismo, por se interessar em saber apenas como adquirimos (ou aprendemos) determinado comportamento, não tinha nada a contribuir para o estudo da personalidade; a psicanálise, por sua vez, tinha uma abordagem profunda e defendia a existência de um inconsciente desconhecido que controla a personalidade, mas que só se revela parcial e acidentalmente em atos falhos e no simbolismo dos sonhos.

As pessoas estão ocupadas em viver para o futuro, enquanto a psicologia ocupa-se em saber, na maior parte do tempo, o que elas viveram no passado.
Gordon Allport

O psicólogo americano Gordon Allport tinha restrições fundamentais às duas abordagens. Para ele, o behaviorismo errava ao desconsiderar a "pessoa" que aprende, porque cada indivíduo é único, e sua percepção faz parte do processo. A psicanálise também não era apropriada para explicar a personalidade e o comportamento por dar importância exagerada ao passado da pessoa, ignorando as motivações e o contexto do momento. Allport reforçou essa opinião quando, em sua época de universitário, foi visitar Sigmund Freud

---

A personalidade é formada por...

... **traços cardinais**, ou "paixões dominantes", como o altruísmo. Nem todo mundo tem um traço cardinal, e os que têm costumam ficar conhecidos por isso.

... **traços centrais**, como honestidade ou violência. Na falta de traços cardinais, esses são os traços que definem a personalidade.

... **traços secundários**, como ficar nervoso ao ser apresentado a estranhos ou rir fora de hora. São traços que vêm à tona em situações específicas.

PSICOLOGIA DA DIFERENÇA

Veja também: Galeno 18–19 ▪ William James 38–45 ▪ Sigmund Freud 92–99 ▪ Carl Rogers 130–37 ▪ Abraham Maslow 138–39 ▪ Martin Seligman 200–01 ▪ Paul Salkovskis 212–13 ▪ Raymond Cattell 314–15 ▪ Hans J. Eysenck 316–21 ▪ William Stern 334

em Viena. Na primeira vez em que se encontraram, para descontrair, Allport contou a Freud que acabara de conhecer no trem um menininho que tinha medo de se sujar e se recusava a sentar do lado de alguém que lhe parecesse sujo, apesar dos incentivos da mãe. Talvez, propôs Allport, a criança tivesse aprendido a fobia de sujeira com a mãe, uma mulher asseada e um tanto dominadora. Ao que Freud lhe perguntou: "E o menininho era você?". A redução que Freud fez daquela observação casual, como se o caso revelasse algum episódio inconsciente da infância do próprio Allport, pareceu ao americano desconsiderar todas as suas motivações e intenções atuais. Em toda sua obra, Allport deu importância muito maior ao presente do que ao passado, embora, no final da vida, tenha ficado mais atento à psicanálise como complemento de outros métodos.

Allport clamava por uma abordagem fundamentada, eclética e aberta a novos conceitos para o estudo da aprendizagem e da personalidade humanas. Apropriou-se do que julgava certo nas abordagens vigentes, mas sempre manteve a crença central de que a singularidade do indivíduo e de sua personalidade é forjada principalmente — mas não exclusivamente — pelas relações humanas.

Teoria da personalidade

De acordo com Allport, a personalidade é um complexo amálgama de características, relacionamentos humanos, contexto atual e motivação. Allport identificou duas abordagens bastante diferentes ao estudo da personalidade — o método nomotético e o método ideográfico, ambos elaborados pelos filósofos alemães Wilhelm Windelband e Wilhelm Dilthey, mas colocados em prática pela primeira vez por William Stern, orientador de Allport na faculdade. O primeiro método, o nomotético, procura ser o mais objetivo e científico possível, como exemplificado pelo estudo da inteligência humana. Esse método requer a coleta de dados de uma grande quantidade de pessoas, produzidos por testes que identificam traços de personalidade, como extroversão e introversão. Os resultados passam por uma análise sofisticada que oferece algumas conclusões gerais, como, por exemplo, a porcentagem de extrovertidos e introvertidos, e variações relacionadas a idade, gênero ou geografia. Contudo, esse método não visa analisar traços em indivíduos específicos; seu objetivo é produzir conclusões e comentários comparativos sobre determinado traço de personalidade, não sobre determinada pessoa. É o método que o behaviorista B. F. Skinner usava para observar o comportamento de roedores.

O segundo método, ideográfico, é o oposto exato do nomotético; investiga o indivíduo a fundo, levando em consideração sua biografia, traços de personalidade e relacionamentos, bem como a experiência e a visão que os outros têm dele. Esse método, como enfoque em uma pessoa e em uma vida, está bem mais próximo da abordagem psicanalítica.

Para Allport, apesar de ser uma boa maneira de descrever os traços, o método nomotético tinha pouco poder elucidativo; ao passo que o método ideográfico, mesmo não oferecendo conclusões gerais, podia explicar uma pessoa detalhadamente. Ele acabaria usando os dois métodos, embora seu trabalho não seja reconhecido pelo foco na pesquisa empírica; Allport destacava-se mais como teórico, quase um filósofo. Seu primeiro artigo, porém, "Personality traits: their classification and measurement", escrito em coautoria com seu irmão Floyd Allport, é um exemplo perfeito do método nomotético. Por fim, um dos seus últimos trabalhos importantes — a análise de Jenny Masterson — oferece um exemplo detalhado do método ideográfico.

A hipótese léxica

Em seu primeiro estudo, Allport e o irmão relataram suas pesquisas sobre os traços de personalidade. Os participantes respondiam um questionário de personalidade e pediam a três pessoas que os conhecessem bem para completá-lo; isso refletia a visão dos irmãos Allport de que a personalidade é forjada pelas relações com os outros. Pelos resultados obtidos, os dois concluíram que era importante identificar os traços de personalidade e tentar mensurá-los. Achavam também que tinham desenvolvido um instrumento sensível e completo para isso.

Em 1936, Allport e seu colega H. S. Odbert propuseram que as diferenças individuais mais acentuadas e de maior relevância social na vida das pessoas acabam em algum momento se refletindo na linguagem; e quanto mais relevante a diferença, maior a possibilidade de existir uma única »

Os tipos de personalidade não estão nas pessoas ou na natureza, mas nos olhos de quem observa.
Gordon Allport

A hipótese léxica de Allport e Odbert fundamenta-se na ideia de que as diferenças de personalidade mais importantes e relevantes refletem-se na linguagem; os dois identificaram 18 mil palavras para descrever traços de personalidade.

palavra para expressá-la. Isso é conhecido como hipótese léxica. Os dois pesquisadores deram prosseguimento ao estudo, analisando os dicionários mais abrangentes da língua inglesa disponíveis na época, e encontraram 18 mil palavras para descrever personalidade. Reduziram-nas a 4.500 adjetivos que, segundo eles, representam traços de personalidade observáveis e estáveis.

Podemos dizer que um indivíduo tem uma característica, mas não que pertence a um tipo.
Gordon Allport

Traços cardinais
Com base em outras análises de seu estudo léxico, Allport definiu três categorias de traços: cardinais, centrais e secundários. Os traços cardinais são os fundamentais em uma pessoa, os que governam toda a sua maneira de viver. Nem todos têm um traço cardinal, afirmou Allport, mas, quando presente, pode trazer até fama para o indivíduo; algumas pessoas tornam-se tão conhecidas por seu traço cardinal que seus nomes passam a ser sinônimos dele, produzindo termos como byroniano, calvinista e maquiavélico. Em escala menos icônica, o traço cardinal pode ser algo como "medo do comunismo", característica tão central e importante para a pessoa que orienta e unifica toda a sua vida de maneira consciente e inconsciente; praticamente todas as atitudes do sujeito vinculam-se a esse traço.

No final da vida, Allport passou a achar que os traços cardinais contribuíam para o *proprium*, isto é, as pulsões essenciais, necessidades fundamentais e desejos de um indivíduo. Esse conceito extrapola a ideia de temperamento, sendo mais compatível com a noção de um propósito que orienta e está sempre pronto a se manifestar. Para exemplificar o *proprium*, Allport mencionou o explorador polar norueguês Roald Amundsen, que, desde os quinze anos, tinha uma paixão imperiosa: ser explorador polar. Os obstáculos à sua ambição pareciam insuperáveis, e a tentação de abrir mão do sonho era muito grande, mas o *proprium* para continuar lutando persistia, e cada nova conquista, ainda que celebrada, só fazia aumentar sua expectativa. Após atravessar a Passagem Noroeste, Amudsen deu início ao projeto que o levaria até o Polo Sul. E, então, após anos de planejamento e de desânimo, o norueguês sobrevoou o Polo Norte. Ele nunca hesitou em sua missão e morreu tentando resgatar um explorador polar menos experiente.

Traços menos importantes
Ao contrário dos traços cardinais, os traços centrais reúnem aquelas características mais gerais, como honestidade, encontradas na maioria das pessoas. Embora sejam os elementos que dão forma ao nosso comportamento, são menos fundamentais que os traços cardinais. Segundo Allport, desenvolvem-se, em grande parte, pela influência dos pais e são resultantes da criação. Estão presentes em muitas pessoas da mesma cultura, mas em níveis diferentes; a agressividade, por exemplo, é um traço central comum que varia de grau. Segundo Allport, a personalidade da maioria das pessoas é formada por cinco a dez desses traços em graduações que os tornam "características marcantes".

Com o tempo, os traços centrais podem conquistar "autonomia funcional", termo cunhado por Allport para se referir ao fato de começarmos a fazer algo por um motivo e continuarmos por outro. Isso acontece porque nossos

> Qualquer teoria que considere a personalidade estável, fixa ou invariável está errada.
> **Gordon Allport**

motivos presentes não estão eternamente atrelados ao passado. Pode ser, por exemplo, que alguém comece a estudar desenho para competir em popularidade com outra criança da escola, mas depois se interesse em se desenvolver na área, pelo desenho em si. Isso significa que o nosso modo atual de pensar e de agir é influenciado pelo passado apenas de forma indireta.

A autonomia funcional também pode ser uma explicação para atos e pensamentos obsessivos e compulsivos: talvez sejam manifestações de traços dotados de autonomia funcional, por isso a pessoa não sabe por que está agindo daquela maneira, mas não consegue parar.

A terceira categoria de traços definida por Allport, os chamados secundários, exerce sobre nós uma influência muito menor do que os traços cardinais e os centrais. Só se apresentam em determinadas circunstâncias, pois estão associados a um determinado contexto ou situação. Dizemos de uma pessoa, por exemplo, que "fica muito brava quando lhe fazem cócegas" ou "muito nervosa quando viaja de avião". São características que expressam preferências ou atitudes passíveis de mudança. Na ausência de terceiros, os traços secundários podem estar presentes, mas quase invisíveis. Somados aos traços centrais e cardinais, formam um retrato completo da complexidade humana.

Os traços e o comportamento

Allport ficou interessado em saber como os traços de personalidade se forjam em um indivíduo e qual a conexão deles com o comportamento. Sugeriu que uma combinação de forças internas e externas influencia nossas atitudes. Algumas forças internas, que ele chamou de "genótipos", orientam o modo como retemos informações e as utilizamos para interagir com o mundo exterior. Ao mesmo tempo, as forças externas, que batizou de "fenótipos", determinam a forma como o indivíduo aceita o ambiente que o cerca e até que ponto permite que os outros influenciem seu comportamento.

Essas duas forças são as bases para a criação dos traços individuais de personalidade.

Aplicando essas ideias à história de Robinson Crusoé, Allport notou que, antes de conhecer Sexta-Feira, os genótipos, ou recursos internos de Crusoé, aliados a certos aspectos »

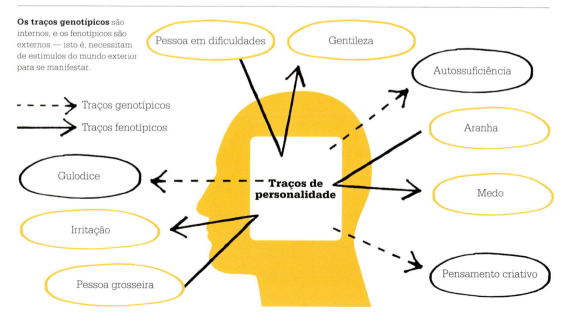

Os traços genotípicos são internos, e os fenótipicos são externos — isto é, necessitam de estímulos do mundo exterior para se manifestar.

fenotípicos, ajudaram-no a sobreviver sozinho na ilha deserta. Ele era forte o bastante para superar o desespero inicial e resgatou armas, ferramentas e outras provisões no navio prestes a afundar no mar. Construiu uma cerca ao redor da caverna e elaborou um calendário. Caçou, cultivou milho e arroz, aprendeu a fazer cerâmica e a criar cabras, e adotou um papagaio. Leu a Bíblia e tornou-se um homem religioso. Todas essas atividades demonstram os traços genotípicos de Crusoé e as atitudes que deles derivaram.

Entretanto, foi só com a chegada de Sexta-Feira que outros aspectos de seus comportamentos fenotípicos vieram à tona: Crusoé ajudou Sexta-Feira a fugir de seus captores; deu-lhe um nome; teve paciência e persistência para ensiná-lo a falar inglês, e capacidade de convertê-lo ao cristianismo. Embora o náufrago sempre tenha tido esses traços de personalidade, eles só encontraram uma via de expressão na ilha por meio da amizade com Sexta-Feira. A ideia é similar à do conhecido enigma filosófico: quando uma árvore cai na floresta e não há ninguém por perto, será que faz barulho? Para Allport, os traços de personalidade tornam o comportamento completo; estão sempre lá, mesmo que não haja ninguém para invocá-los ou observá-los.

Um estudo ideográfico

Após a publicação de *Personality: a psychological interpretation*, em 1936, Allport voltou sua atenção para tópicos como religião, preconceito e ética. Em 1965, porém, voltou ao tema da personalidade e conduziu um estudo ideográfico dos traços de personalidade de Jenny Masterson, que viveu de 1868 a 1937. Durante os últimos onze anos de sua vida, Jenny escreveu trezentas cartas íntimas a um casal de quem era amiga. Allport baseou-se nas cartas para fazer seu estudo: solicitou a 36 pessoas para ler a correspondência e caracterizar os traços de personalidade de Jenny. Oito "conjuntos" de traços, que incluíam 198 traços individuais, foram relativamente fáceis de identificar e tiveram amplo consenso entre os participantes que analisavam as cartas. Foram os seguintes:

Allport concluiu que Robinson Crusoé sempre deve ter tido traços específicos de personalidade, mas alguns só vieram à tona em novas circunstâncias, quando se tornou náufrago e conheceu Sexta-Feira.

briguenta—desconfiada, autocentrada, independente—autônoma, dramática—intensa, bom gosto—artística, agressiva, cínica—mórbida e sentimental.

Apesar do consenso, Allport achou que a análise dos traços de Jenny fora um tanto inconclusiva e resolveu usar outros modelos teóricos, entre eles, análise freudiana e adleriana. Com a ajuda de dois alunos, Jeffrey Paige e Alfred Baldwin, também fez uma "análise de conteúdo" do material. Tratava-se de uma nova forma de análise computadorizada, em que a máquina era programada para contabilizar o número de vezes em que ocorriam palavras ou frases relacionadas a determinado assunto ou emoção. Allport ficou especialmente impressionado por esse novo método devido à sua potencial contribuição para a análise de dados ideográficos, confirmando sua opinião de que a abordagem ideográfica poderia identificar sutilezas de caráter que os questionários de traços de personalidade sozinhos não seriam capazes de revelar.

Em 1966, Allport publicou um artigo intitulado "Traits revisited", propondo

A personalidade é algo complexo demais para ser amarrado numa camisa de força.
Gordon Allport

que o objetivo do estudo da personalidade não deveria ser uma microanálise dos traços individuais, mas, sim, um exame da organização psíquica da pessoa como um todo. Dizia que seus primeiros textos sobre os traços de personalidade haviam sido escritos em uma época de inocência psicológica, embora reafirmasse sua convicção de que os traços eram um bom ponto de partida para descrever a personalidade

A influência de Allport

O trabalho de Allport criou a base para muitas escolas de pensamento contemporâneas, apesar de raramente lhe darem o devido crédito. Grande parte dos testes de personalidade modernos deriva do trabalho de Raymond Cattell e Hans Eysenck, e tanto o primeiro quanto o segundo foram influenciados pelo estudo léxico de Allport. O "Questionário dos 16 Fatores da Personalidade" de Cattell, utilizado até hoje por psicólogos, usa dezesseis traços identificados por Cattell por meio da análise computadorizada dos 4.500 adjetivos originais de Allport e Odbert.

A psicologia humanista, em que se baseia grande parte das práticas terapêuticas e de aconselhamento, também apoia-se nas ideias de Allport, sobretudo em seu método ideográfico e na insistência na singularidade do indivíduo. O foco mais intenso na relação terapeuta–cliente como veículo de expressão e desenvolvimento da personalidade tem origem na afirmação de Allport de que a personalidade é, em grande parte, um produto dos relacionamentos.

Allport foi também um dos primeiros a destacar o fato de que até mesmo as teorias psicológicas que buscam explorar facetas positivas da experiência humana baseiam-se "em larga escala no comportamento de pessoas doentes e angustiadas ou nas bizarrices desesperadas de ratos

Allport impeliu os psicólogos a estudar os traços de personalidade e a deixar o caráter no terreno da filosofia.
Martin Seligman

aprisionados". Allport perguntava-se por que não havia teorias baseadas no estudo de seres humanos saudáveis e que lutam para fazer a vida valer a pena. Segundo ele, a maior parte dos estudos observa criminosos, não os cidadãos que respeitam a lei; discutem o medo, e não a coragem; enfocam a cegueira humana, em vez da visão. O florescente ramo da psicologia positiva, liderado por Martin Seligman, adotou essas ideias e assumiu como objetivo desenvolver uma psicologia científica de experiências positivas.

Em 1955, quando escreveu *Becoming*, Allport havia levado seu pensamento mais além; via agora o esforço humano para alcançar um maior grau de consciência e realização como a verdadeira força motriz da personalidade. A ideia do "vir a ser" como o grande objetivo dos seres humanos também foi desenvolvida pelo psicólogo Carl Rogers e, em seguida, por Abraham Maslow, que renomeou o conceito como "autorrealização". Embora seu trabalho seja citado com menos frequência do que o de outros pensadores conhecidos, Allport teve uma influência profunda e duradoura no campo da psicologia. ■

Gordon Allport

Gordon Willard Allport nasceu em Montezuma, Indiana, Estados Unidos, em 1897. O mais novo de quatro filhos, era tímido e estudioso quando criança, mas se tornou editor do jornal da escola na adolescência e teve uma gráfica.

Serviu no Exército durante a Primeira Guerra Mundial, até conseguir uma bolsa para estudar filosofia e economia em Harvard. Após se formar, em 1919, lecionou na Turquia por um ano e, em seguida, voltou a Harvard, onde concluiu o doutorado em psicologia, em 1922. Também estudou na Escola da Gestalt, na Alemanha, e na Universidade de Cambridge, no Reino Unido.

Em 1924, voltou a Harvard para dar o primeiro curso sobre estudos da personalidade dos Estados Unidos. Salvo os quatro anos que passou no Dartmouth College, em New Hampshire, Allport permaneceu em Harvard até falecer, em 1967, devido a um câncer de pulmão, aos setenta anos de idade.

Principais trabalhos

1937 *Personality: a psychological interpretation*
1954 *The nature of prejudice*
1955 *Becoming*
1961 *Pattern and growth in personality*

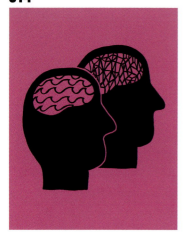

A INTELIGÊNCIA GERAL É CONSTITUÍDA PELAS INTELIGÊNCIAS FLUIDA E CRISTALIZADA
RAYMOND CATTELL (1905–1998)

CONTEXTO

ABORDAGEM
Teoria da inteligência

ANTES
Anos 1900 Alfred Binet afirma que a inteligência pode ser mensurada e apresenta o termo "quociente de inteligência" (QI).

1904 Charles Spearman identifica o "fator g", que definiria a inteligência.

1931 Em *The measurement of intelligence*, Edward Thorndike afirma que existem três ou quatro tipos principais de inteligência.

DEPOIS
1950 Segundo J. P. Guilford, existem cerca de 150 tipos diferentes de habilidades intelectuais.

1989 O psicólogo americano John B. Carroll propõe um modelo psicométrico da inteligência em três camadas: específicas, gerais e o "fator g" de Charles Spearman.

Raymond Cattell, considerado um dos doze psicólogos mais importantes do século XX, contribuiu de maneira extraordinária para o estudo da inteligência, da motivação e da personalidade humana. Seu interesse pela inteligência foi despertado no início de sua carreira, quando se tornou aluno de Charles Spearman, o psicólogo britânico que definiu o "fator g" — um fator único de inteligência geral que serve como base para toda a aprendizagem.

Em 1941, Cattell ampliou esse conceito, definindo dois tipos de inteligência que formam o "fator g": a inteligência fluida e a inteligência cristalizada. A inteligência fluida é o conjunto de habilidades de pensamento ou de raciocínio que pode ser aplicado a qualquer assunto ou "conteúdo". Descrita às vezes como a inteligência acionada quando não sabemos como fazer algo naquele momento, entra em ação automaticamente quando temos que resolver problemas ou reconhecer padrões, e acredita-se que esteja ligada à capacidade da memória de trabalho.

Para Cattell, a inteligência fluida é herdada geneticamente, o que pode explicar as diferenças de indivíduo para indivíduo. Atinge o ápice no início da

---

A inteligência geral (g)
é composta por duas partes.

A inteligência fluida, isto é, a habilidade de pensar e raciocinar abstratamente e perceber relações entre as coisas sem prática ou instrução prévias.

A inteligência cristalizada, formada por experiências anteriores e fatos aprendidos, que resulta nas habilidades de julgamento acumuladas com o tempo.

PSICOLOGIA DA DIFERENÇA 315

Veja também: Alfred Binet 50–53 ▪ J. P. Guilford 304–05 ▪ Hans Eysenck 316–21 ▪ William Stern 334 ▪ David Wechsler 336

vida adulta e começa em seguida a declinar regularmente, talvez devido às mudanças cerebrais relacionadas à idade. Lesões no cérebro podem prejudicar a inteligência fluida, o que sugere que suas bases são sobretudo fisiológicas.

Inteligência cristalizada

Conforme empregamos a inteligência fluida para resolver problemas, começamos a construir armazéns de conhecimento e hipóteses de trabalho sobre o mundo que nos cerca. Esse armazém de conhecimento é a inteligência cristalizada, descrita por Cattell como "o conjunto de habilidades de julgamento" adquirido pelo investimento da inteligência fluida em atividades culturais. Ocorrem vastas diferenças nas experiências de aprendizagem em função de fatores como classe social, idade, nacionalidade e época histórica.

A inteligência cristalizada abrange habilidades como compreensão verbal e facilidade com números, porque são destrezas que dependem de conhecimentos adquiridos — como regras gramaticais ou adição e subtração, entre outros conceitos matemáticos. Esse tipo de inteligência aumenta gradativamente ao longo da vida e fica mais ou menos estável até cerca de 65 anos de idade, quando começa a entrar em declínio.

Cattell considerava as inteligências fluida e cristalizada razoavelmente independentes entre si, mas admitiu que uma inteligência fluida superior pode provocar um crescimento mais rápido e extenso da inteligência cristalizada, dependendo da personalidade e dos

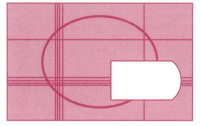

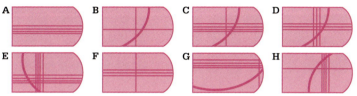

O teste de inteligência culturalmente isento foi criado por Cattell na década de 1920. Mede a inteligência fluida por meio de problemas em forma de padrões, os quais, para serem solucionados, exigem raciocínio, mas nenhum aprendizado ou conhecimento prévio.

interesses da pessoa. Notando que os testes padronizados de QI costumam avaliar uma combinação de inteligências cristalizada e fluida, Cattell elaborou um teste que avaliasse a inteligência fluida separadamente. Seu teste de inteligência culturalmente isento tem como base questões de múltipla escolha não verbais relacionadas a formas e padrões, não exige nenhum conhecimento prévio dos participantes e pode ser aplicado em crianças e adultos de qualquer cultura. ▪

Raymond Cattell

Nascido em Staffordshire, Inglaterra, Raymond Bernard Cattell formou-se com louvor em química, em 1924, e passou a se dedicar à psicologia — tema de seu doutorado, concluído em 1929. Após lecionar nas universidades de Londres e Exeter, foi diretor da Clínica Leceister de Orientação para Crianças por cinco anos, até 1937, quando se mudou para os Estados Unidos. Morou e lecionou no país até 1973, tendo trabalhado nas universidades de Clark, Harvard e Illinois. Casou-se três vezes. Convidado a dar aulas na Universidade do Havaí, transferiu-se para Honolulu, onde morou até o fim da vida. Em 1997, a Associação Americana de Psicologia homenageou Cattell com um Life Achievement Award. No entanto, sua posição de que as nações deveriam proteger a inteligência superior e herdada por meio da eugenia tornou a premiação polêmica e provocou críticas ferrenhas. Cattell defendeu-se e recusou o prêmio. Morreu de falência cardíaca no ano seguinte.

Principais trabalhos

1971 *Abilities*
1987 *Intelligence*

HÁ UMA LIGAÇÃO ENTRE INSANIDADE E GENIALIDADE

HANS J. EYSENCK (1916–1997)

Os introvertidos têm um grau elevado de atividade cerebral e, portanto, são cronicamente mais estimulados pelo córtex do que os extrovertidos.
Hans J. Eysenck

Por meio dessa pesquisa, Eysenck identificou uma terceira dimensão de temperamento que nomeou como "psicoticismo", termo que em muitos casos substitui a palavra "insanidade" como acepção mais geral. Isso representou um grande afastamento da teoria da personalidade, uma vez que a maioria dos teóricos estava tentando definir e mensurar a personalidade normal (sã). Eysenck dizia, porém, que, assim como acontece na dimensão do neuroticismo, o psicoticismo apresenta-se em graus diversos; seus testes buscavam ocorrências de traços de personalidade comuns a psicóticos.

Eysenck descobriu que vários traços de personalidade associam-se para produzir o psicoticismo: aqueles que apresentam níveis mais extremos dessa dimensão costumam ser agressivos, egocêntricos, distantes, impulsivos, antissociais, insensíveis, criativos e teimosos. Ter uma pontuação extrema não significa que a pessoa seja psicótica, e é possível que jamais venha a ser. Estudos controlados, como o realizado em 1980 pelo psicólogo norueguês Dan Olweus e seus colegas, demonstraram que o aspecto agressivo do psicoticismo está relacionado biologicamente a excesso de testosterona.

Estudando a genialidade

É difícil fazer uma definição psicológica clara da criatividade, mas há amplo consenso de que envolve originalidade e inovação e baseia-se igualmente em aspectos de habilidade intelectual e de personalidade. No artigo "Creativity and personality: suggestions for a theory", Eysenck procurou desvendar a natureza da criatividade e seu vínculo com a inteligência, a personalidade e a genialidade.

A genialidade é considerada o ponto mais alto da criatividade e associa-se a uma inteligência muito elevada: ter QI de no mínimo 165 é um pré-requisito. Entretanto, é preciso mais do que alto QI. Outro componente relevante da inteligência é o processo de busca mental acessado para encontrar soluções, combinando ideias diferentes que trazemos da memória para encontrar novas respostas para um problema. Essa investigação mental é organizada por relevância: quais ideias e experiências passadas são relevantes para o problema? Cada um faz essa busca de maneira diferente e é uma habilidade que independe do QI. Apresenta-se em graus diferentes também, variando desde uma noção ampla e abrangente demais daquilo que é relevante (ver diversas rotas como caminhos possíveis) a uma ideia excessivamente limitada (ver poucas possibilidades); no centro, está a visão mais convencional do que pode contribuir para a solução do problema em questão.

O pensamento excessivamente abrangente pode ser mensurado por testes de associação de palavras, em que se analisa dois aspectos: a quantidade de associação para uma determinada palavra e a originalidade dessas associações. Por exemplo, a partir da palavra "pé", os indivíduos que têm um espectro mais limitado de associações provavelmente responderão "sapato"; os que têm um pensamento um pouco mais abrangente talvez digam

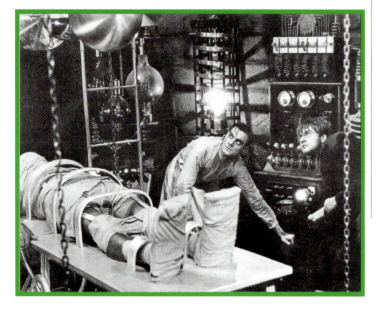

O professor Frankenstein cria um monstro, no romance de Mary Shelley, e exibe sintomas clássicos de psicoticismo: ousadia, desrespeito por convenções e teimosia.

PSICOLOGIA DA DIFERENÇA

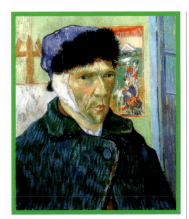

Gênios criativos, como o artista Vincent van Gogh, exibem traços da dimensão de psicoticismo elaborada por Eysenck, sobretudo pensamento excessivamente abrangente, independência e desobediência.

"mão" ou "dedo"; enquanto uma pessoa com um raciocínio excessivamente inclusivo talvez produza palavras como "soldado" ou "dolorido". Esse tipo de teste permite avaliar a criatividade das pessoas.

Eysenck demonstrou que um traço comum do psicoticismo e da genialidade é o pensamento excessivamente abrangente. Quando associado a um alto QI, pode produzir um gênio criativo, porque a combinação gera ideias originais e criativas. Essa é a característica cognitiva que está na base da criatividade. Quando o pensamento excessivamente abrangente se apresenta associado a sintomas psicóticos, porém, é possível que a psicose, em graus variados, se manifeste.

Criatividade e personalidade

Eysenck acreditava que a criatividade é o traço de personalidade responsável pelo potencial de realização criativa, mas a realização desse potencial está a cargo do psicoticismo (se não ocorrer psicose). O ímpeto de transformar o traço da criatividade em realizações concretas por meio, por exemplo, da atividade artística deriva de aspectos do temperamento psicótico, sobretudo no estilo de pensamento abrangente demais. Eysenck não pretendia traçar uma relação causal entre genialidade e insanidade mental; embora ambas tenham algo em comum — o pensamento excessivamente abrangente —, essa faceta combina-se a outros traços característicos da genialidade ou da loucura, originando resultados muito diferentes em cada caso.

As pesquisas sobre criatividade enfrentam desafios e dificuldades diversos, a ponto de alguns pesquisadores afirmarem que a criatividade só pode ser julgada com base naquilo que é produzido por ela. Eysenck não conseguiu propor uma teoria completa da criatividade; somente algumas sugestões sobre o tema. Como ele próprio declarou: "Estou combinando diversas teorias difusas". Seu trabalho englobou diversas áreas, mas ele se tornou mais conhecido por sua investigação sobre a personalidade e a inteligência. Seu modelo PEN (Psicoticismo, Extroversão, Neuroticismo) foi muito influente e serviu de base para grande parte da pesquisa que se seguiu sobre traços de personalidade. ∎

O psicoticismo sem psicose é o elemento essencial para que o traço de criatividade (originalidade) deixe de ser uma possibilidade e se traduza em uma realização de fato.
Hans J. Eysenck

Hans J. Eysenck

Hans Jurgen Eysenck nasceu em Berlim, na Alemanha, em uma família de artistas; sua mãe era atriz de cinema famosa, e seu pai, Eduard, um homem católico e ator de teatro. O casal separou-se logo após o nascimento do filho, que foi criado pela avó materna. Em 1934, ao saber que só poderia estudar na Universidade de Berlim caso se alistasse no partido nazista, Eysenck partiu para a Inglaterra e começou a estudar psicologia na University College de Londres.

Casou-se em 1938 e, após conseguir escapar por um triz da permanência compulsória imposta aos cidadãos alemães na Segunda Guerra Mundial, concluiu o doutorado e começou a trabalhar como psicólogo em um pronto-socorro. Mais tarde, fundou e dirigiu o Instituto de Psiquiatria da Universidade de Londres. Eysenck casou-se novamente em 1950 e tornou-se cidadão britânico em 1955. Em 1996, recebeu o diagnóstico de que tinha um tumor no cérebro e, em 1997, morreu em um hospital londrino.

Principais trabalhos

1967 *The biological basis of personality*
1976 *Psychoticism as a dimension of personality*
1983 *The roots of creativity*

O DESEMPENHO É RESULTADO DE TRÊS GRANDES MOTIVAÇÕES
DAVID C. McCLELLAND (1917–1998)

CONTEXTO

ABORDAGEM
Teoria da necessidade

ANTES
1938 O psicólogo americano Henry Murray elabora a teoria de que a personalidade é moldada por necessidades psicogênicas.

1943 Abraham Maslow apresenta uma hierarquia das necessidades em *A theory of human motivation*.

1959 Segundo o psicólogo americano Frederick Herzberg, em *Motivation to work*, o que motiva as pessoas é a realização, não o dinheiro.

DEPOIS
1990 Em *A descoberta do fluxo*, Mihály Csíkszentmihályi discute as motivações das conquistas.

2002 Martin Seligman investiga a motivação como expressão de qualidades do caráter.

2004 Em *Leadership that gets results*, o psicólogo americano Daniel Goleman aplica as ideias de McClelland à questão da liderança nos negócios.

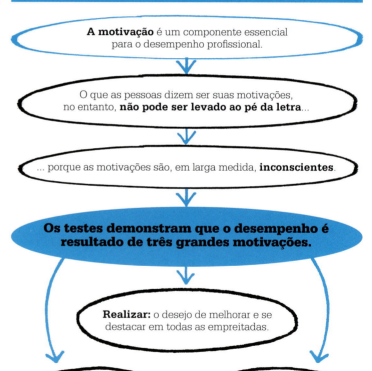

A **motivação** é um componente essencial para o desempenho profissional.

O que as pessoas dizem ser suas motivações, no entanto, **não pode ser levado ao pé da letra**...

... porque as motivações são, em larga medida, **inconscientes**.

Os testes demonstram que o desempenho é resultado de três grandes motivações.

Realizar: o desejo de melhorar e se destacar em todas as empreitadas.

Poder: o desejo de influenciar e gerenciar outras pessoas.

Afiliar-se: o desejo de estabelecer e manter relações cordiais com outras pessoas.

PSICOLOGIA DA DIFERENÇA

Veja também: Abraham Maslow 138–39 ▪ Mihály Csíkszentmihályi 198–99 ▪ Martin Seligman 200–01

Nas décadas de 1960 e 1970, a contratação de novos funcionários tinha, em geral, como base os resultados escolares, os testes de personalidade e os testes de QI. David C. McClelland, entretanto, defendeu que identificar as motivações das pessoas é a melhor maneira de predizer sucesso no trabalho. Por meio de uma ampla pesquisa, McClelland identificou as três maiores motivações, no seu entender, responsáveis pelo desempenho profissional: a necessidade de poder, de realização e de afiliação. Embora todos tenhamos essas três, uma delas é predominante, segundo McClelland, e molda o desempenho da pessoa no ambiente de trabalho.

Três grandes necessidades

McClelland considerou a necessidade de poder, ou de controlar os outros, como a motivação mais importante para um bom líder. Mas isso só é válido quando esse ímpeto está a serviço do ambiente institucional. Quem anseia por poder pessoal não contribui de modo positivo para o grupo.

A excelência no trabalho, na visão de McClelland, deriva da necessidade de realizar, que é um indicativo muito mais preciso de sucesso do que a inteligência. Essa disposição para realizar é o que torna as pessoas mais competitivas e as impulsiona para buscar novos objetivos e se aprimorar.

Por fim, ele afirmou que a necessidade de afiliação — ter boas relações com os outros — ajuda as pessoas a ter espírito de equipe. McClelland observava, porém, que os indivíduos com um desejo pronunciado de afiliação têm poucas chances de se tornar bons líderes.

Para o psicólogo, a motivação deriva de traços da personalidade alojados nas profundezas do inconsciente. Como não estamos 100% cientes das nossas próprias motivações, o que dizemos sobre elas em entrevistas de emprego ou questionários de autoavaliação talvez não possa ser levado ao pé da letra. McClelland defendia, portanto, o uso do Teste de Apercepção Temática (TAT), desenvolvido pelos psicólogos Henry Murray e Christiana Morgan na década de 1930, para revelar aspectos do inconsciente. Raras vezes utilizado em ambientes profissionais, a metodologia do teste consiste em apresentar uma série de imagens à pessoa, que deve em seguida criar uma história com base nelas. Supõe-se que a história refletirá as habilidades e motivações que orientam a pessoa. McClelland chegou a elaborar uma nova maneira de analisar as respostas do TAT, para que fosse possível comparar a adequação dos diversos candidatos a um determinado posto de trabalho.

As ideias de McClelland revolucionaram o recrutamento profissional e, embora seus métodos intensivos de avaliar candidatos tenham perdido popularidade, os princípios básicos continuam a ser utilizados. A motivação é vista hoje como um fator essencial para o desempenho profissional. ■

O Teste de Apercepção Temática para avaliar candidatos a um emprego, tinha como fundamento a hipótese de que, ao contar uma história baseada em imagens, o candidato expunha suas verdadeiras motivações.

David C. McClelland

David Clarence McClelland nasceu em Mount Vernon, Nova York. Após se formar pela Universidade Wesleyan, em Connecticut, e obter o mestrado pela Universidade de Missouri, transferiu-se para Yale, onde concluiu o doutorado em psicologia experimental em 1941. Lecionou por curtos períodos em diversas universidades até aceitar um posto em Harvard, em 1956, onde permaneceu por trinta anos, tornando-se diretor do Departamento de Relações Sociais.

Em 1963, montou uma consultoria de administração de empresas, por meio da qual aplicava suas teorias para ajudar executivos a treinar e a avaliar suas equipes. Em 1987, tornou-se eminente pesquisador e professor de psicologia na Universidade de Boston, cargo que exerceu até falecer, aos oitenta anos.

Principais trabalhos

1953 *The achievement of motive*
1961 *The achieving society*
1973 *Testing for competence rather than for intelligence*
1987 *Human motivation*
1998 *Identifying competencies with behavioral-event interviews*

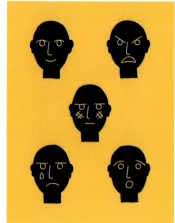

A EMOÇÃO É UM PROCESSO INCONSCIENTE
NICO FRIJDA (1927–2015)

Os sentimentos e as emoções são idiossincráticos; parecem ser puramente subjetivos, e o misticismo que os cerca talvez explique por que a psicologia da emoção avançou tão lentamente. Contudo, essa situação mudou nos últimos trinta anos, uma vez que descobertas científicas relacionadas ao "terreno" das emoções despertaram novos interesses. Psicólogos evolucionários também propuseram questões. Qual o propósito das emoções? De que modo nos ajudam a sobreviver e nos desenvolver?

CONTEXTO

ABORDAGEM
Psicologia da emoção

ANTES
1872 O biólogo Charles Darwin publica o primeiro estudo científico sobre as emoções humanas em *A expressão das emoções nos homens e nos animais*.

Fim dos anos 1800 William James e o fisiologista dinamarquês Carl Lange propõem a teoria das emoções de James–Lange, segundo a qual as emoções são resultado, e não causa, das mudanças corporais.

1929 Os fisiologistas Walter Cannon e Philip Bard afirmam, na teoria Bard–Cannon, que temos ao mesmo tempo reações fisiológicas e emotivas.

DEPOIS
1991 Em *Emotion and adaptation*, o psicólogo Richard Lazarus diz que qualquer agitação emotiva ou física precisa ser precedida por um pensamento.

A emoção é um processo inconsciente.

↓

As emoções são forças motivadoras que nos preparam para agir.

↓

São **processos espontâneos e biológicos** fora do nosso controle.

↓

Podem ser **captadas pelos outros** com base em expressões físicas espontâneas, como a risada.

↓

Os **sentimentos** são a maneira como interpretamos as emoções que experimentamos.

↓

Temos **consciência** dos nossos sentimentos e podemos tomar decisões com base neles.

↓

Como temos controle dos nossos sentimentos, os **outros não podem intuí-los** com base em nosso comportamento.

PSICOLOGIA DA DIFERENÇA

Veja também: William James 38–45 ▪ Albert Ellis 142–45 ▪ Gordon H. Bower 194–95 ▪ Charlotte Bühler 336 ▪ René Diatkine 338 ▪ Stanley Schachter 338

O livro pioneiro de Nico Frijda, *The laws of emotion*, investiga a essência e as regras que regem as emoções. Para o autor, as emoções estão na encruzilhada entre os processos biológicos e cognitivos. Algumas, como o medo, são biologicamente herdadas ou inatas e estão presentes também em outros animais. Outras, porém, surgem como resposta aos nossos pensamentos e têm, portanto, origem claramente cognitiva. Podem até ser definidas pela cultura — como é o caso da indignação e da humilhação.

Frijda traçou distinções claras entre as emoções e os sentimentos. As emoções não podem ser controladas; surgem espontaneamente e impõem sua presença pelas sensações físicas, como o frio na barriga quando sentimos medo. Por isso, disse ele, "a emoção é um processo inconsciente". Os sentimentos, por sua vez, são a interpretação das emoções que experimentamos e têm um elemento consciente. Quando sentimos algo, conseguimos pensar e tomar decisões a respeito disso. Não somos tomados de assalto por sentimentos, como é o caso das emoções.

Ação e pensamento

Frijda ressaltou que as emoções e os sentimentos também se apresentam de modos diferentes. As emoções nos preparam para agir; em circunstâncias apavorantes, são as forças propulsoras que preparam o corpo para fugir ou lutar. Os outros conseguem entender, ou pelo menos supor, as emoções que sentimos com base em nossas atitudes. Os sentimentos, por sua vez, podem ou não ser coerentes com nossas atitudes, porque podemos escolher nos comportar de maneira que os oculte.

Frijda vê as emoções básicas como uma oportunidade para aprimorar a autoconsciência. Elas ocorrem junto com uma agitação biológica perceptível e nos deixam mais conscientes dos nossos sentimentos. Por isso, se as levarmos em consideração em nossas escolhas e, se refletirmos com sinceridade sobre elas, podemos aumentar a autoconsciência. Mas, para Frijda, somente raiva, alegria, vergonha, tristeza e medo são emoções básicas. Segundo ele, o ciúme e a culpa, por exemplo, não têm o mesmo imperativo biológico.

Ao definir e descrever este conjunto bastante específico de leis

Segundo Frijda, as emoções, como o medo, têm sempre "um motivo". São respostas espontâneas a circunstâncias alteradas e revelam a nossa relação com o ambiente.

que regem as emoções, Frijda demonstrou que elas surgem, florescem e fenecem de maneira previsível. A razão as interpreta tal qual um barômetro, para assegurar o bem-estar mental. "Os lados emocional e racional não vivem separadamente", declarou Frijda, "muito pelo contrário, os dois estão na verdade muito mais conectados do que parece." ■

Nico Frijda

Nico Henri Frijda nasceu em Amsterdã, em uma família de intelectuais judeus, e passou a infância escondido, fugindo da perseguição nazista durante a Segunda Guerra Mundial. Estudou psicologia na Universidade de Gemeente, em Amsterdã, onde obteve o doutorado em 1956 por sua tese *Understanding facial expressions*. Atribui seu interesse inicial pelas emoções ao fato de ter se apaixonado, quando estudante, por uma "garota muito expressiva".

De 1952 a 1955, Frijda trabalhou como psicólogo clínico no Centro de Neurose do Exército Holandês, retornando em seguida à pesquisa e ao ensino. Durante os dez anos seguintes, foi professor assistente e, depois, professor de psicologia experimental e teórica na Universidade de Amsterdã.

Frijda atuou como professor visitante em diversas universidades da Europa, em lugares como Paris, Itália, Alemanha e Espanha. Faleceu em 11 de abril de 2015, aos 87 anos.

Principais trabalhos

1986 *The emotions*
2006 *The laws of emotion*
2001 *Emotion regulation and free will*

O COMPORTAMENTO SERIA TOTALMENTE CAÓTICO SE NÃO SE CONSIDERASSEM DADOS DO AMBIENTE
WALTER MISCHEL (1930–)

CONTEXTO

ABORDAGEM
Teoria da personalidade

ANTES
c.400 a.C. Para Hipócrates, a personalidade depende do nível dos quatro humores no corpo.

1946 Raymond Cattell começa a desenvolver seu modelo da personalidade contendo dezesseis fatores.

1961 Os psicólogos americanos Ernest Tupes e Raymond Christal propõem o primeiro modelo de personalidade com base nos "Big Five" fatores de personalidade.

DEPOIS
1975 O Questionário da Personalidade de Hans Eysenck identifica duas dimensões de personalidade independentes e biologicamente fundamentadas.

1980 Os psicólogos americanos Robert Hogan, Joyce Hogan e Rodney Warrenfeltz desenvolvem testes de personalidade abrangentes, com base no modelo de personalidade dos "Big Five".

Até o final da década de 1960, a personalidade costumava ser descrita como uma série de traços comportamentais individuais, herdados geneticamente. Os psicólogos buscavam definir e mensurar esses traços, por acreditarem que os dados obtidos eram essenciais para compreender e prever com alguma segurança o comportamento de uma pessoa.

Raymond Cattell identificou dezesseis traços de personalidade. Para Hans J. Eysenck, só haveria três ou quatro. Em 1961, Ernest Tupes e Raymond Christal propuseram cinco grandes traços de personalidade (os "Big Five"): afabilidade, consciência, extroversão, neuroticismo, franqueza. Depois disso, em 1968, Walter Mischel surpreendeu os envolvidos com a teoria da personalidade quando afirmou,

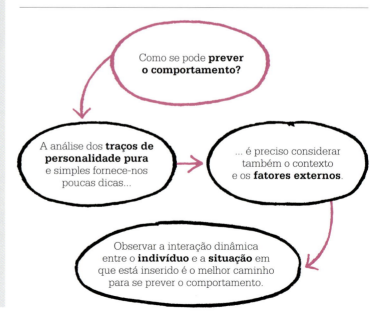

Como se pode **prever o comportamento?**

A análise dos **traços de personalidade pura** e simples fornece-nos poucas dicas...

... é preciso considerar também o contexto e os **fatores externos**.

Observar a interação dinâmica entre o **indivíduo** e a **situação** em que está inserido é o melhor caminho para se prever o comportamento.

PSICOLOGIA DA DIFERENÇA

Veja também: Galeno 18–19 ▪ Gordon Allport 306–07 ▪ Raymond Cattell 314–15 ▪ Hans J. Eysenck 316–21

em *Personality and assessment*, que o teste de personalidade clássico quase não tinha valor. Ele havia analisado alguns estudos que tentaram prever o comportamento com base em resultados de teste de personalidade e descobriu que apenas 9% eram precisos.

Fatores externos

Julgando que era preciso observar a interação dinâmica entre os indivíduos e a situação em que estão inseridos, Mischel chamou a atenção para o papel desempenhado por fatores externos, tais como o contexto, para determinar o comportamento. Imagine como seria absurdo se o comportamento de uma pessoa não tivesse nenhuma relação com fatores externos. Para Mischel, analisar o comportamento em diferentes situações, observando-o em diversas oportunidades, proveria dados sobre o padrão comportamental, que, por sua vez, revelariam uma assinatura característica de determinada personalidade, e não apenas uma lista de traços genéricos. A interpretação pessoal de situações também seria levada em conta. Mischel investigou depois os hábitos de pensamento que podem perdurar e se aplicar a situações variadas. Em seu famoso experimento com *marshmallow*, projetado para examinar a força de vontade,

O que os testes de personalidade realmente nos dizem sobre alguém?
Walter Mischel

Resistir a tentações, sem sucumbir a gratificações de curto prazo, geralmente indica um potencial para maiores conquistas na vida, como revelaram os estudos de comportamento infantil realizados por Mischel.

ele oferecia um único doce a crianças de quatro anos de idade, que deviam decidir se o comeriam naquele momento ou se esperariam vinte minutos, quando então ganhariam mais um. Algumas crianças conseguiram se controlar, outras não. Mischel monitorou o desenvolvimento de todas até a adolescência e observou que aquelas que resistiram à tentação eram psicologicamente mais bem ajustadas e confiáveis; tinham melhor desempenho escolar, eram mais adequadas no convívio social e tinham maior autoestima. A capacidade de postergar recompensa parecia ser um indício mais preciso de sucesso futuro do que qualquer outro traço mensurado antes.

O trabalho de Mischel levou a uma mudança no estudo da personalidade — passou do que a personalidade tinha a dizer sobre o comportamento para o que o comportamento revelava sobre a personalidade. Também alterou perfis de personalidade para avaliar candidatos a um emprego. Esses testes, antes considerados bases precisas para o recrutamento de funcionários, são agora vistos como meros guias a serem interpretados dentro de contextos específicos, com base em situações prováveis de ocorrer durante a execução do trabalho. ■

Walter Mischel

Walter Mischel nasceu na Áustria, mas emigrou para os Estados Unidos com a família, em 1938. Foi criado no Brooklyn, Nova York, tendo concluído o doutorado em psicologia clínica na Universidade Estadual de Ohio, em 1956. Começou em seguida a lecionar na Universidade do Colorado, Harvard e Stanford. Em 1983, transferiu-se para a Universidade de Columbia, na cidade de Nova York, onde ocupa o cargo de professor Robert Johnston Niven de letras humanas.

Mischel recebeu diversas homenagens, entre elas o Distinguished Scientific Contribuition Award, bem como o Prêmio Cientista Notável, concedido pela Associação Americana de Psicologia, e, em 2011, o prestigioso Prêmio Grawemeyer na área de psicologia. Mischel é também um artista prolífico e talentoso.

Principais trabalhos

1968 *Personality and assessment*
1973 *Is information about individuals more important than information about situations?*
2003 *Introduction to personality*

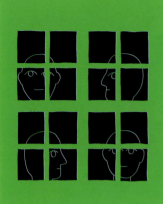

NÃO CONSEGUIMOS DISTINGUIR OS SÃOS DOS LOUCOS NOS HOSPITAIS PSIQUIÁTRICOS
DAVID ROSENHAN (1932–2012)

CONTEXTO

ABORDAGEM
Antipsiquiatria

ANTES
1960 Em O *"eu" dividido: estudo existencial da sanidade e da loucura*, R. D. Laing identifica a família como fonte de doenças mentais.

1961 Os psicólogos E. Zigler e L. Phillips identificam que há vários sintomas que se repetem em diversos transtornos psiquiátricos.

1961 O psiquiatra húngaro-americano Thomas Szasz publica o controverso *The myth of mental illness*.

1967 O psiquiatra britânico David Cooper explica o movimento antipsiquiatria em *Psychiatry and anti-psychiatry*.

DEPOIS
2008 Thomas Szasz publica *Psychiatry: the science of lies*.

Os psiquiatras dizem que os transtornos mentais **podem ser diagnosticados de modo preciso com base em sintomas** que podem ser categorizados como doenças.

↓

Deveriam, portanto, ser **capazes de diferenciar** os loucos dos sãos.

↓

Uma primeira experiência demonstrou que pessoas sãs podem ser julgadas loucas.

Uma segunda experiência demonstrou ser possível pensar que pessoas com transtornos mentais verdadeiros estão fingindo.

↓

Não conseguimos distinguir os sãos dos loucos nos hospitais psiquiátricos.

↓

Os diagnósticos psiquiátricos não são objetivos e existem apenas na mente dos observadores.

PSICOLOGIA DA DIFERENÇA

Veja também: Emil Kraepelin 31 ▪ R. D. Laing 150–51 ▪ Leon Festinger 166–67 ▪ Elliot Aronson 244–45

Nos anos 1960, a psiquiatria foi fortemente questionada em seus princípios fundamentais por vários especialistas conhecidos como "antipsiquiatras". Na visão desse grupo informal de psiquiatras, psicólogos e assistentes sociais, a psiquiatria é um modelo médico de saúde mental, só que não lida com sintomas físicos, e suas práticas de tratamento ignoram grande parte das necessidades e do comportamento dos pacientes.

Em 1973, David Rosenhan conduziu um estudo de campo nos Estados Unidos para investigar a validade do diagnóstico psiquiátrico e chegou à dramática conclusão de que não conseguimos distinguir pessoas saudáveis de loucos em hospitais psiquiátricos.

Na primeira parte do estudo, Rosenhan reuniu um grupo de oito pessoas sãs (entre as quais, ele próprio) formado por homens e mulheres de diferentes profissões e idades, que deveriam desempenhar o papel de pacientes. O grupo recebeu orientações para tentar ser internado como paciente em diferentes hospitais psiquiátricos em cinco estados diferentes; o primeiro passo era telefonar para a instituição e marcar uma consulta. Mais tarde, já no consultório de triagem, deveriam queixar-se de uma voz desconhecida que sussurrava coisas cujo sentido não ficava muito claro, mas usando palavras como "vazio" e "baque surdo". Isso sugeriria sentimentos existenciais de inutilidade. O grupo era orientado a fornecer nome e profissão falsos, mas histórias pessoais verdadeiras.

Como resultado, todos os pseudopacientes foram internados com o diagnóstico de esquizofrenia, embora não apresentassem sintomas da doença. As internações duraram em média dezenove dias, período em que os pseudopacientes se comportaram de maneira absolutamente normal. Todos registraram suas experiências em diários e Rosenhan descobriu que um comentário comum nas anotações dos médicos era "paciente empenhado em atividades de escrita", demonstrando que até atitudes normais eram interpretadas como evidência de transtorno psiquiátrico.

Os "pacientes" descreveram a temporada que passaram no hospital como uma experiência de despersonalização e impotência. De acordo com seus registros, a média de tempo que passavam com a equipe médica era inferior a sete minutos diários. Embora os pseudopacientes tenham passado despercebidos pela equipe médica, os autênticos pacientes questionaram a sanidade dos colegas, por vezes de maneira vigorosa: "Você não é louco. Você é um jornalista investigando o hospital".

Tomando os loucos por saudáveis
Na segunda parte do estudo, Rosenhan deu uma informação falsa à equipe de um hospital de ensino e pesquisa (que estava ciente do primeiro estudo), afirmando que, nos três meses seguintes, um ou mais pseudopacientes tentaria ser internado no hospital, e pediu-lhes que levassem em conta a possibilidade de ser um dos seus voluntários. De 193 novos internos autênticos, 41 foram identificados como suspeitos por pelo menos um membro da equipe, e 23 apontados como possíveis pseudopacientes por pelo menos um psiquiatra.

O trabalho de Rosenhan gerou polêmica e induziu muitas instituições a tomar providências para aprimorar o tratamento aos pacientes. ∎

David Rosenhan

David Rosenhan nasceu nos Estados Unidos, em 1932. Após concluir o bacharelado em psicologia no Yeshiva College, em Nova York, transferiu-se para a Universidade de Columbia, onde completou o mestrado e o doutorado. Especializou-se em psicologia clínica e social, tornando-se especialista em táticas e decisões de processos jurídicos. De 1957 a 1970, lecionou no Swarthmore College, na Universidade de Princeton, e no Haverford College. Transferiu-se em seguida para Stanford, onde lecionou por cerca de trinta anos. Trabalhou em Stanford, como professor emérito de psicologia e direito. Foi membro da Associação Americana para o Avanço Científico e recebeu uma bolsa de professor visitante da Universidade de Oxford. Fundou o Grupo de Análise Jurídica e foi um dos principais defensores dos direitos legais de doentes mentais.

Principais trabalhos

1968 *Foundations of abnormal psychology* (com Perry London)
1973 *On being sane in insane places*
1997 *Abnormality* (com Martin Seligman e Lisa Butler)

AS TRÊS FACES DE EVA
CORBETT H. THIGPEN (1919–1999)
HERVEY M. CLECKLEY (1903–1984)

CONTEXTO

ABORDAGEM
Transtornos mentais

ANTES
Anos 1880 Pierre Janet descreve o distúrbio de personalidade múltipla (DPM) como estados múltiplos de consciência e cunha o termo "dissociação".

1887 O cirurgião francês Eugene Azam documenta as personalidades múltiplas de Felida X.

1906 O psiquiatra americano Morton Prince relata o caso de Christine Beauchamp em *The dissociation of personality*.

DEPOIS
Anos 1970 A psiquiatra Cornelia Wilbur relata o caso de Sybil Isabel Dorsett e associa definitivamente DPM ao abuso infantil.

1980 A Associação Americana de Psiquiatria publica a terceira edição de *Diagnostic and statistical manual of mental disorder*, legitimando o DPM.

1994 O DPM é rebatizado como Distúrbio de Identidade Dissociativa.

O Distúrbio de Personalidade Múltipla (DPM, que passou a ser conhecido como Distúrbio de Identidade Dissociativa) é uma condição mental em que a personalidade do indivíduo se apresenta com duas identidades ou mais. Foi descrito pela primeira vez em 1791, por Eberhardt Gmelin; nos 150 anos seguintes, outros cem casos clínicos foram documentados. Acreditava-se que era causado por abuso sexual na infância e podia ser curado integrando-se novamente as subpersonalidades à personalidade principal.

Um dos casos mais famosos de múltipla personalidade foi o de Eva White. Eva foi encaminhada a Thigpen e Cleckley em 1952, com fortes dores de cabeça e ocasionais perdas de consciência. Tratava-se de uma jovem de 25 anos, elegante e cerimoniosa; era casada e tinha uma filha de quatro anos de idade. Ficou em tratamento por catorze meses.

Eva contou aos médicos um fato perturbador: havia adquirido algumas roupas extravagantes e caras demais para o seu orçamento, mas não conseguia se lembrar da compra. À medida que relatava isso, seu

Eva White
Formal, reservada, tímida, reprimida, compulsiva. Não tinha consciência das outras duas personalidades.

Eva Black
Instável, áspera, irresponsável, frívola, histérica. Consciente da existência de Eva White, mas não de Jane.

Jane
Madura, capaz, audaciosa, interessante, compassiva. Consciente da existência das duas Evas, a partir do momento em que despertou.

PSICOLOGIA DA DIFERENÇA

Veja também: Pierre Janet 54–55 ▪ Timothy Leary 148 ▪ Milton Erickson 336

comportamento começou a mudar. Parecia confusa, e suas feições se alteraram. Seus olhos se arregalaram, e ela sorriu de maneira provocativa. Começou a falar animadamente, num tom galanteador e pediu um cigarro, embora Eva não fumasse.

Era "Eva Black", que possuía uma personalidade tão distinta da outra que tinha até alergia a náilon — o que Eva White jamais teve. Eva White não sabia da existência de Eva Black, embora a segunda tivesse total consciência da primeira e a desprezasse com ardor: "Ela é uma chata...".

Personalidades distintas

As duas personalidades foram submetidas a abrangentes testes psicológicos. Eva White tinha um QI um pouco mais alto do que Eva Black; ambas se encaixavam na categoria "inteligência normal".

As dinâmicas de personalidade foram investigadas com base no teste de Rorschach (no qual o paciente relata o que vê em manchas de tinta). Havia diferenças dramáticas. Eva Black demonstrava uma tendência histericamente controladora e capacidade adaptativa. Eva White

'Quando saio e bebo', disse Eva Black, 'é ela quem acorda de ressaca.'
Thigpen e Cleckley

A história de Eva foi popularizada pelo livro e pelo filme *As três faces de Eva*, que mexeram com a imaginação do público e fizeram de seu caso o mais famoso exemplo de distúrbio de personalidade múltipla.

demonstrava "constrição, ansiedade e traços de obsessão compulsiva" e era incapaz de lidar com a própria agressividade.

Os psicólogos achavam que a situação de Eva fora causada por abuso sexual na infância; começaram, portanto, a usar hipnose para tentar desvendar sua infância e provocar a emergência de Eva Black. Eventualmente, fizeram uma tentativa de chamar as duas personalidades ao mesmo tempo; Eva entrou em transe. Despertou com uma terceira personalidade: Jane, a terceira face de Eva — uma personalidade mais hábil e interessante que Eva White. Parecia combinar as qualidades das duas Evas, sem as fraquezas. Embora nenhuma Eva soubesse da existência de Jane, ela tinha consciência das duas.

Casos tão evoluídos de DPM são raros, mas acredita-se atualmente que casos menos intensos sejam comuns. A documentação cuidadosa e estudos profundos de casos como o de Eva produziram protocolos de diagnóstico e tratamento que tornaram a DPM altamente tratável. ▪

Corbett H. Thigpen e Hervey M. Cleckley

Corbett H. Thigpen nasceu em Macon, Georgia, Estados Unidos. Seu interesse infantil em ser mágico amador perdurou por toda a sua vida e levou-o a participar do Hall da Fama da Associação de Mágicos do Sudeste dos Estados Unidos. Graduou-se na Universidade Mercer em 1942 e no Medical College da Georgia em 1945. Serviu no exército americano durante a Segunda Guerra Mundial e, em 1948, iniciou sua notável carreira como psiquiatra particular ao lado de Hervey M. Cleckley. Por duas décadas, os dois deram aulas em departamentos de psiquiatria e neurologia no Medical College da Georgia. Thigpen era conhecido como "o professor que era aplaudido de pé em todas as palestras". Aposentou-se em 1987.

Hervey M. Cleckley nasceu em Augusta, Georgia. Em 1924, graduou-se na Universidade da Georgia, onde também se destacou nos esportes. Ganhou uma bolsa de estudos Rhodes e foi cursar a Universidade de Oxford, onde se graduou em 1926. Construiu toda a sua carreira na Georgia Medical School, onde ocupou diversas posições, inclusive a de presidente fundador do Departamento de Psiquiatria e Comportamento de Saúde. Em 1941, escreveu *The mask of sanity*, um estudo seminal sobre psicopatia.

Principais trabalhos

1941 *The mask of sanity* (Cleckley)
1957 *As três faces de Eva* (Thigpen & Cleckley)

OUTROS
PSICÓLO

GOS

OUTROS PSICÓLOGOS

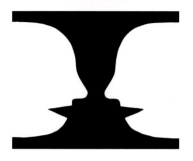

A investigação dos mecanismos mentais remonta às primeiras civilizações, a despeito de sua natureza majoritariamente filosófica, e não científica, na acepção moderna do termo. Somente na segunda metade do século XIX, com os grandes avanços das ciências biológicas, uma análise de fato científica dos processos mentais tornou-se possível — dando origem à psicologia como campo de estudo autônomo. As ideias e descobertas de alguns dos maiores pesquisadores da área já foram mencionadas neste livro, mas muitos outros contribuíram para a psicologia evoluir e tornar-se uma ciência respeitada e independente. Dos estruturalistas aos behavioristas, dos psicanalistas aos terapeutas cognitivos, todos os citados abaixo ajudaram a aprofundar o entendimento da nossa singularidade como seres humanos.

JOHN DEWEY
1859–1952

O americano John Dewey exerceu grande influência sobre o desenvolvimento da ciência e filosofia do pensamento humano na primeira metade do século XX. Embora fosse primordialmente um psicólogo behaviorista, sua aplicação social da filosofia do pragmatismo teve grande impacto sobre o pensamento e a prática educacional nos Estados Unidos.
Veja também: William James 38–45 ▪ G. Stanley Hall 46–47

W. H. R. RIVERS
1864–1922

William Halse Rivers Rivers foi um cirurgião, neurologista e psiquiatra inglês especializado na relação mente e corpo. Publicou vários artigos importantes sobre distúrbios neurológicos, incluindo a histeria. É conhecido principalmente por seu trabalho sobre "neurose de guerra" (transtorno de estresse pós-traumático) e considerado um dos fundadores da antropologia médica. Os métodos de análise multicultural empregados por Rivers durante uma expedição às ilhas do Estreito de Torres, no Oceano Pacífico, abriram caminho para outros estudos de campo.
Veja também: Wilhelm Wundt 32–37 ▪ Hermann Ebbinghaus 48–49 ▪ Sigmund Freud 92–99

EDWARD B. TITCHENER
1867–1927

O inglês Edward Bradford Titchener estudou psicologia experimental, primeiro em Oxford e depois na Alemanha, sob orientação de Wilhelm Wundt. Mudou-se para os Estados Unidos em 1892, onde ficou conhecido como fundador da psicologia estrutural, que decompõe as experiências humanas e as organiza em estruturas elementares. Baseada na introspecção, essa abordagem psicológica contrapunha-se à escola behaviorista, cuja popularidade tornava-se cada vez maior. Nos anos 1920, Titchener já estava praticamente isolado com suas convicções, embora ainda fosse muito admirado. Escreveu diversos tratados de psicologia, entre eles: *An outline of psychology* (1896), *Experimental psychology* (1901–1905) e *A textbook of psychology* (1910).
Veja também: Wilhelm Wundt 32–37 ▪ William James 38–45 ▪ J. P. Guilford 304–05 ▪ Edwin Boring 335

WILLIAM STERN
1871–1938

O alemão William Stern foi uma figura essencial para a consolidação da psicologia do desenvolvimento. Seu primeiro livro, *Psychology of early childhood* (1914), teve como base suas observações dos próprios filhos, ao longo de dezoito anos. Seu método — "psicologia personalista" — investigava o percurso do desenvolvimento individual, associando psicologia geral, aplicada, diferencial e genética. Pioneiro na psicologia forense, Stern foi o primeiro a utilizar a abordagem nomotética–idiográfica. É especialmente reconhecido por seu trabalho com testes de quociente de inteligência (QI) para calcular a inteligência de crianças. A pontuação, representada por um único número, é obtida dividindo-se a "idade mental" do participante por sua "idade cronológica" e multiplicando-se o resultado por cem.
Veja também: Alfred Binet 50–53 ▪ Jean Piaget 262–69

OUTROS PSICÓLOGOS 335

CHARLES SAMUEL MYERS
1873–1946

Myers estudou psicologia experimental na Universidade de Cambridge, sob orientação de W. H. Rivers, e, em 1912, fundou o Laboratório de Psicologia Experimental da universidade. Durante a Primeira Guerra Mundial, tratou soldados com "neurose de guerra" (termo cunhado por ele). Depois da guerra, foi figura essencial para o desenvolvimento da psicologia ocupacional. Escreveu *Mind and work* (1920), *Industrial psychology in Great Britain* (1926) e *In the realm of mind* (1937).
Veja também: Kurt Lewin 218–23 ■ Solomon Asch 224–27 ■ Raymond Cattell 314–15 ■ W. H. R. Rivers 334

MAX WERTHEIMER
1880–1943

Junto com Kurt Kofka e Wolfgang Köhler, o psicólogo tcheco Max Wertheimer fundou a psicologia da Gestalt nos Estados Unidos, na década de 1930. A Gestalt desenvolveu-se a partir de teorias existentes sobre organização perceptiva. Distanciando-se do pensamento molecular de Wundt, Wertheimer defendia o estudo do todo, ideia que expressou com a célebre frase "o todo é maior do que a soma das suas partes". Foi também o idealizador do *Pragnanz*, conceito de que a mente processa informações visuais simplificando sua simetria e formato.
Veja também: Abraham Maslow 138–39 ■ Solomon Asch 224–27

ELTON MAYO
1880–1949

Na década de 1930, quando era professor de gerenciamento industrial em Harvard, o australiano Elton Mayo conduziu suas pioneiras Experiências de Hawthorne. Com base em disciplinas da psicologia, da fisiologia e da antropologia, observou por cinco anos a produtividade e o estado de espírito de seis trabalhadoras conforme ele alterava suas condições de trabalho. O resultado mais surpreendente foi como as mulheres reagiram à pesquisa em si. O Efeito Hawthorne, como é conhecido hoje, é o nome dado às mudanças comportamentais dos seres humanos quando sabem que estão sendo estudados. A descoberta teve um grande impacto sobre a ética e as relações industriais, bem como sobre os métodos de pesquisa das ciências sociais.
Veja também: Sigmund Freud 91–99 ■ Carl Jung 102–07

HERMANN RORSCHACH
1884–1922

Quando estudava na Suíça, Rorschach era chamado de Klek (mancha de tinta), porque estava sempre desenhando. Mais tarde, elaborou o teste das manchas de tinta, cujas respostas a certas manchas são consideradas indicativas de transtornos emocionais, de personalidade e de pensamento. Rorschach morreu aos 37 anos de idade, um ano após apresentar seu "teste de interpretação da forma", com a publicação de *Psychodiagnostics* (1921). Outros psicólogos acrescentaram, depois, elementos ao teste, o que resultou em quatro métodos diferentes, todos falhos. Em 1993, o americano John Exner unificou os quatro métodos no Sistema Abrangente — um dos experimentos psicanalíticos com efeitos mais duradouros.
Veja também: Alfred Binet 50–53 ■ Sigmund Freud 92–99 ■ Carl Jung 102–07

CLARK L. HULL
1884–1952

Os primeiros estudos do americano Clark Leonard Hull usavam métodos de psicometria e hipnose. Hull publicou *Aptitude testing* (1929) e *Hypnosis and suggestibility* (1933). Pautado por uma objetiva abordagem behaviorista, seu livro *Mathematico-deductive theory of rote learning* (1940) avaliava todo tipo de comportamento (inclusive o animal) com base em uma única equação matemática. Hull expôs sua teoria em *Principles of behavior* (1943), em que examinava os efeitos do reforço sobre a conexão estímulo–resposta. Sua teoria global do comportamento foi um dos sistemas-modelo para a pesquisa psicológica de sua época.
Veja também: Jean-Martin Charcot 30 ■ Alfred Binet 50–53 ■ Ivan Pavlov 60–61 ■ Edward Thorndike 62–65

EDWIN BORING
1886–1968

Considerado uma das figuras mais importantes da psicologia experimental, Boring era especializado no sistema sensorial e perceptivo dos seres humanos. Sua interpretação do desenho dicotômico de W. E. Hill, que pode ser visto como a velha senhora/jovem moça, tornou a imagem conhecida como "figura de Boring". Em Harvard, na década de 1920, tornou o departamento de psicologia independente da psiquiatria, transformando-o em um espaço rigorosamente científico que unia o estruturalismo e o behaviorismo. Seu primeiro livro, *A history of experimental psychology* (1929), foi seguido por *Sensation and perception in the history of experimental psychology* (1942).
Veja também: Wilhelm Wundt 32–37 ■ Edward B. Titchener 334

FREDERIC BARTLETT
1886–1969

Frederic Bartlett foi o primeiro professor de psicologia experimental da Universidade de Cambridge (de 1931 a 1951).

É conhecido por suas experiências no campo da memória, em que pedia aos participantes para ler histórias mitológicas que não conheciam, escritas pelo próprio Bartlett (como *A guerra dos fantasmas*), e depois reproduzi-las. Muitos acrescentavam detalhes que não faziam parte da história original ou mudavam significados para adaptá-los a suas culturas. Bartlett chegou à conclusão de que eles não estavam exatamente rememorando o texto, mas, sim, reconstruindo-o.
Veja também: Endel Tulving 186–91 ▪ Gordon H. Bower 194–95 ▪ W. H. R. Rivers 334

CHARLOTTE BUHLER
1893–1974

A alemã Charlotte Bühler fundou com o marido, Karl, o Instituto de Psicologia de Viena, em 1922. Seus estudos sobre a personalidade e o desenvolvimento cognitivo infantis expandiram-se e passaram a abarcar o curso do desenvolvimento humano ao longo da vida. No lugar dos três estágios de vida propostos por Jung, Bühler propôs quatro: do nascimento aos quinze, dos dezesseis aos 25, dos 26 aos 45 e dos 46 aos 65 anos de idade. Bühler descobriu ligações entre as emoções da primeira infância e da vida adulta. Após publicar *From birth to maturity* (1935) e *From childhood to old age* (1938), mudou-se para os Estados Unidos. Nos anos 1960, contribuiu para o desenvolvimento da psicologia humanista.
Veja também: Carl Rogers 130–37 ▪ Abraham Maslow 138–39 ▪ Viktor Frankl 140 ▪ Gordon Allport 306–313

DAVID WECHSLER
1896–1981

Wechsler, um romeno naturalizado americano, trabalhou durante a Primeira Guerra Mundial como psicólogo do Exército ao lado de Edward Thorndike e Charles Spearman, aplicando Testes Alfa para avaliar a inteligência de grupos. Mais tarde, incrementou os testes Binet, incluindo questões de raciocínio não verbal. Wechsler acreditava que a inteligência não está apenas na capacidade de pensar racionalmente, mas também na capacidade de agir com determinação e lidar com o ambiente ao redor. Em 1939, publicou a Escala Wechsler–Bellevue e, dez anos depois, a Escala Wechsler de Inteligência Infantil (1949). A Escala Wechsler de Inteligência Adulta (1955) segue como o teste de inteligência mais utilizado.
Veja também: Francis Galton 28–29 ▪ Alfred Binet 50–53 ▪ David C. McClelland 322–23

NANCY BAYLEY
1899–1994

A eminente psicóloga americana de desenvolvimento infantil Nancy Bayley era especialista em avaliar o desenvolvimento motor e intelectual de crianças. Em seu doutorado, Bayley mensurou o medo das crianças analisando o sistema nervoso simpático com base nos níveis de umidade das glândulas sudoríparas. As Escalas Bayley de Desenvolvimento Mental e Motor (1969) permanecem a medida padrão universal para avaliar o desenvolvimento mental e físico em crianças de um a 42 meses.
Veja também: Edwin Guthrie 74 ▪ Simon Baron-Cohen 298–99

MILTON ERICKSON
1901–1980

As descobertas sobre hipnose realizadas por Erickson ao longo de muitos anos, mediante o método de tentativa e erro, fizeram desse americano nascido em Nevada uma autoridade mundial em hipnose e transe. Erickson celebrizou-se por seu aperto de mão (o *Ericksonian Handshake*), capaz de induzir o transe por confundir a mente com o momento de "vazio comportamental" que se instaura quando o aperto de mão é interrompido. Considerado o fundador da hipnoterapia, Erickson contribuiu também para o desenvolvimento da terapia familiar, da terapia com foco em solução, da terapia sistêmica e de uma série de tratamentos terapêuticos de curta duração, entre eles a PNL (programação neurolinguística).
Veja também: B. F. Skinner 78–85 ▪ Stanley Milgram 246–53

ALEXANDER LURIA
1902–1977

Nascido em Kazan, na Rússia, Luria estudou no Instituto de Psicologia de Moscou. Sua investigação sobre tempos de reação e processos de pensamento resultou em seu "método motor combinado" e no primeiro detector de mentiras da história. Kazan depois cursou medicina, especializando-se em neurologia. Equilibrando aspectos físicos e mentais, fez descobertas inovadoras relacionadas a danos cerebrais, perda de memória, percepção e afasia (distúrbios de linguagem). As histórias por ele relatadas em livros como *The man with the shattered world: the history of a brain wound* (1972) ajudaram a popularizar a neurologia.
Veja também: Sigmund Freud 92–99 ▪ B. F. Skinner 78–85 ▪ Noam Chomsky 294–97

DANIEL LAGACHE
1903–1972

O francês Daniel Lagache interessou-se pelo estudo da psicologia experimental, da psicopatologia e da fenomenologia ao frequentar as palestras de Georges Dumas. Especialista em criminologia e ciência forense, Lagache escreveu livros relevantes, como *Jealousy* (1947) e

Pathological mourning (1956). Expulso da Associação Psicanalítica Internacional em 1953, por suas críticas ao autoritarismo científico de Sacha Nacht, fundou com Jacques Lacan a dissidente Sociedade Francesa de Psicanálise. Teórico freudiano, Lagache também teve papel importante na divulgação da psicanálise para o público leigo, sobretudo por associá-la à prática clínica.
Veja também: Jacques Lacan 122–23

ERNEST R. HILGARD
1904–2001

Nos anos 1950, Ernest Ropiequet "Jack" Hilgard conduziu em colaboração com a esposa, Josephine, estudos pioneiros sobre hipnose na Universidade de Stanford (Estados Unidos); até que, em 1957, os dois fundaram o Laboratório de Pesquisas sobre Hipnose. Ali, com André Muller Weitzenhoffer, Hilgard elaborou as Escalas Stanford de Suscetibilidade à Hipnose (1959). Sua controversa teoria da neodissociação e o "efeito do observador oculto" (1977) — segundo o qual, durante a hipnose, vários subsistemas de consciência são regulados por um sistema controlador geral — resistem ao tempo. Suas obras, *Conditioning and learning* (com D. G. Marquis, 1940) e *Introduction to psychology* (1953), são estudadas ainda hoje.
Veja também: Ivan Pavlov 60–61 ■ Leon Festinger 166–67 ■ Eleanor E. Maccoby 284–85

GEORGE KELLY
1905–1967

O livro de Kelly, *The psychology of personal constructs* (1955), foi uma importante contribuição para a psicologia da personalidade. De acordo com suas ideias humanistas, o indivíduo constrói a sua própria personalidade por meio da apreciação cognitiva dos acontecimentos. Dessa teoria, surgiu o "teste de repertório de constructos de papéis", utilizado para estudar e diagnosticar a natureza da personalidade. De grande valor para a psicologia cognitiva e para o aconselhamento, o teste é usado também em estudos sobre comportamento organizacional e sobre educação.
Veja também: Johann Friedrich Herbart 24–25 ■ Carl Rogers 130–37 ■ Ulric Neisser 339

MUZAFER SHERIF
1906–1988

Criado na Turquia, Sherif concluiu o doutorado nos Estados Unidos pela Columbia, entregando uma dissertação sobre a maneira como os fatores sociais influenciam a percepção. Publicada com o título *The psychology of social norms* (1936), a obra ficou conhecida como os experimentos do "efeito autocinético". Um dos legados de Sherif foi conseguir combinar métodos experimentais em campo e no laboratório. Sherif desenvolveu trabalhos em conjunto com a esposa, Carolyn Wood Sherif, dentre os quais se destaca a Experiência da Caverna dos Ladrões (1954). Para a experiência, selecionaram alguns meninos para participar de um acampamento e os dividiram em dois grupos. Atuando como monitor, Sherif pôde observar o nascimento de grupos sociais com preconceitos, conflitos e estereótipos. Em parceria com Carl Harvland, elaborou também a teoria do julgamento social (1961).
Veja também: Solomon Asch 224–27 ■ Philip Zimbardo 254–55

NEAL MILLER
1909–2002

O psicólogo americano Miller trabalhou como pesquisador sob orientação de Anna Freud e Heinz Hartman. Após ler *The cerebral cortex and the internal organs* (1954), de K. M. Bykov, Miller decidiu provar que os órgãos internos, bem como suas funções, também podiam ser manipulados voluntariamente. Suas descobertas deram origem à técnica de tratamento de *biofeedback*, que busca melhorar as condições dos pacientes, ensinando-os a responder aos sinais dos próprios corpos.
Veja também: Anna Freud 111 ■ Albert Bandura 286–91

ERIC BERNE
1910–1970

O psiquiatra e psicanalista canadense Berne desenvolveu a análise transacional, que vê a comunicação verbal como a questão central da psicoterapia. As palavras do primeiro comunicador, o agente, são chamadas de estímulo transacional; a réplica de quem responde é chamada de resposta transacional. Toda personalidade é dividida em alter egos: criança, adulto e pai; cada estímulo e resposta é considerado uma atuação de algum desses "papéis". As trocas estudadas pela análise transacional seguiam a lógica do "Eu faço algo para você e você reage". O livro de Berne, *Games people play* (1964), propunha que os "jogos", ou padrões comportamentais postos em prática entre indivíduos, revelam emoções e sentimentos ocultos.
Veja também: Erik Erikson 272–73 ■ David C. McClelland 322–23

ROGER W. SPERRY
1913–1994

A separação bem-sucedida do corpo caloso — estrutura de fibras nervosas que transfere transmissões entre os hemisférios direito e esquerdo do cérebro —, realizada pelo neurobiólogo americano Sperry, ocasionou um avanço gigantesco no tratamento de um tipo específico de epilepsia. Em 1981, junto com David Hubel e Torsten Wiesel, Sperry recebeu o Prêmio Nobel em psicologia e

medicina por seu trabalho sobre a teoria do cérebro bipartido, que demonstrou que os hemisférios esquerdo e direito do cérebro tinham especializações independentes.
Veja também: William James 38-45 ▪ Simon Baron-Cohen 298-99

SERGE LEBOVICI
1915-2000

Lebovici foi um psicanalista freudiano francês que se especializou no desenvolvimento de bebês, crianças e adolescentes e sobretudo nos processos de ligação entre mães e filhos. É considerado o introdutor da psicanálise infantil na França. Entre seus diversos livros estão *Psychoanalysis in France* (1980) e *International annals of adolescent psychiatry* (1988).
Veja também: Sigmund Freud 92-99 ▪ Anna Freud 111

MILTON ROKEACH
1918-1988

O psicólogo social polonês-americano Rokeach estudou de que modo as crenças religiosas podem afetar os nossos valores e atitudes. Rokeach achava que os valores eram motivadores fundamentais e responsáveis por transformações mentais das nossas necessidades psicológicas básicas. Sua teoria sobre o dogmatismo investigou as características cognitivas das mentes abertas e das fechadas (*The open and closed mind*, 1960). A Escala de Dogmatismo de Rokeach — uma forma de avaliar a abertura da mente sem se basear em ideologia e conteúdo — é utilizada até hoje; e a Pesquisa de Valor Rokeach é considerada uma das maneiras mais efetivas de avaliar crenças e valores de grupos específicos. Em *Teste dos grandes valores americanos*, Rokeach e seus companheiros mediram mudanças de opinião para provar que a televisão podia alterar os valores das pessoas.
Veja também: Leon Festinger 166-67 ▪ Solomon Asch 224-27 ▪ Albert Bandura 286-91

RENÉ DIATKINE
1918-1997

O psicanalista e psiquiatra francês Diatkine foi fundamental para o desenvolvimento da psiquiatria dinâmica. Seu foco eram as emoções e os processos de pensamento que as acompanham e não o comportamento passível visível. Diatkine trabalhou ativamente para o desenvolvimento da saúde mental institucional, tendo participado da criação da *Association de Santé Mentale*, sediada em Paris, em 1958. Seu livro sobre fantasias primitivas, *Precocious psychoanalysis* (com Janine Simon, 1972), é considerado um de seus mais influentes trabalhos.
Veja também: Anna Freud 111 ▪ Jacques Lacan 122-23

PAUL MEEHL
1920-2003

O trabalho do americano Paul Meehl teve grande impacto na saúde mental e na metodologia de pesquisa. Em *Clinical versus statistical prediction: a theoretical analysis and a review of evidence* (1954), Meehl defendeu que as estatísticas comportamentais seriam mais bem avaliadas com base em métodos matemáticos padronizados do que em análises clínicas. Em 1962, Meehl descobriu uma conexão genética com a esquizofrenia — distúrbio que fora até então atribuído à má criação. Seus estudos sobre determinismo e livre-arbítrio com base na indeterminação quântica foram publicados como *The determinism-freedom and mind-body problems* (com Herbert Feigl, 1974).
Veja também: B. F. Skinner 79-85 ▪ David Rosenhan 328-29

HAROLD H. KELLEY
1921-2003

O psicólogo social americano Kelley completou o mestrado, orientado por Kurt Lewin, no Instituto de Tecnologia de Massachusetts (MIT). Seu primeiro trabalho importante, *Communication and persuasion* (com Hovland & Janis, 1953), dividia a comunicação em três partes: "quem", "diz o que" e "para quem". A ideia foi bastante adotada e mudou a maneira como as pessoas — políticos, por exemplo — se apresentavam. Em 1953, Kelley começou a trabalhar com John Thibaut. Juntos, eles escreveram *The social psychology of groups* (1959), seguido de *Interpersonal relations: a theory of interdepedence* (1978).
Veja também: Leon Festinger 166-67 ▪ Kurt Lewin 218-23 ▪ Noam Chomsky 294-97

STANLEY SCHACHTER
1922-1997

Nascido em Nova York, Schachter é mais conhecido pela teoria de dois fatores emocionais (Teoria Schachter–Singer) que desenvolveu com Jerome Singer. Os dois demonstraram que as sensações físicas são ligadas a emoções — por exemplo, a forma como o batimento cardíaco e a tensão muscular aumentam antes de as pessoas sentirem medo — e que a cognição é afetada pelo estado emocional do indivíduo.
Veja também: William James 38-45 ▪ Leon Festinger 166-67.

HEINZ HECKHAUSEN
1926-1988

O psicólogo alemão Heinz Heckhausen foi especialista internacional em psicologia motivacional. Sua dissertação de pós--doutorado abordou a esperança e o medo

OUTROS PSICÓLOGOS

-doutorado abordou a esperança e o medo do sucesso e do fracasso; e seus primeiros trabalhos sobre o desenvolvimento motivacional infantil deram origem ao modelo cognitivo avançado da motivação (Heckhausen & Rheinberg, 1980). Seu livro *Motivation and action* (1980), escrito em parceria com a filha, a também psicóloga Jutta, teve influência duradoura.

Veja também: Zing-Yang Kuo 75 ▪ Albert Bandura 286–91 ▪ Simon Baron-Cohen 298–99

ANDRE GREEN
1927–2012

O psicólogo egípcio radicado na França Andre Green começou a se interessar pela teoria da comunicação e pela cibernética quando fez um estágio com Jacques Lacan, na década de 1950. Tornou-se posteriormente um grande crítico de Lacan, que, segundo Green, dava importância exagerada à forma simbólica e estrutural, o que invalidava sua visão freudiana. No final dos anos 1960, Green voltou às raízes da análise com sua investigação sobre o negativo. Expressou com elegância sua visão no artigo "The dead mother" (1980), no qual a mãe está psicologicamente morta para a criança, mas, como sua presença física permanece, a criança sente-se confusa e assustada.

Veja também: Sigmund Freud 92–99 ▪ Donald Winnicott 118–21 ▪ Jacques Lacan 122–23 ▪ Françoise Dolto 279

ULRIC NEISSER
1928–2012

O livro mais conhecido do germano--americano Neisser é *Cognitive psychology* (1967), que esboça uma abordagem psicológica com foco em processos mentais. Neisser foi depois um crítico da psicologia cognitiva, por julgar que esta havia negligenciado o papel da percepção. Especialista em memória, em 1995 liderou uma força-tarefa da Associação Americana de Psicologia, batizada de "Intelligence, knows and unknows", que investigava as teorias dos testes de inteligência. Seus artigos foram reunidos no livro *The rising curve: long-term gains in IQ and related measures* (1998).

Veja também: George Armitage Miller 168–73 ▪ Donald Broadbent 178–85

JEROME KAGAN
1929–

Figura central da psicologia do desenvolvimento, o americano Kagan acredita que a fisiologia tem mais influência nas características psicológicas do que o ambiente. Sua pesquisa sobre os aspectos biológicos do desenvolvimento infantil — os efeitos da apreensão e do medo sobre a consciência de si, a moral, a memória e o simbolismo — construiu as bases para a pesquisa sobre fisiologia do temperamento. Sua pesquisa influenciou estudos sobre o comportamento em outras áreas além da psicologia, como a criminologia, a educação, a sociologia e a política.

Veja também: Sigmund Freud 92–99 ▪ Jean Piaget 262–69

MICHAEL RUTTER
1933–

O psiquiatra britânico Michael Rutter mudou a nossa compreensão sobre o desenvolvimento infantil e problemas comportamentais. Em *Maternal deprivation reassessed* (1972), Rutter rejeitou a teoria do apego seletivo de John Bowlby, demonstrando que a multiplicidade de vínculos durante a infância era normal. Suas pesquisas posteriores revelaram uma distinção entre privação (perda de algo) e ausência (jamais ter tido algo) e associou o comportamento antissocial à discórdia familiar, em vez da privação materna.

Veja também: John Bowlby 274–77 ▪ Simon Baron-Cohen 298–99

FRIEDEMANN SCHULZ VON THUN
1944–

O psicólogo alemão Friedemann Schulz von Thun é conhecido pelos três volumes de *To talk with each other* (1981, 1989, 1998), que descrevem o seu modelo de comunicação. Segundo Von Thun, há quatro níveis de comunicação em todas as etapas de uma conversa: falar factualmente; fazer afirmações acerca de si próprio; comentar sobre a relação que se tem com a outra pessoa; e pedir para a outra pessoa fazer algo. Os mal--entendidos ocorrem, diz ele, quando as pessoas estão falando e ouvindo em níveis diversos.

Veja também: B. F. Skinner 78–85 ▪ Kurt Lewin 218–23

JOHN D. TEASDALE
1944–

O psicólogo britânico Teasdale investigou abordagens cognitivas da depressão. Juntamente com Zindel Segal e Mark Williams, desenvolveu a técnica denominada terapia cognitiva baseada em atenção plena (MBCT, em inglês). Essa técnica associa terapia cognitiva ao conceito de atenção plena e técnicas orientais de meditação, levando pacientes com depressão crônica grave a entrar de modo intencional em contato com pensamentos negativos, em vez de fazê-lo de maneira automática, e observá-los de uma perspectiva mais distanciada.

Veja também: Gordon Bower 194–95 ▪ Aaron Beck 174–77

GLOSSÁRIO

Apego: relacionamento emocional importante, em que um indivíduo procura proximidade com o outro e sente-se seguro em sua presença, sobretudo crianças em relação a figuras parentais.

Aprendizagem por tentativa e erro: teoria de aprendizagem proposta inicialmente por Edward Thorndike, segundo a qual o aprendizado ocorre com o oferecimento de diversas respostas e a repetição daquelas que produzem os resultados desejados.

Aprendizagem social: teoria de aprendizagem baseada na observação de outros e nas consequências desses comportamentos. Seu principal proponente foi Albert Bandura.

Arquétipos: na teoria de Carl Jung, os padrões herdados ou estruturas do **inconsciente coletivo** que entram em ação para organizar nossas experiências. Geralmente, estão presentes em mitos e lendas.

Associação: i) explicação filosófica para a construção do conhecimento, segundo a qual este resulta de uma ligação ou associação de ideias simples para formar ideias complexas; ii) ligação de dois processos psicológicos, resultante da vinculação entre eles em experiências passadas.

Associação livre: técnica utilizada na psicanálise, em que os pacientes dizem a primeira coisa que vem à cabeça após ouvir uma palavra.

Associacionismo: abordagem segundo a qual as ligações neurais inatas ou adquiridas estabelecem uma ligação entre os estímulos e as reações, resultando em padrões distintos de comportamento.

Atenção: termo geral aplicado aos processos utilizados na percepção focalizada e seletiva.

Ato falho: um gesto ou palavra próxima, mas não exatamente a mesma da nossa intenção consciente, que reflete motivos ou ansiedades inconscientes.

Autismo: termo informal para designar transtorno de espectro autista (TEA) — um conjunto de disfunções mentais caracterizado por autoabsorção exagerada, ausência de empatia, atividades motoras repetitivas, dificuldades de linguagem e de capacidade conceitual.

Autorrealização: o completo desenvolvimento e realização das potencialidades de um indivíduo. Segundo Abraham Maslow, a mais importante necessidade humana.

Behaviorismo: abordagem psicológica que só aceita como objeto de estudo comportamentos passíveis de observação, pois podem ser observados, descritos e mensurados em termos objetivos.

Behaviorismo intencional: teoria de Edward Tolman, segundo a qual todo o comportamento tem um objetivo.

Codificação: o processo de gravar informações na memória.

Cognitivo: relacionado a processos mentais como percepção, memória e pensamento.

Complexo de Édipo: de acordo com a teoria psicanalítica, uma condição do desenvolvimento que surge aproximadamente aos cinco anos de idade, em que o menino tem um desejo inconsciente pela mãe e quer substituir ou destruir o pai.

Complexo de inferioridade: condição sugerida pelos psicanalistas adlerianos (de Alfred Adler, o fundador da corrente), a qual se desenvolve quando alguém não consegue lidar com sentimentos reais ou imaginários de inferioridade e torna-se beligerante ou retraído.

Condicionamento clássico: um tipo de aprendizagem em que um estímulo neutro adquire a capacidade de ativar determinado reflexo ao se associar a um estímulo incondicionado.

Condicionamento instrumental: forma de condicionamento em que um animal contribuiu para o desenlace dos acontecimentos; por exemplo, condicionar um animal a sair de um labirinto.

Condicionamento operante: forma de condicionamento em que, para haver um resultado, o animal deve agir sobre o ambiente — pressionando uma alavanca para obter alimento, por exemplo.

GLOSSÁRIO 341

Contiguidade: duas ideias ou eventos próximos. Supõe-se que é preciso haver contiguidade para haver associação.

Correlação: termo estatístico para definir a tendência de duas variáveis ou conjuntos de dados a variar de forma parecida em determinadas circunstâncias. Muitas vezes confundida com relação causal.

Depressão: um distúrbio do humor caracterizado por sentimentos de desesperança e baixa autoestima, acompanhados de apatia e ausência de prazer. Em casos extremos, pode prejudicar as atividades normais e induzir a pensamentos suicidas.

Dessensibilizar: o processo de reduzir uma reação forte a determinado evento ou coisa pela exposição repetida ao estímulo em questão.

Determinismo: doutrina segundo a qual todos os eventos, atos e escolhas são determinados por eventos passados ou causas previamente existentes.

Diferença mínima perceptível: a menor diferença entre dois estímulos físicos que pode ser detectável por um indivíduo.

Diferenças individuais: todas as características psicológicas que podem variar entre os indivíduos, como a personalidade e a inteligência.

Dissonância cognitiva: uma discordância entre convicções e sentimentos que produz um estado de tensão.

Efeito Zeigarnick: tendência a rememorar mais facilmente tarefas incompletas ou não terminadas do que tarefas que foram completadas.

Ego: termo psicanalítico para referir-se a um dos três elementos da *persona* humana (ver também **id** e **superego**); o aspecto consciente da personalidade que está em contato com o mundo exterior e suas exigências; é responsável por controlar as pulsões.

Empirismo: uma abordagem filosófica e psicológica que atribui à experiência a prerrogativa de todo conhecimento.

Erro fundamental de atribuição: tendência a explicar o comportamento dos outros com base em traços de personalidade, em vez de fatores situacionais externos.

Escuta dicótica: ouvir duas mensagens diferentes apresentadas ao mesmo tempo, uma em cada ouvido.

Esquizofrenia: conjunto de distúrbios mentais graves (originalmente conhecido como *dementia praecox*) que prejudica diversas áreas de funcionamento; caracteriza-se por um transtorno de pensamento acentuado, emoções insípidas ou impróprias e visão distorcida da realidade.

Estágios psicossexuais: na teoria psicanalítica, os estágios de desenvolvimento infantil centrados nas zonas erógenas.

Estilo cognitivo: o modo como um indivíduo processa habitualmente a informação.

Estímulo: qualquer objeto, evento, situação ou fator do ambiente que um indivíduo possa detectar e a ele reagir.

Estímulo condicionado (EC): no condicionamento clássico, um estímulo que passa a produzir um reflexo determinado (condicionado) por ter se associado a um **estímulo não condicionado**.

Estímulo não condicionado: no **condicionamento clássico**, um estímulo que produz uma resposta reflexiva (não condicionada, natural).

Estruturalismo: abordagem psicológica que investiga a estrutura da mente.

Etiologia: estudo científico do comportamento animal em condições naturais.

Extinção: *i)* eliminação de alguma coisa, em especial de espécies; *ii)* na aprendizagem condicionada, redução da força de uma reação, por falta de reforço.

Extroversão: tipo de personalidade que foca energia sobretudo no mundo exterior e em terceiros (ver também **introversão**).

Falsa memória: recuperar a memória ou pseudomemória de um evento que não ocorreu. Supõe-se que seja causada por sugestão.

Fenomenologia: abordagem de conhecimento que tem como base a experiência imediata, no momento em que ocorre, sem qualquer tentativa de categorizá-la em preconcepções, suposições ou interpretações.

Fluxo de consciência: um processo de pensamento que flui continuamente, na descrição da consciência feita por William James.

Fobia: transtorno de ansiedade caracterizado por medo intenso e geralmente irracional.

Funcionalismo: abordagem psicológica cujo foco é investigar as funções adaptativas da mente em relação ao seu ambiente.

GLOSSÁRIO

Grupo de controle: participantes de uma experiência que não passam pela manipulação dos pesquisadores durante o experimento.

Hipnose: indução a um estado temporário em que a pessoa parece estar em transe e é facilmente sugestionada.

Hipótese: predição ou afirmação que precisa ser testada por meio de experiências para ser confirmada ou refutada.

Id: termo psicanalítico para um dos três elementos da *persona* humana (ver também **ego** e **superego**); o id é a fonte da energia psíquica e está ligado às pulsões.

Idade mental: idade em que as crianças dotadas de capacidade mediana conseguem realizar tarefas específicas, conforme as indicações dos níveis de performance de testes padronizados.

Imprinting **[estampagem]:** em etologia, um sistema inato de aprendizagem rápida que ocorre com animais imediatamente após o nascimento; envolve o desenvolvimento de uma ligação com um indivíduo ou objeto específicos.

Inato: algo congênito ou presente em um organismo desde o nascimento; pode ser herdado geneticamente ou não.

Inconsciente: na psicanálise, a parte da psique à qual a mente consciente não tem acesso.

Inconsciente coletivo: na teoria de Carl Jung, o nível mais profundo da psique, que contém as disposições psíquicas herdadas representada pelos **arquétipos**.

Inteligência cristalizada: destrezas, habilidades cognitivas e estratégias adquiridas com uso de inteligência fluida. Acredita-se que aumenta com a idade.

Inteligência fluida: a habilidade de lidar com problemas totalmente novos. Supõe-se que diminua com a idade.

Inteligência geral ("fator g"): na definição de Charles Spearman, o fator geral de inteligência ou habilidade determinado pelos resultados correlatos de vários testes mentais; Spearman via como uma maneira de medir a energia mental, mas outros, como a habilidade individual de raciocínio abstrato.

Introspecção: o método psicológico mais antigo que existe; consiste em se auto-observar: "inspecionar (*specção*) o interior (*intro*)" da própria mente para analisar e relatar qual o seu estado interno.

Introversão: tipo de personalidade que centra energia principalmente em seus próprios pensamentos e sentimentos internos (ver também **extroversão**).

Lei de Efeito: segundo esse princípio proposto por Eward Thorndike, pode-se responder a um acontecimento de várias maneiras, mas as respostas que geram recompensas tendem a estabelecer uma forte associação com o acontecimento; enquanto as respostas que resultam em punição estabelecem uma associação mais fraca.

Materialismo: doutrina que considera real apenas o reino físico e explica os fenômenos mentais em termos físicos.

Mecanismos de defesa: na teoria psicanalítica, as reações mentais que ocorrem de modo inconsciente para afastar ansiedade.

Mente *versus* corpo: proposta inicialmente por René Descartes, a questão busca definir a interação entre eventos mentais e físicos.

Método anedótico: a utilização de relatos baseados em observação (geralmente não científicos) como dados de pesquisa.

Modelar: no behaviorismo, modelar o comportamento é reforçar de maneira positiva as sucessivas aproximações à reação ou ao modelo desejado.

Modificação de comportamento: usar técnicas comprovadas de mudança comportamental para controlar ou modificar o comportamento de indivíduos ou grupos.

Neurônio: um tipo de célula nervosa implicada na transmissão de mensagens (como impulsos nervosos) entre diferentes partes do cérebro.

Neuropsicologia: uma subdisciplina da psicologia e da neurologia que tem como foco a estrutura e o funcionamento do cérebro e estuda os efeitos dos transtornos cerebrais sobre o comportamento e a cognição.

Olhar positivo incondicional: na terapia centrada no cliente, de Carl Rogers, aceitar alguém de forma absoluta, simplesmente porque se trata de um ser humano.

Personalidade: traços e características duradouros e estáveis da pessoa, que a induzem a se comportar de maneira relativamente consistente ao longo do tempo.

Pragmatismo: doutrina que admite ideias como normas para agir; a validade de uma ideia é medida por suas consequências práticas.

GLOSSÁRIO 343

Princípio da realidade: na psicanálise, o conjunto de regras que governa o ego e se relaciona com o mundo real e suas demandas.

Psicanálise: o conjunto de teorias e métodos terapêuticos de Sigmund Freud, baseado na investigação dos processos inconscientes que influenciam o comportamento humano.

Psicofísica: estudo científico das relações entre os processos mentais e físicos.

Psicologia cognitiva: abordagem psicológica que enfoca os processos mentais relacionados à aprendizagem e ao conhecimento, e a maneira como a mente organiza as experiências.

Psicologia da Gestalt: abordagem psicológica holística que destaca o papel do "todo" organizado — em oposição às partes —, em processos mentais como a percepção.

Psicologia humanista: abordagem psicológica com ênfase na importância do livre-arbítrio e da **autorrealização** para a conquista da boa saúde mental.

Psicoterapia: termo coletivo para todos os tratamentos terapêuticos que usam os meios da psicologia, e não físicos ou fisiológicos.

Pulsões: impulsos ou propensões naturais; em psicanálise, as forças dinâmicas que motivam a personalidade e o comportamento.

Quociente de inteligência (QI): índice de inteligência que permite classificar indivíduos em níveis de inteligência comparativos. Sugerido pioneiramente por William Stern, é calculado dividindo-se a idade mental da pessoa por sua idade cronológica e multiplicando-se o resultado por cem.

Recuperação: recuperar informações armazenadas na memória por um processo de busca e descoberta.

Reflexo: reação automática a um estímulo.

Reflexo condicionado (RC): uma determinada resposta produzida por um estímulo inicialmente neutro associado a um **estímulo não condicionado**, provocando naturalmente aquela resposta.

Reflexo não condicionado: no **condicionamento clássico**, uma resposta reflexiva (não condicionada, natural) produzida em resposta a um determinado estímulo (por exemplo, afastar o membro de um estímulo que provoca dor).

Reforço: no condicionamento clássico, procedimento que aumenta a probabilidade de resposta.

Reforço negativo: no **condicionamento operante**, o fortalecimento de uma reação retirando-se o estímulo negativo.

Reforço positivo: conceito-chave do behaviorismo, é o processo de aumentar a probabilidade de resposta por meio de uma recompensa ou estímulo positivo imediatamente após a resposta desejada.

Replicação: repetição de uma pesquisa ou experimento em todos os detalhes que levaram a determinado resultado. Para validar descobertas, é essencial replicar.

Repressão: na teoria psicanalítica, um mecanismo de defesa do ego que afasta pensamentos, lembranças e impulsos inaceitáveis para longe da percepção consciente. Anna Freud chamava de "esquecimento motivado".

Sílabas sem sentido: sílabas de três letras que não formam palavras reconhecíveis. Usadas experimentalmente pela primeira vez por Hermann Ebbinghaus em seu estudo sobre aprendizagem e memória.

Superego: na psicanálise, o termo para a porção da psique que nasce da internalização dos valores e padrões dos pais e da sociedade; é governado por restrições morais.

Teoria do campo: o modelo de comportamento humano segundo Kurt Lewin, que usa o conceito de campos de força para explicar o "espaço vital" ou campo de influências sociais que cercam um indivíduo.

Teoria dos traços: visão de que as diferenças individuais dependem em larga medida dos atributos fundamentais ao caráter (isto é, traços), os quais permanecem basicamente uniformes ao longo do tempo e das circunstâncias.

Terapia familiar: termo geral para se referir a terapias que tratam de toda a família, em vez de uma só pessoa, sob o pressuposto de que os problemas decorrem das inter-relações do sistema familiar.

Transferência: na psicanálise, inclinação do paciente a transferir reações emocionais de relações passadas (sobretudo com os pais) para o terapeuta.

Validade: até que ponto um teste mede o que deveria medir.

ÍNDICE

A

A descoberta do fluxo, Mihály Csíkszentmihályi 199, 200, 322
A expressão das emoções no homem e nos animais, Charles Darwin 58, 324
A fábrica do corpo humano, Andreas Vesalius 18
A guide to rational living, Albert Ellis 91
A interpretação dos sonhos, Sigmund Freud 90, 98
A linguagem das emoções, Paul Ekman 197
A mente seletiva, Geoffrey Miller 211
A origem das espécies, Charles Darwin 16, 50, 77
A representação do "eu" na vida cotidiana, Erving Goffman 216, 228
A theory of human motivation, Abraham Maslow 198, 322
abuso infantil 204, 206, 207
acusar a si próprio 154
Adler, Alfred 90, **100–101**, 138, 139, 142, 144
adolescência 46, **47**
Adolescência, sexo e cultura em Samoa, Margaret Mead 46
Adorno, Theodor 248
Ainsworth, Mary 261, 277, **280–281**
Allport, Floyd 302, 310
Allport, Gordon 165, 173, 204, 216, 302, **306–313**
análise da consciência **40–45**
análise dos sonhos 98, 98
Animal intelligence, Edward Thorndike 65
Animal minds, Donald Griffin 34
ansiedade 86, 87, 159, 177
antipsiquiatria **150–151**, 328, 329
aprendizagem 12, 16, 17, 48, 49, 58, 59, 68, 159, 163, 221, 222
    agressividade infantil 288
    associativa 76, 77
    condicionamento 61, 73
    conexionismo 62, 63, 64, 65
    debate "natureza–criação" 28
    educação centrada na criança 264, 267, 268, 269
    fator "g" 314
    funções cerebrais 76
    imprinting 77
    insight 160, 161
    linguagem 294, 295
    memória e **162**, **194–195**
    método de aprendizagem cooperativa jigsaw, método educacional cooperativo jigsaw 244, 282
    psicologia do desenvolvimento 260, 262
    reforço positivo 83, 84
aprendizagem hebbiana 163
aprendizagem latente 68, 73
área do cérebro responsável pela fala 76
Argyle, Michael 100
Aristóteles 18, 20, 34, 41, 201, 240
Aronson, Elliot 166, 217, 236, **244–245**, 282
arquétipos 94, 104, 105, 106, 107
arquétipos junguianos 155
As paixões da alma, René Descartes 16
As três faces de Eva, Corbett H. Thigpen e Hervey M. Cleckley 303, 331
Asch, Solomon Elliott 216, **224–227**, 248, 249
Asperger, Hans 298
atenção plena 200, **210**
atenção seletiva 182, 183, 184, 185
ato falho freudiano 98
autismo 261, 298
autoconsciência 116
autoestima 100, 101
autorrealização 91, 126, **138–139**, 148, 313
autorrealização 106
autossugestão 23
Avenzoar (Ibn Zuhd) 60
Avicena 22
Axline, Virginia 118
Azam, Eugene 330

B

Baddely, Alan 185
Baldwin, Alfred 312
Bandler, Richard 114
Bandura, Albert 74, 80, 164, 236, 260, 261, **286–291**, 294
Bard, Philip 324
Baron, Robert A. 288
Baron-Cohen, Simon 236, 261, 284, **298–299**
Barthes, Roland 123
Bartlett, Frederic 48, 158, 180, 188, 204, 208, 234, 237, **335**
Basic forms and the realization of human "being-in-the-world", Ludwig Binswanger 141
Bass, Ellen 204
Bateson, Gregory 150, 151
Bayley, Nancy **336**
bebês
    conceitos inatos 265
    debate "natureza–criação" 29
    desenvolvimento infantil 264, 266
    ódio materno 121
    teoria do apego 274, 275, 280, 281

Beck, Aaron T. 72, 91, 142, 145, 159, **174–177**, 198, 200, 212
Beck, Judith 175
Becoming, Gordon Allport 313
behaviorismo 11, 12, 59, **68–71**, 72, 80, 90, 149, 158, 308
behaviorismo (cognitivo) intencional 72, 160
behaviorismo cognitivo **72–73**, 160
behaviorismo radical 71, **80–85**, 149
behaviorismo, movimento behaviorista 44, 58, 65, 76, 77
"Behavioural study of obedience", Stanley Milgram 248
Behaviourism, John B. Watson 71
Bellak, Leopold 149
Bem, Daryl 166
Berkeley, George 20
Berkowitz, Leonard 288
Berne, Eric 111, **337**
Bernheim, Hippolyte 224
Bernoulli, Daniel 193
Bettelheim, Bruno 261, **271**
Beyond freedom and dignity, B. F. Skinner 85
Binet, Alfred 17, 30, **50–53**, 265, 302, 304, 314
Binswanger, Ludwig 141
biopsicologia **28–29**
Bleuler, Eugen 31, 150
Bly, Robert 155
Boring, Edwin **335**
Bornstein, Robert 232
Bower, Gordon H. 159, 188, **194–195**, 196
Bowlby, John 77, 104, 152, 211, 260, 271, **274–277**, 278, 280
Braid, James 22, 23
Breggin, Peter 240
Breuer, Josef 23, 90, 94
Briggs, Katherine 302
Broadbent, Donald 158, 173, **178–185**, 192
Broca, Pierre Paul 16, 76
Brown, Roger 194, 216, 217, **237**
Brüke, Ernst 96
Bruner, Jerome 158, 162, **164–165**, 173, 188, 261, 270
Bruno, Giordano 48
Budismo 116, 140, 141, 210
Bühler, Charlotte **336**
Burns, David 142
Burt, Cyril 50

C

caixa de Skinner 81, 82, 83
Cajal, Santiago Ramón y 76

ÍNDICE 345

Campbell, Joseph 104
Cannon, Walter 324
caráter reconstrutivo da memória 158
Carroll, John B. 314
Cattell, James 35, 50, 51
Cattell, Raymond 302, 303, 308, 313, **314–315**, 326
cérebro 59, 163
  aprendizagem 58
  autismo 298
  conexionismo 64
  crianças 265
  dano 16
  diferenças de gênero 284
  dualismo mente/corpo 20, 21
  feminino/masculino 236
  imagem 45, 76, 150, 163, 191
  inteligência 315
  lados 16
  memória 190, 191
  processamento de informação 182, 183, 185
  psicologia cognitiva 158
  resiliência 153
Chapman, Robin 297
Charcot, Jean-Martin 17, 23, **30**, 51, 54, 55, 90, 94
Cherry, Colin 158, 183, 184
Children of the kibbutz, Melford Spiro 271
Chomsky, Noam 59, 72, 85, 173, 211, 260, 261, **294–297**
choques elétricos, experimento sobre obediência 248–252
Christal, Raymond 326
ciência neurológica **30**, **54–55**
Clancy, Susan 208
Clark, Kenneth 260, 261, **282–283**
Clark, Mamie Phipps 260, 261, 282
Classificação Tipológica de Myers-Briggs (MBTI, em inglês) 107
Cleckley, Hervey M. 303, **330–331**
cognição 59, 68, 73, 160
Cognitive maps in rats and men, Edward Tolman 59
Compêndio de psicologia, Johann Friedrich Herbart 16
Compêndio de psiquiatria, Emil Kraepelin 17, 31
complexo de Édipo 155
complexo de inferioridade 100, 101
complexo de superioridade 101
comportamental, epigenética **75**
Comportamento verbal, Ivan Pavlov, John B. Watson, Edward Thorndike e B. F. Skinner 59, 85
condicionamento 11, 58, 59
  B. F. Skinner 80, 81, 82
  Edward Thorndike 63
  Edward Tolman 72, 73
  Edwin Guthrie 74
  Ivan Pavlov **60–61**, 62
  John B. Watson 68, 69, 70, 71
  Karl Lashley 76
  linguagem 294, 295

  Zing-Yang Kuo 75
condicionamento clássico 58–61, 68, 70, 81, 85
  Ivan Pavlov **60–61**, 62
condicionamento operante 58, 59, 72, 82, 83, 84, 85, 288, 294, 295, 297
conexionismo **62–63**
conformidade 216, **254–255**
conformismo **224–227**, **248–253**
consciência 16, 17, 44, 148
  análise da **40–45**
  dualismo mente/corpo 20
  estruturalismo 24, 25
  fluxo de 40–41, 45
  humana e animal 37
consciência psicanálise 94, 95, 96
consideração positiva incondicional 135, 136
construtivismo social **238–239**, **270**
Cooley, Charles Horton 100, 228
Cooper, David 328
Corneau, Guy 91, **155**
Coué, Emile 22
Cowan, Nelson 173
Cox, Catharine 318
Craik, Fergus 185
Craik, Kenneth 180, 181
"Creativity and personality: suggestions for a theory", Hans J. Eysenck 318, 320
crescimento psíquico 101
criação *veja* debate natureza–criação
crianças,
  adotadas 119, 120
  agressividade 288
  amor condicionado 135
  aquisição de linguagem 294, 296, 297
  autismo 298, 299
  behaviorismo 70
  condicionamento de estímulo–resposta 71
  crescimento psíquico 101
  debate "natureza–criação" 28, 29
  desenvolvimento 12, 13, 270
  desenvolvimento cognitivo 264–269
  desenvolvimento moral 292, 293
  educação 270, 279
  psicanálise 118, 119
  psicologia do desenvolvimento 260, 261
  questões de raça 282, 283
  reforço negativo 82
  reforço positivo 83, 84
  sistemas das creches infantis 271
  teoria do apego 276, 278, 280
  testes de inteligência 52
  trauma 153, 257
criatividade 91, 304, 305, 318–321
crise de identidade 46, 273
Critical psychology, Isaac Prilleltensky e Dennis Fox 256
Csíkszentmihályi, Mihály **198–199**, 200, 201, 322
Cutshall, Judith 207
Cyrulnik, Boris **152–153**

Da causa do sono lúcido, Abade Faria 16, 23
Damasio, Antonio 45
Damon, William 198, 292
Darwin, Charles 16, 28, 34, 50, 58, 77, 83, 211, 302, 324
Dasen, Pierre 269
Davis, Keith 242
Davis, Laura 204
Dawkins, Richard 211
Decision and stress, Donald Broadbent 185
Deisher, Robert 271
Deleuze, J. P. F. 54
delinquência juvenil 276, 277
demência 31
depressão 109, 140, 142, 154, 159, 176, 200, 201, 243
Depressão: causas e tratamento, Aaron Beck 159
desamparo aprendido 200, 201
Descartes, René 16, **20–21**, 34, 40, 41, 180, 192
desenvolvimento cognitivo 164–165, 264, 265, 266, 267, 269
desenvolvimento de gênero 290, 291
desenvolvimento humano 28, 29, **46–47**
desenvolvimento moral **292–293**
desenvolvimento psicossexual 260
desenvolvimento, estágios de **272–273**
dessensibilização 59
dessensibilização sistemática 86, 87
Dewey, John 216, **334**
Diagnostic and statistical manual of mental disorder 330
Diatkine, René **338**
diferença, psicologia da 11, 13, **302–303**
diferenças de gênero 261, 284, 285
dificuldades de aprendizagem 261
Dilthey, Wilhelm 309
Dimensões da personalidade, Hans Eysenck 18
dinâmica de grupo, dinâmicas de grupo 216, 220, 223
Diseases of the nervous system, Jean-Martin Charcot 54
disfarce 196, 197
Dispositivo de Aquisição de Linguagem (DAE, em inglês) 296, 297
dissociação 54, 330
dissonância cognitiva 166, 167, 244, 245
Distúrbio de Personalidade Múltipla (DPM), 303, 330
Distúrbio de Personalidade Múltipla (DPM) 303, 330
distúrbios mentais 17, **330–331**
Divided consciousness, Ernest R. Hilgard 54
Do homem, René Descates 20
doenças mentais 31, 150, 151
Dollard, John 288

346 ÍNDICE

Dolto, Françoise 261, **279**
Domínio de si mesmo pela autossugestão consciente, Emile Coué 22
Drives toward war, Edward Tolman 75
drogas psicodélicas 148
dualismo mente/corpo **20–21**
Duncker, Karl 160

Eagly, Alice 236
Ebbinghaus, Hermann 10, 11, 17, **48–49**, 62, 158, 162, 170, 172, 188, 208
educação,
 centrada na criança 264, 267, 268, 269
 conexionismo 62
 debate "natureza–criação" 29
 testes de inteligência 52
efeito autocinético 225
efeito placebo 22
efeito Zeigarnik 162, 194
ego 96, 97, 105, 106, 111
Eichmann, Adolf 248
Eisenberg, Nancy 292
Ekman, Paul 159, **196–197**, 303
Ellis, Albert 91, 110, **142–145**, 174, 177, 212
Em busca de sentido, Viktor Frankl 91, 140
Emerson, Peggy 277, 278
emoções 68, 69, 144, 159, 196, 197, 233, 303, **324–325**
 consciência 116
 repressão de 134
Emotion and adaptation, Richard Lazarus 324
empatia 235, 236
English men of science: their nature and nurture, Francis Galton 29, 75
epigenética comportamental **75**
epistemologia genética **264–267**
Epiteto 142
Erickson, Milton 149, **336**
Ericsson, Anders 318
Erikson, Erik 46, 90, 260, **272–273**
Escala Binet–Simon 52–53, 304
Escala de Ansiedade de Beck (BAI, em inglês) 177
Escala de Atitude para com as Mulheres 236
Escala de Depressão de Beck (BDI, em inglês) 177
Escala de Depressão de Hamilton (HAM-D, em inglês) 154
Escala de Desesperança de Beck 177
Escala de Ideação Suicida de Beck (BSS, em inglês) 177
Escala de Inteligência para Adultos (WAIS, em inglês) 303
escola montessoriana 264, 268
esquecimento 48, 49, 208, 209
esquizofrenia 31, 91, 150, 151, 329
estado vegetativo persistente 44

Estrutura do Intelecto (SI, em inglês) 303
estruturalismo **24–25**
estudos de gênero **236**, 261
Estudos sobre a histeria, Sigmund Freud e Josef Breuer 24, 30, 90, 94
etologia 59, **77**
"eu" 16, 133, 134, 135, 136
"eu", O 122–123
eugenia 28, 29
evolução 16, 58
Existe consciência?, William James 20
Existence, Rollo May 91
existencialismo 16, **26–27**
Existential psychotherapy, Irvin Yalom 141
experiência da prisão de Stanford 217, 254
Experimental studies of the perception of movement, Max Wertheimer 160
experimento com marshmallow 327
expressões faciais 196, 197, 235, 303
extroversão 19, 319–321
Eyewitness Testimony, Elizabeth Loftus 159, 188, 206
Eysenck, Hans J. 18, 19, 212, 302, 308, 313, **316–321**, 326

Facial expressions of emotion, Paul Ekman 159
familiaridade **232–235**
Faria, Abade (Dormez) 16, **22–23**
"fator g" 302, 303, 314
Faria, José Custódio de (Abade Faria) 23
debate "natureza–criação"
debate "natureza–criação", debate natureza *versus* criação 13, 16, 28, 29, 71, 75, 159, 261, 264, 267, 270, 303
Fausto-Sterling, Anne 284
Fechner, Gustav 232, 304
feminismo 284
Festinger, Leon 158, 159, **166–167**, 244
filosofia 10, 11, 16
Filosofia do inconsciente, Eduard von Hartmann 24
filosofia existencialista 91
fobias 87
Frankl, Viktor 91, **140**
Freeman, Derek 46
Freud, Anna 90, **111**, 260, 273
Freud, Sigmund 11, 12, 17, 22, 24, 30, 46, 54, 90, **92–99**, 104, 108, 111, 118, 150, 152, 174, 195, 204, 220, 272, 274, 278, 292, 309
Frijda, Nico 303, **324–325**
Frith, Uta 298
Fromm, Erich 90, 91, **124–129**, 198
Fundamentos da psicologia fisiológica, Wilhelm Wundt 31, 34

Galeno, Cláudio (Galeno de Pérgamo) **18–19**, 20, 308, 319
Gallimore, Ronald 277
Galton, Francis 13, 16, **28–29**, 50, 51, 75, 270, 302, 304
Gardner, Howard 198
Gelman, Susan 269
genética 59, 83, 159
genética, epistemologia 264
genialidade, natureza da 318–321
Genious 101: creators, leaders, and prodigies, Dean Keith Simonton 318
genótipos 311, 312
gerenciamento de impressões **228–229**
Gergen, Kenneth 238
Gestalt–terapia **114–117**, 142, 174
Gestão qualificada: a conexão entre felicidade e negócio, William Damon e Howard Gardner 198
Gilbert, Dan 140
Gillette, Douglas 155
Glasser, William 217, **240–241**
Gmelin, Eberhardt 330
Goddard, Henry H. 53
Goetzinger, Charles 232, 233
Goffman, Erving 216, **228–229**
Goldstein, Kurt 138
Goleman, Daniel 322
Goodman, Cecile 158
Goodman, Paul 91, 174
Gould, Judith 298
Green, Andre **339**
Griffin, Donald 34
Guilford, Joy Paul 303, **304–305**, 314, 318
Guthrie, Edwin 58, 59, **74**

habilidades aprendidas 28
Haley, Jay 149
Hall, G. Stanley 17, **46–47**
Hamilton, Max 154
Hamilton, V. L. 248
Hampson, Sarah 228
Hanh, Thich Nhat 210
Harlow, Harry 139, 261, 274, 277, **278**, 280
Haslam, Alex 254
Hebb, Donald 48, 76, 158, **163**
Heckhausen, Heinz **338**
Hegel, Georg 122, 238
Heidegger, Martin 141
Heider, Fritz 242
Heinroth, Oskar 77
Heisenberg, Werner 238

ÍNDICE 347

Helmreich, Robert 217, 236
Helplessness: on depression, development, and death, Martin Seligman 174
herança 13, 16, 27, 28, 59, 104, 105
Herbart, Johann Friedrich 16, **24–25**
Herzberg, Frederick 322
Hess, Eckhard 77
Hilgard, Ernest R. 54, **337**
Hill, Heather 294
hipnose 16, 17, 22–23, 30, 90, 94, 224, 331
Hipócrates 18, 30, 308, 319, 326
hipótese de um mundo justo 242, 243
histeria 17, 30, 90, 94
Hogan, Joyce 326
Hogan, Robert 326
Horney, Karen 90, **110**, 114, 126, 129, 142, 143
Hull, Clark L. 59, 240, **335**
Hume, David 49
humorismo **18–19**, 308, 319

I

Ibn Sina 22
Ibn Zuhr (Avenzoad) 60
id 96, 111
ilusão de ótica 192
imprinting 59, 77
inatos (congênitos)
    comportamentos 75, 80
    crenças 104
    habilidades 28
inconsciente 16, 17, 90, 91, 148
    coletivo 104, 105, 106, 107
    estruturalismo 25
    psicanálise 94, 95, 96, 97, 98
inconsciente coletivo 90, 104, 105, 106, 107
individualismo 117
Infância e sociedade, Erik Erikson 46, 260
infantil, agressividade 288, 289, 290
inibição recíproca **86–87**
insanidade, e genialidade 318, 320, 321
instinto 28, 58, 59, 75, 77, 104, 105, 161, 275, 297
instinto de morte 91, 108, 109
inteligência 13, 17, 161, **304–305**, **314–315**
    conexionismo 62, 63, 64, 65
    desenvolvimento infantil 264, 265, 266, 267
    "fator g" 62
    herança 29
    psicologia da diferença 303
inteligência fluida 314, 315
introversão 90, 319, 321
"Inveja e gratidão", Melanie Klein 91
Iron John: a book about men, Robert Bly 155

J

Jacklin, Carol 284
James, William 11, 17, 20, 28, **38–45**, 47, 59, 65, 68, 80, 82, 100, 122, 148, 162, 163, 170, 172, 228, 237, 308, 324
Janet, Pierre 17, **54–55**, 104, 330
Johnston, Charles M. 271
Jones, Edward E. 242
Jung, Carl Gustav 24, 90, 94, **102–107**, 114, 122

K

Kabat-Zinn, Jon 200, 210
Kagan, Jerome **339**
Kahneman, Daniel 159, **193**
Kanner, Leo 298
Kant, Immanuel 40, 41, 114, 264
Kelley, Harold H. **338**
Kelly, George 154, **337**
Kelman, Herbert 248
Kierkegaard, Søren 16, **26–27**, 141
Klein, Melanie 90, 91, 99, **108–109**, 110, 111, 118, 119, 121, 260
Klineberg, Otto 282
Koffka, Kurt 160
Kohlberg, Lawrence 260, 261, **292–293**
Köhler, Wolfgang 158, 159, **160–161**, 163, 193, 220, 225
Kohut, Heinz 110
Kowalski, Robin 228
Kraepelin, Emil 17, **31**
Krech, David 45
Kubovy, Michael 192
Kuczaj, Stan 294
Kulik, James 237
Kuo, Zing-Yang 58, **75**, 80

L

L'automatism psychologique, Pierre Janet 110
Lacan, Jacques 90, **122–123**, 155, 279
Lagache, Daniel 336
Laing, R. D. (Ronald David) 26, 27, 91, **150–151**, 328
Lange, Carl 43, 324
Language and communication, George Miller 171
Larsen, Knud S. 224
Lashley, Karl 58, 59, **76**, 163, 165
Lasker, Bruno 282
Laws of organization in perceptual forms, Max Wertheimer 40

Lazarus, Arnold A. 177
Lazarus, Richard 324
Leadership that gets results, Daniel Goleman 322
Leary, Mark 228
Leary, Timothy 91, **148**
Lebovici, Serge **338**
Leibniz, Gottfried 24, 25
lembranças fotográficas 190
Lerner, Melvin 154, 217, **242–243**
Lévi-Strauss, Claude 123
Lewin, Kurt 12, 166, 167, 216, **218–223**, 254
liberdade de agir 140
Lições sobre as doenças do sistema nervoso, Jean-Martin Charcot 17
ligação entre mãe e bebê 275, 280, 281
Linas, Rodolfo 44
linguagem 116, 260, 294, 295, 296, 297
Lippitt, Ronald 220
Locke, John 28, 40, 41, 49, 264
Loeb, Jacques 68
Loevinger, Jane 111
Loftus, Elizabeth 91, 159, 188, **202–207**, 208
logoterapia 140
Loneliness, creativity and love, Clark Moustakas 132
Lorenz, Konrad 34, 59, 75, **77**, 274, 278
Lucrécio 31
ludoterapia 109, 118
Luria, Alexander 336

M

Maccoby, Eleanor E. 261, **284–285**
Main, Mary 280
Marcia, James 272
Margaret Mead and Samoa, Derek Freeman 46
Martín-Baró, Ignacio 217, **256–257**
Marx, Karl 129
Maslow, Abraham 91, 100, 126, 132, 133, 137, **138–139**, 148, 198, 200, 313, 322
Masterson, Jenny 309, 310
Maternal care and mental health, John Bowlby 275
May, Rollo 26, 91, 126, 137, **141**
Mayo, Elton 335
MBCT 210
McAdam, Dan P. 308
McClelland, David **322–323**
McLuhan, Marshall 12
Mead, Margaret 46, 196
medo 68, 69, 70, 71, 325
Meehl, Paul 338
memória e memórias 17, 48, 49, 58, 158, 159, 180, 208, 234
    alunos adultos 65
    armazenamento e recuperação **188–191**
    autobiográficas 237
    "curva de esquecimento" 62

e aprendizagem 161, **162**
e neurônios 163
estados emocionais 196
estruturalismo 24, 25
funções cerebrais 76
herdadas 104, 105
inteligência 304, 314
processamento de informação 183, 184
recordação (recuperação) 159, 195, **204–207**, 208, 209
reprimidas 90, 91, 95, 96, 97, 99
memória episódica 188, 189, 190, 191
memória reprimida 204, 205, 207
Memória, Hermann Ebbinghaus 62
Memory: a contribution to experimental psychology, Hermann Ebbinghaus 17, 49, 170, 208
mente, teoria da **298–299**
Mersenne, Marin 21
Mesmer, Franz 22, 23
método nomotético 309
Metzler, Jacqueline 159
Milgram, Stanley 166, 217, 224, 225, 227, **246–253**, 254
Miller, Alice 118
Miller, Geoffrey 211
Miller, George Armitage 159, 162, 163, 164, 165, **168–173**, 180, 194, 208
Miller, Neal 59, **337**
Mindblindness, Simon Baron-Cohen 261
Minuchin, Salvador 146
Mischel, Walter 302, 303, **326–327**
místico sufi 126
Mitchell, Peter 298
mnemônica 48
Modelo de Filtro de Broadbent 183
modelo ideográfico 308, 309, 313
modelo Satir 147
Moore, Robert L. 155
Morgan, Christiana 323
Moscovici, Serge 216, 217, 224, 227, **238–239**
motivação 322–323
Motivation and personality, Abraham Maslow 91, 200
Motivation to work, Frederick Herzberg 322
Moustakas, Clark 132
movimento Gestalt 44
movimento *Sturm und Drang* 47
mulheres 217, 236
Murray, Henry 138, 322, 323
Myers, Charles Samuel **335**
Myers, Isabel Briggs 302

nativismo **294–297**
nativismo psicológico 265
Neisser, Ulric 159, 237, **339**
Neuripnologia, James Braid 22
neurociência 59, 158, 159, 163

neurociência cognitiva 163
neuro-hipnotismo 22
neuropsicologia **67**, **163**
neurose de guerra 86, 87
Neurosis and human growth, Karen Horney 114
neuroticismo 19, 319–321
New passages, Gail Sheehy 272
Nietzche, Friedrich 141
Norem, Julie K. 108

O

O anel do rei Salomão, Konrad Lorenz 34
O conceito da ansiedade, Søren Kierkegaard 26
O desespero humano (Doença até à morte), Søren Kierkegaard 16
O ego e os mecanismos de defesa, Anna Freud 90
"O estágio do espelho", Jacques Lacan 90
O "eu" dividido, R. D. Laing 26, 91, 328
O gene egoísta, Richard Dawkins 211
O gênio hereditário, Francis Galton 16, 29
O medo da liberdade, Erich Fromm 90
O nascimento da inteligência na criança, Jean Piaget 164
O processo da educação, Jerome Bruner 165
O significado da ansiedade, Rollo May 26, 141
Obedience to authority, Stanley Milgram 252
obediência 216, 217, 224, 227, 248–251, 254
Odbert, H. S. 308, 309, 310, 313
Olweus, Dan 320
On aggression, Konrad Lorenz 75
On the diseases of women, Hipócrates 30
On the nature of prejudice, Gordon Allport 216
On the qualities of form, Christian von Ehrenfels 160
Opinions and social pressure, Solomon Asch 224
Ornstein, Robert E. 148
Os princípios da psicologia, William James 17, 45, 60, 80, 82, 122, 162, 170, 308
Os sete pecados da memória, Daniel Schacter 159, 170, 188, 194, 204, 207
Osmund, Humphry 148
"outro", o 122–123

P

Pahnke, Walter 148
Paige, Jeffrey 312
Palazzoli, Mara Selvini 146
Papiro de Kahun 30
Paracelso 94
Paradigma de Asch 224, 225, 226
Pavlov, Ivan 11, 58, 59, **60–61**, 62, 68, 70, 72, 74, 76, 80, 81, 86, 87, 161, 174
PEN (Psicotismo, Extroversão, Neuroticismo) 308, 319, 321

Peplau, Letitia 242
percepção 16, 17, 59, 114, 115, 158, 159, 160, 161, 192
Perception and communication, Donald Broadbent 72, 158, 184, 192
Perls, Frederick "Fritz" Salomon 91, **112–117**, 126, 132, 138, 174
Perls, Laura 91, 174
personalidade 13, 16, 17, 134, **318–321**
debate "natureza–criação" 28
distúrbio de personalidade múltipla 331
humorismo 18, 19, 308, 309
personalidades divididas 110
Personality and assessment, Walter Mischel 303, 327
Personality traits: their classification and measurement, Gordon e Floyd Allport 302, 308
Personality: psychological interpretation, Gordon Allport 302, 312
pessimismo defensivo 108
Phillips, L. 328
Piaget, Jean 74, 164, 165, 260, **262–267**, 270, 272, 292
Pien, D. 232
Pinker, Steven 159, 192, 211, 294, 297
Platão 20, 34, 41
Pollack, Irwin 171, 172
Posner, Laura 116
Postman, Leo 48, 165, 204
Powers, William T. 240, 241
Prilleltensky, Isaac 256
Prince, Morton 54, 330
privação materna 275, 276, 277
problema do coquetel 183, 184
processamento coerente com o humor 195
programa MACOS 164
programa Man: a course of study (MACOS) 164
Programação Neurolinguística (PNE) 114
psicanálise (psicoterapia psicanalítica) 12, 17, 90, 91, 97, 158, 308
Alfred Adler **100–101**
Donald Woods Winnicott **118–121**
Françoise Dolto **279**
Jacques Lacan **122–123**
Johann Friedrich Herbart 24, 25
Melanie Klein **108–109**
Sigmund Freud **94–99**
psicanálise humanista **126–129**
psicodiagnóstico 17
psicologia 10–11, 16, 17
experimental **148**
psicologia analítica **104–107**
psicologia aplicada 182
psicologia behaviorista 62, 63, 64, 160
psicologia cognitiva 11, 12, 59, 72, 85, 91, 158, 159, **166–167**, 180, 181, 184, 185, **208–209**, 260–261
Psicologia cognitiva, Ulric Neisser 159
psicologia colaborativa 193
psicologia comportamental **322–323**
psicologia comunitária 256
Psicologia cultural, Wilhelm Wundt 37
psicologia da diferença 11, 13, **302–303**

ÍNDICE 349

psicologia da educação 65
psicologia da Gestalt 12, 59, 72, 73, 158, 159, **160–161**, 167, 220
psicologia da libertação 217, **256–257**
psicologia da personalidade 302, 303, **308–313**
psicologia das emoções **196–197**
psicologia do desenvolvimento 11, 12, 159, **260–261**, 269, **284–285**
Psicologia do inconsciente, Carl Jung 24
psicologia evolutiva 13, **211**
psicologia existencial 91
psicologia experimental 17, **34–37**, 48, 49, **148**
psicologia feminista 284
psicologia humanista 12, 129, 136, 137, **138–139**, 141, 198
psicologia individual **100–101**
psicologia masculina **155**
psicologia positiva **152–153**, **198–199**, **200–201**, 313
psicologia social 11, 12, 167, **216–217**, **220–223**, 232, 236, **244–245**, 256
psicopatia insensível 276
psicopatologia 90
psicose 150, 318 321
psicoterapia 11, 12, 94, 138
Psicoterapia e consulta psicológica, Carl Rogers 91, 141, 146
psicoterapia existencial **141**
psicoterapia humanista 91
psicoticismo 318–321
Psicoticismo, Extroversão, Neuroticismo (PEN) 308, 319, 321
psique 96, 105
psiquiatria **328–329**
psiquiatria médica 31
Psychiatry and anti-psychiatry, David Cooper 328
Psychiatry: the science of lies, Thomas Szasz 328
Psychoanalysis: its Image and its public, Serge Moscovici 239
Psychological automatism, Pierre Janet 55
"Psychology as the behaviourist views it", John B. Watson 58, 59, 86
Psychology of productive thinking, Karl Duncker 160
Purposive behavior in animals and men, Edward Tolman 72, 73

QI *veja* testes de QI (quociente de inteligência)

R

Race attitudes in children, Bruno Lasker 282
racismo 242, 282, 283

Rajecki, D. W. 233
Ramón y Cajal, Santiago 76
Rank, Otto 132
Rayner, Rosalie 69, 70, 71, 86
realidade e percepção 114, 115
Reality therapy, William Glasser 217
Reclaiming our children, Peter Breggin 240
reconhecimento facial 36
recuperação dependente do humor 195
Redução de Estresse baseada na Atenção Plena (MBSD, em inglês) 210
reforço 64, 81, 82
reforço negativo 82, 83
reforço positivo 81, 82, 83, 85
Reicher, Steven 254
Remembering, Frederic Bartlett 204, 208, 234
resiliência psicológica 152, 153
resolução de problemas 159, 160, 161
Riecken, Henry 167
Rivers, W. H. R. **334**
Rogers, Carl 26, 27, 91, 114, 116, **130–135**, 141, 145, 146, 198, 200, 313
Rokeach, Milton **338**
Rorschach, Hermann **335**
Rosenhan, David 303, **328–329**
Rowe, Dorothy 91, **154**, 243
Rubin, David 237
Rubin, Zick 242
Rumi 126
Rutter, Michael 274, 278, 339
Ryan, William J. 242

S

Salkovskis, Paul **212–213**
Sartre, Jean-Paul 122, 140, 150
Satir, Virginia 91, **146–147**
Schachter, Stanley 167, **338**
Schacter, Daniel 159, 170, 188, 194, 204, 207, **208–209**
Schaffer, H. Rudolph 276, 277, 278
Schopenhauer, Arthur 108, 122
Segal, Zindel 210
seleção natural 77, 83
self 126, 127
Seligman, Martin 140, 174, 198, **200–201**, 313, 322
sete, o número mágico 170–173
Seurat, Georges 43
Shannon, Claude 171
Sheehy, Gail 272
Shepard, Roger N. 159, **192**
Sherif, Muzafer 216, 224, 225, 254, **337**
Simon, Théodore 52, 302, 304
Simonton, Dean Keith 318
síndrome de falsa memória 206, 207
sistemas parentais **271**
Skinner, B. F. (Burrhus Frederic) 58, 59, 60, 61, 62, 64, 71, 72, 74, 75, **78–85**, 86, 149, 288, 294, 309

Slater, Mel 253
Slavin, Robert 270
Smith, Sidney 173
Social learning theory, Albert Bandura 74, 164
Social psychology as history, Kenneth Gergen 238
Sócrates 26
Some thoughts concerning education, John Locke 264
Spearman, Charles 53, 62, 302, 303, 304, 314
Spence, Janet Taylor 217, **236**
Sperry, Roger W. **337**
Spiro, Melford 271
Spitz, René 271
Stages of moral development, Lawrence Kohlberg 261
Stekel, Wilhelm 108
Stern, William 309, **334**
Stevens, Stanley Smith 173
suicídio 140
Sullivan, Harry Stack 146
Syntactic structures, Noam Chomsky 260
Szasz, Thomas 328

T

Tábula rasa, Steven Pinker 192
Teasdale, John D. 210, **339**
temperamento e humores 18, 19
tensão psíquica 108
teoria Bard–Cannon 324
teoria da aprendizagem **74**, 166, 294
social **288–291**
teoria da atribuição **242–243**
teoria da construção pessoal **154**
Teoria da dissonância cognitiva, Leon Festinger 158
teoria da escolha 217, **240–241**
teoria da Gestalt 91, 154
teoria da inteligência **50–53**
teoria da personalidade 303, **318–321**, **326–327**
teoria da perspectiva 193
teoria da "zona de desenvolvimento proximal" 269
Teoria das Emoções James–Lange, teoria das emoções de James–Lange 43, 324
teoria de aprendizagem social 80, 236, 260, **288–291**
teoria de autopercepção 166
Teoria de controle perceptual (PCT, em inglês) 240, 241
teoria de "estímulo e resposta" 11, 58, 59, 68, 70, 71, 74
teoria do apego 261, **274–277**, 278, **280–281**
Teoria dos Afetos 196
terapia behaviorista 59, 159
terapia breve **149**
terapia centrada no cliente 200
terapia centrada no cliente **132–135**

Terapia centrada no cliente, Carl Rogers 26, 198
terapia cognitiva 72, 91, **174–177**, 198, 200
terapia cognitiva baseada em atenção plena 210
Terapia cognitivo-comportamental (TCC) 12, 59, 72, 85, 144, 145, 159, **212-213**
terapia comportamental 60, 80
terapia da realidade 217, 240, 241
terapia de *insight* 149
terapia de recuperação de memória 204, 205, 207
Terapia do grupo familiar, Virginia Satir 91
terapia familiar **146–147**, 151
terapia psicodinâmica 149
Terapia Racional Emotivo-Comportamental (TREC) 91, 110, **142–145**, 174, 177, 212
Terman, Lewis 53
Teste CAVD (do inglês *completion, arithmetic reasoning, vocabulary e direction following*) 65
teste das manchas de tinta 331, 335
Teste de Apercepção Temática (TAT) 138, 323
teste de inteligência culturalmente isento 315,
teste de Rorschach 331, 335
teste psicométrico 302
testes de personalidade 323
testes de QI (quociente de inteligência) 50, 52, 53, 65, 265, 302, 304, 305, 314, 315, 318, 320, 323
Thaler, Richard 193
The art of memory, Giordano Bruno 48
The behaviour of organisms, B. F. Skinner 74, 75, 86
The belief in a just world: a fundamental delusion, Melvin Lerner 154, 243
The children of the dream, Bruno Bettelheim 271
The descent of man, Charles Darwin 302
The dissociation of personality, Morton Prince 330
The emotions, Nico Frijda 303
The laws of emotion, Nico Frijda 325
"The magical number seven, plus or minus two", George Armitage Miller 162, 170
The measurement of intelligence, Edward Thorndike 314
The mentality of apes, Wolfgang Köhler 193
The myth of mental illness, Thomas Szasz 328
The narrative construction of reality, Jerome Bruner 261
The need for social psychology, John Dewey 216
The organization of behaviour, Donald Hebb 48, 163
The practice and theory of individual psychology, Alfred Adler 90
The psychology of consciousness, Robert E. Ornstein 148
The psychology of personal constructs, George Kelly 154

The psychology of perspective and renaissance art, Michael Kubovy 192
The psychology of sex differences, Eleanor Maccoby 261, 284
"The selection by consequences", B. F. Skinner 83
The social animal, Elliot Aronson 244
The war of the ghosts, Frederic Bartlett 158
Thigpen, Corbett H. 303, **330–331**
Thorndike, Edward 58, 59, **62–65**, 68, 72, 74, 161, 163
Thurstone, L. L. 304
tipos e traços de personalidade 107, 128, 129, 308, 309, 310, 320, 326–327
Tipos psicológicos, Carl Jung 90
Titchener, Edward B. 35, 232, 233, 305, **334**
Tolman, Edward Chace 58, 59, 68, **72–73**, 74, 75, 160, 193
Tomkins, Silvan 196
Tornar-se pessoa, Carl Rogers 26, 136
Torrence, Ellis Paul 304
Trabalho qualificado: quando a excelência e a ética se encontram, William Damon e Howard Gardner 198
traço maquiavélico 310
"Traits revisited" [Os traços revistos], Gordon Allport 313
transtorno obsessivo-compulsivo (TOC) 212–213
Tratados sobre os princípios do *Pai ausente, filho carente*, Guy Corneau 155
TREC *veja* Terapia Racional Emotivo--Comportamental
Treisman, Anne 180
Três ensaios sobre a teoria da sexualidade, Sigmund Freud 46, 260
Tulving, Endel 159, 162, 170, **186–191**, 194, 208, 209
Tupes, Ernest 326
Turing, Alan 158, 170, 181
Tversky, Amos 159, 193

U

Uncommon therapy, Jay Haley 149

V

Valéry, Paul 13
Value and need as organizing factors in perception, Jerome Bruner e Cecile Goodman 158
Vaughn, Brian E. 280
Vernon, Philip E. 304
Vesalius, Andreas 18, 19
von Ehrenfels, Christian 160
von Hartmann, Eduard 24
von Helmholtz, Hermann 37

von Thun, Friedemann Schulz **339**
Vygotsky, Lev 164, 165, 238, 260, 269, **270**

W

Walden II — Uma sociedade do futuro, B. F. Skinner 85
Waldeyer-Hartz, Heinrich 76
Warrenfeltz, Rodney 326
Watson, Jeanne 220
Watson, John B. (Broadus) 11, 26, 28, 40, 58, 59, 60, 61, 62, 64, **66–71**, 72, 75, 80, 86, 87, 94
Watzlawick, Paul 91, **149**
Wechsler, David 303, **336**
Weisner, Thomas 277
Werner, Emmy 152
Wernicke, Carl 16
Wertheimer, Max 40, 114, 160, **335**
Westley, Bruce 220
When prophecy fails, Leon Festinger, Henry Riecken e Stanley Schacter 167
Wherever you go, there you are, Jon Kabat-Zinn 200
Wilbur, Cornelia 330
Williams, Mark 210
Willis, Thomas 30
Windelband, Wilhelm 309
Wing, Lorna 298
Winnicott, Donald Woods 91, **118–121**
Wolpe, Joseph 59, 72, 80, **86–87**, 174, 177, 212
Words and things, Roger Brown 217
Writings for a liberation psychology, Ignacio Martín-Baró 257
Wundt, Wilhelm 17, 18, 26, 31, **32–37**, 47, 50, 172, 304

Y

Yalom, Irvin 141
Youth: its education, regiment, and hygiene, G. Stanley Hall 47
Yuille, John 207

Z

Zajonc, Robert 217, **230–235**
Zeigarnik, Bluma 158, **162**, 188, 194
Zigler, E. 328
Zimbardo, Philip 166, 217, 248, **254–255**

AGRADECIMENTOS

A Dorling Kindersley gostaria de agradecer a Shriya Parameswaran, Neha Sharma, Payal Rosalind Malik, Gadi Farfour, Helen Spencer, Steve Woosnam-Savage e Paul Drislane, pelo auxílio ao projeto; Steve Setford, pela assistência editorial; e Stephanie Chilman, pela composição do índice.

CRÉDITOS DAS FOTOS

O editor gostaria de agradecer aos listados abaixo pela permissão para reproduzir suas fotografias:

(Legenda: a-acima; b-abaixo; c-centro; e-esquerda; d-direita; t-topo)

19 The Bridgeman Art Library: Bibliothèque de la Faculté de Médecine, Paris / Archives Charmet (td). **21 Corbis:** Bettmann (td). **Getty Images:** Hulton Archive (be). **23 akg-images:** Bibliothèque nationale (tc). **Alamy Images:** Tihon L1 (be). **25 Getty Images:** Hulton Archive (td). **27 akg-images:** Coll. Archiv f. Kunst & Geschichte (te). **Corbis:** Bettmann (be). **29 The Bridgeman Art Library:** Birmingham Museums and Art Gallery (bc). **Getty Images:** Hulton Archive (bd). **30 Getty Images:** Imagno / Hulton Archive (bd). **35 Alamy Images:** Interfoto (bd). **Corbis:** Visuals Unlimited (tc). **36 Corbis:** Bettmann (tr, tc). **37 Corbis:** Bettmann (be). **40 Corbis:** (be). **43 Corbis:** The Gallery Collection (bd). **44 Corbis:** Underwood & Underwood (bd). **45 Science Photo Library:** Chris Gallagher (td). **47 Corbis:** Bettmann (bd). **49 Corbis:** Bettmann (be); Bill Varie (td). **51 Science Photo Library:** US National Library of Medicine (te). **52 Corbis:** Bettmann (be). **55 Alamy Images:** Eddie Gerald (cd). **Lebrecht Music and Arts:** Rue des Archives / Varma (be). **61 Corbis:** Bettmann (be). **LawtonPhotos.com :** (te). **65 Corbis:** Jose Luis Pelaez, Inc. (te). **Science Photo Library:** Humanities and Social Sciences Library / New York Public Library (td). **69 Corbis:** Underwood & Underwood (be). **71 The Advertising Archives:** (bd). **73 Corbis:** Sandy Stockwell / Skyscan (cd). **Magnum Photos:** Wayne Miller (be). **75 The Advertising Archives:** (cra). **77 Getty Images:** Nina Leen / Time & Life Pictures (bd). **81 Getty Images:** Nina Leen / Time & Life Pictures (bd). **82 Getty Images:** Joe Raedle (be). **83 Corbis:** Bettmann (td). **84 Alamy Images:** Monashee Frantz (be). **87 Getty Images:** Lambert / Archive Photos (td). **94 Getty Images:** Imagno / Hulton Archive / Sigmund Freud Privatstiftung (td). **97 Alamy Images:** Bjanka Kadic (be). **98 The Bridgeman Art Library:** Museum of Modern Art, New York / © Salvador Dali, Fundació Gala-Salvador Dalí, DACS, 2011. **99 Corbis:** Hulton-Deutsch Collection (td). **101 Corbis:** Guo Dayue / Xinhua Press (te). **Getty Images:** Imagno / Hulton Archive (td). **105 Getty Images:** Imagno / Hulton Archive (bd). **106 Getty Images:** Apic / Hulton Archive (be). **107 akg-images:** Walt Disney Productions (te). **Getty Images:** Imagno / Hulton Archive (td). **108 Corbis:** Robbie Jack (cra). **109 Wellcome Images:** (be). **116 Corbis:** Robert Wallis (te). **117 Alamy Images:** Harvey Lloyd / Peter Arnold, Inc. (te). **Science Photo Library:** National Library of Medicine (be). **119 Getty Images:** Hulton Archive (td). **120 Corbis:** Nancy Honey (bc). **123 Getty Images:** Ryan McVay (te). **Lebrecht Music and Arts:** Rue des Archives / Collection Bourgeron (be). **127 Corbis:** Michael Reynolds / EPA (td). **129 Getty Images:** Leonard Mccombe / Time & Life Pictures (td); Roger-Viollet (be). **134 Corbis:** Pascal Deloche / Godong (te). **135 Getty Images:** David Malan / Photographer's Choice (td). **136 Corbis:** Roger Ressmeyer (be). **137 Getty Images:** Peter Cade / Iconica (te). **139 Corbis:** Ann Kaplan (td). **144 Corbis:** Bettmann (be). **Getty Images:** Mark Douet (td). **147 Corbis:** Jutta Klee (tl/computed); Roy Morsch (tc/blamed); Larry Williams (tr/placatod). **Getty Images:** Nathan Blaney / Photodisc (tc/levelled). **148 Getty Images:** Dennis Hallinan (b). **151 Corbis:** Allen Ginsberg (td); Robbie Jack (be). **153 Getty Images:** Miguel Medina / AFP (td); Toru Yamanaka / AFP (te). **155 Alamy Images:** Sigrid Olsson / PhotoAlto (cra). **161 TopFoto.co.uk:** Topham Picturepoint (tl, td). **162 Getty Images:** Andersen Ross / Photodisc (cb). **165 Press Association Images:** (td). **167 Science Photo Library:** Estate of Francis Bello (be). **173 Corbis:** William Whitehurst (te). **Jon Roemer:** (td). **175 Beck Institute for Cognitive Behavior Therapy:** (td). **176 Corbis:** Bettmann (bd). **181 Alamy Images:** David O. Bailey (te). **Science Photo Library:** Corbin O'Grady Studio (td). **182 Corbis:** Carol Kohen (be). **184 Corbis:** H. Armstrong Roberts / ClassicStock (bc, bd). **Getty Images:** George Marks / Retrofile / Hulton Archive (te). **185 Corbis:** Monty Rakusen (td). **190 Alamy Images:** Gary Roebuck (te). **Courtesy of Baycrest:** (be). **192 Corbis:** Owaki/ Kulla (cra). **195 Corbis:** Ocean (td). **197 Getty Images:** Steven Dewall / Redferns (be). **199 Claremont Graduate University:** Photo by C. Sajgó (be). **Corbis:** Charles Vlen / Bettmann (te). **201 Getty Images:** Purestock (bc). **Positive Psychology Center, University of Pennsylvania. :** (td). **204 Courtesy of UC Irvine:** (be). **207 Corbis:** Guy Cali (be). **210 Alamy Images:** Michele Burgess (cb). **212 Lebrecht Music and Arts:** Matti Kolho (bc). **213 University of Bath:** (td). **221 Getty Images:** Chris Ryan / OJO Images (td). **222 Corbis:** Moment / Cultura (bc). **223 Alamy Images:** Interfoto (be). **Corbis:** K.J. Historical (te). **225 Solomon Asch Center for Study of Ethnopolitical Conflict:** (td). **227 Corbis:** Bettmann (be). **229 American Sociological Association, www.asanet.org. :** Photo of Erving Goffman (be). **Corbis:** Yi Lu (cd). **234 Corbis:** Claro Cortes / Hanoi, Vietnam (te). **235 Corbis:** Hannes Hepp (bc). **Stanford News Service. :** Linda A. Cicero (td). **237 Corbis:** Walt Sisco / Bettmann (cd). **239 Corbis:** Sophie Bassouls / Sygma (be). **241 The Bridgeman Art Library:** Musée national des arts et traditions populaires, Paris / Archives Charmet (tc). **William Glasser Inc. - www.wglasserbooks.com :** (td). **243 Alamy Images:** David Grossman (te). **University of Waterloo:** Maurice Greene (be). **245 Corbis:** Bettmann (be). **Special Collections, University of California, Santa Cruz:** (td). **249 Getty Images:** Apic / Hulton Archive (td). **Manuscripts and Archives, Yale University Library:** Courtesy of Alexandra Milgram (be). **251 Getty Images:** Peter Stackpole / Time & Life Pictures (bd). **252 Corbis:** Stapleton Collection (bc). **253 Corbis:** Geneviève Chauvel / Sygma (te). **255 TopFoto.co.uk:** Topham Picturepoint (td). **Philip G. Zimbardo, Professor Emeritus, Stanford University:** (te). **257 Universidad Centroamericana "José Simeón Cañas" (UCA), El Salvador:** (be). **265 Corbis:** The Gallery Collection (tc). **267 Science Photo Library:** Bill Anderson (te). **268 Corbis:** Bettmann (be). **269 Alamy Images:** Thomas Cockrem (bd). **271 Corbis:** Jerry Cooke (cd). **273 Corbis:** Ted Streshinsky (td). **Getty Images:** Jose Luis Pelaez / Iconica (be). **276 Corbis:** Hulton-Deutsch Collection (td). **277 Richard Bowlby:** (be). **Getty Images:** Lawrence Migdale (td). **278 Science Photo Library:** Photo Researchers (cd). **281 Corbis:** Tim Page

352 AGRADECIMENTOS

(td). **282 Library Of Congress, Washington, D.C.:** Gordon Parks (cd). **283 Corbis:** Bettmann (td). **285 Corbis:** Bob Thomas (tc). **Special Collections, Eric V. Hauser Memorial Library, Reed College, Portland, Oregon:** (be). **289 Albert Bandura:** Department of Psychology, Stanford University (td). **290 Alamy Images:** Alex Segre (td). **291 Corbis:** Ocean (b). **293 Corbis:** Bettmann (td). **296 Corbis:** Christopher Felver (be). **297 Corbis:** Frans Lanting (bd); Brian Mitchell (te). **299 Getty Images:** Trisha G. / Flickr (be). **Rex Features:** Brian Harris (td).

305 Getty Images: Stan Munro / Barcroft Media (te). **310 The Bridgeman Art Library:** Palazzo Vecchio (Palazzo della Signoria), Florence (td). **312 Getty Images:** MPI / Archive Photos (te). **313 Corbis:** Bettmann (td). **315 Courtesy of the University of Illinois Archives:** Image 0000950. Found in RS: 39/1/11, Box 12, Folder Raymond B. Cattell (be). **320 Corbis:** Bettmann (be). **321 Getty Images:** Universal History Archive/ Hulton Archive (te). **Mary Evans Picture Library:** John Cutten (te). **323 Harvard University:** Jane Reed / Harvard News Office (td). **Science Photo Library:** Van D. Bucher (bc).

325 Getty Images: Universal History Archive / Hulton Archive (td). **Dolph Kohnstamm:** (be). **327 Corbis:** Monalyn Gracia (tc). **Courtesy of University Archives, Columbia University in the City of New York. :** Joe Pineiro / Office of Public Affairs Negatives - Box 109 (td). **329 Corbis:** Bettmann (be). **331 The Kobal Collection:** 20th Century Fox (tc).

Todas as outras imagens © Dorling Kindersley

Para mais informações:
www.dkimages.co.uk

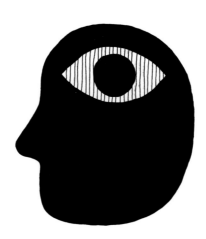

Conheça todos os títulos da série:

 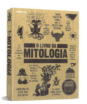